# RATIO FORMATIC

# RATIO STUDIORUM GENERALIS

A

## FR. BRUNO CADORÉ OP

## MAGISTRO ORDINIS PRÆDICATORUM

## PROMULGATÆ

## CURIA GENERALITIA
## ROMÆ 2017

NEW PRIORY PRESS

EXPLORING THE DOMINICAN VISION

# *RATIO FORMATIONIS GENERALIS*

# *RATIO STUDIORUM GENERALIS*

# Preface

I am very grateful to New Priory Press for agreeing to produce this edition of the *Ratio Formationis Generalis 2016* and the *Ratio Studiorum Generalis 2017*. The general chapters of Rome and Trogir asked me to prepare these new texts (Rome 2010 n.100; Trogir 2013 n.132) which are now readily and usefully available in this book. The RFG and the RSG are two of the most important fruits of the Dominican Jubilee Year of 2016. I thank the members of the general council and all who worked with them to assist me in this task, particularly the formators and teachers of the Order who shared their experience and concerns with us as we were developing these documents. The Order's hope for the Jubilee was a renewal of the Order's life and mission (Trogir 2013 n.51). For me these new texts guiding our formation and our study can contribute greatly to that renewal, as the provinces engage with the principles and directives they contain and apply them in their own *rationes particulares* as well as in the ongoing work of formation, teaching and learning.

# Prefacio

Expreso mi especial agradecimiento a New Priory Press por haber aceptado la realización de esta nueva edición de la *Ratio Formationis Generalis 2016* y la *Ratio Studiorum Generalis 2017*. Los capítulos generales de Roma y Trogir *(Roma 2010 n.100; Trogir 2013 n.132)* me han solicitado que preparara estos nuevos textos que ahora estarán disponibles de manera fácil y útil en esta edición. La RFG y la RSG son dos de los frutos más importantes del Año Jubilar Dominicano 2016. Agradezco a los miembros del consejo general y a todos aquellos que han trabajado en estos textos para ayudarme a cumplir con esta tarea, particularmente a los maestros y demás formadores de la Orden que compartieron su experiencia y preocupaciones con nosotros mientras desarrollábamos estos documentos. La esperanza de la Orden para el Jubileo ha sido la puesta en marcha de una renovación de la vida y la misión de la Orden (Trogir 2013 n.51). Para mí estos nuevos textos, que guían nuestra formación y nuestro estudio, pueden contribuir en gran parte a esa renovación, a medida que las provincias se comprometen con los principios y directivas que contienen y las aplican en sus propias *rationes particulares*, así como en el trabajo continuo de formación y enseñanza-aprendizaje.

# Préface

Je suis très reconnaissant à New Priory Press d'avoir accepté de publier l'édition de la *Ratio Formationis Generalis 2016* et de la *Ratio Studiorum Generalis 2017*. Les chapitres généraux de Rome et de Trogir m'ont demandé de préparer ces nouveaux textes (Rome 2010 n.100; Trogir 2013 n.132) qui par ce livre deviennent facilement disponible. La *RFG* et la *RSG* sont deux des fruits les plus importants du jubilé dominicain de 2016. Je remercie les membres du conseil généralice ainsi que tous ceux qui ont travaillé avec eux pour m'aider dans cette tâche, surtout les formateurs et les enseignants de l'Ordre qui ont partagé leur expérience et leurs soucis avec nous lors de la préparation de ces documents. L'espoir de l'Ordre était que le jubilé suscite un renouveau de sa vie et de sa mission (Trogir 2013 n.51). Selon moi, ces textes peuvent grandement contribuer à ce renouveau, maintenant que les provinces peuvent prendre connaissance de leurs principes et directives afin de les traduire dans leurs *rationes particulares* et de les appliquer dans le travail de la formation, de l'enseignement et de l'apprentissage qui est en cours.

fr Bruno Cadoré OP
Master of the Order of Preachers

# ABBREVIATIONS USED

Avila 1986          Acts of the General Chapter held at Avila, Spain, in 1986

Bogota 2007         Acts of the General Chapter held at Bogota, Colombia, in 2007

Bologna 1998        Acts of the General Chapter held at Bologna, Italy, in 1998

Bologna 2016        Acts of the General Chapter held at Bologna, Italy, in 2016

Caleruega 1995      Acts of the General Chapter held at Caleruega, Spain, in 1995

CIC                 Codex Iuris Canonici (the Code of Canon Law, published in 1983)

Fund.Const.         Fundamental Constitution = LCO n.1

Krakow 2004         Acts of the General Chapter held at Krakow, Poland, in 2004

LCO                 Liber Constitutionum et Ordinationum Fratrum Ordinis Prædicatorum (the constitutions of the Friars of the Order of Preachers)

Mexico 1992         Acts of the General Chapter held in Mexico City in 1992

Oakland 1989        Acts of the General Chapter held at Oakland, California, in 1989

Providence 2001     Acts of the General Chapter held at Providence, Rhode Island, in 2001

Quezon City 1977    Acts of the General Chapter held at Quezon City, Philippines, in 1977

RFG                 Ratio Formationis Generalis (the general plan for formation)

RFP                 Ratio Formationis Particularis (the particular plan for formation in each province)

Rome 2010           Acts of the General Chapter held at Rome in 2010

RSG                 Ratio Studiorum Generalis (the general plan for studies)

RSP                 Ratio Studiorum Particularis (the particular plan for studies in each province)

Trogir 2013         Acts of the General Chapter held at Trogir in 2013

# *RATIO FORMATIONIS GENERALIS*

# *Ratio Formationis Generalis* – 2016
## English

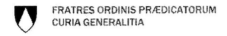

**FRATRES ORDINIS PRÆDICATORUM**
**CURIA GENERALITIA**

Rome, 22 December 2016

Letter of promulgation
of the Ratio Formationis Generalis (RFG)

*Prot. 50/16/875 RFG*

Dear brothers,

With the approval of the General Chapter of Bologna (ACG 2016 Bologna, 244), I promulgate by this letter the new *Ratio Formationis Generalis* (RFG) which «lays down general spiritual principles and basic training norms for forming the brothers, leaving the provinces to develop their own norms as time and place demand» (LCO 163).

This *Ratio* replaces the one which has been in effect since 1987. It is the fruit of a broad process of consultation with the provinces and formators in the different regions of the Order, conducted by the general council and the *socius* in charge of initial formation. I thank very much all those who have participated in the elaboration of this *Ratio* – of which the original version is in English. It is now up to each province to proceed with the updating of its own *Ratio Formationis Particularis* (RFP), on the basis of the *Ratio Generalis* (ACG 2016 Bologna, 245), and then to submit it to the general council for approval. The Socius for Fraternal Life and Formation will be specifically responsible to accompany this process.

For the first time this *Ratio* is addressed to all the brothers, whether they are in initial formation or not. Indeed, for several general chapters now, the continuity between initial formation and permanent formation has been highlighted, along with the importance of each of us giving equal attention to these two dimensions of formation. Once again, formation is presented in this *Ratio* as a path, a school of apostolic life, highlighting both the primary responsibility of each of the brothers for his own formation, but also the responsibility of the communities and the provinces which have the task of supporting each one in the ongoing process of renewal of his own vocation to become an « evangelical and apostolic man ». As a school of life, our formation leads us, each according to the stage of our life, to contemplate in the heart of our life the grace of the Word that we want to preach. Thus, formation invites us to unite ourselves to Christ, the path of truth which leads to life, and to focus our life on the quest for truth. As a school of preachers, initial and permanent formation guides us on the path of apostolic obedience which makes us free to allow the Spirit to establish in us the compassion of Christ and his ardent desire that the world should have life and be saved.

The primitive Constitutions, in the chapter about the novitiate, referred to the call of Christ «Learn from me». «Come and see», Philip said to Nathanael. «Go and preach», the Apostles echoed to Dominic. It is this purpose that determines formation for all ages of the Dominican life, and brings together our diversity in the unity of a communion of «holy preaching».

*f. Bruno cadori op*
br. Bruno Cadoré, op
Master of the Order of Preachers

# INTRODUCTION

## A. Forming a Dominican Preacher

1. 'The aim of our formation is the making of a Dominican preacher, one who will be a preacher of grace and a true witness to Christ' (Rome 2010, nn.185, 200). It requires an environment characterized by prayer, poverty and study, by apostolic zeal and a sense of mission, by joy in liturgical celebration and common life. Its success is measured by genuine personal maturity, the practice of prayer, fidelity to the vows, community life, continual study, solidarity with the poor and a passion for the salvation of souls.

2. Formation begins in the stages of initial formation and continues throughout our lives. This is why most of this *Ratio Formationis Generalis* applies not just to initial formation but also to permanent formation. This single process of formation finds its unity in the purpose of the Order: the mission of preaching (Mexico 1992 n.27,2). Initial formation introduces us, therefore, into something that characterises the whole of our lives.

3. In our tradition formation means growing in discipleship as we follow Christ on the way of St Dominic. It is not just about academic study and it is not just about one period of our lives. It presupposes humility and docility, accepting that we need always to grow in knowledge and in virtue, to understand better, and to be renewed. Most deeply, of course, formation is the work of God's grace.

4. Our formation will seek to integrate the intellectual and pastoral dimension in the human and spiritual development of the brothers (*Pastores Dabo Vobis* §§42-59). Many general chapters have emphasised that our formation seeks to help the brothers to become more mature as men and believers, as religious and preachers. Brothers preparing for priesthood need a particular initial formation in preparation for their vocation, as do the cooperator brothers in preparation for theirs.

5. Our formation must attend to these aspects because it is the formation of apostles, after the pattern of life devised by St Dominic. Its paradigm is the school of apostolic life in which Jesus is the Master. So our first text for formation is Sacred Scripture. Jesus trained the apostles as preachers of grace

by inviting them to share his company and to learn from his words and actions. He taught them how to pray and initiated them into the mysteries of his person and of his mission. His final formation of them was through the gift of the Spirit who sustained in them their love for the Master and their desire to follow him. St Dominic restored this school of apostolic life in view of his mission and we are called to live it in ways adapted to our time and circumstances.

6. We believe that we have been called by God to follow St Dominic and so to follow Christ in his preaching mission. We are called to grow into this mission by the Word of God, by the Church, and by our Constitutions. We are called also by the need of our brothers and sisters to whom we are sent to announce the Good News of salvation (cf. Trogir 2013 n.124). We are called especially by the poor, the blind, and the afflicted, by prisoners and offenders, by the oppressed and the marginalized (cf. Luke 4:18). All this urges us towards a permanent formation: the Word of God which abides in us, the studies which we pursue, the men and women we meet, the mentalities which challenge us, the places and events in which we are immersed.

## B. The purpose of the Ratio Formationis Generalis

7. The *Ratio Formationis Generalis* contains general spiritual principles and fundamental pedagogical norms for the formation of the brothers (LCO 163). It recalls and develops the prescriptions of LCO 154-251-ter, as well as the acts of general chapters. It describes the spirit and context of formation in our Order and draws some conclusions of a practical nature. It leaves to each province the task of applying and adapting these principles and norms according to the specific requirements of each province.

8. The *Ratio Formationis Generalis* is addressed to all the brothers. Each one retains a primary responsibility for his formation, under the guidance of masters and other formators where appropriate, and always in response to the grace of the vocation we have received (cf. LCO 156).

9. The *Ratio Formationis Generalis* is addressed in a particular way to brothers who are given a specific responsibility for initial or permanent formation, to guide them in their tasks.

10. The *Ratio Formationis Generalis* is to be read along with the *Ratio Studiorum Generalis*. Study is an essential part of our form of religious life. The work of study is not an alternative to apostolic work but is a necessary part of our service of the Word of God. Because study is integral to our form

of life, it is related to prayer and contemplation, to the ministry of the Word, and to our life in community. So our formation can never be considered without reference to study nor our study without reference to the other aspects of formation.

11. It is essential for the sake of brothers in initial formation that good contact is maintained especially between regents and directors of studies on the one hand, and masters of formation on the other. The overall progress of brothers in initial formation is overseen also by the provincial and local councils of formation.

12. Guidelines for the production of the *Ratio Formationis Particularis* are given in the Appendix to this *Ratio Formationis Generalis*.

# I. DOMINICAN FORMATION

## A. Fundamental values of Dominican life

13. Formation means the progressive initiation and integration of brothers into our way of life with its mission of preaching as described in the Fundamental Constitution, in LCO 2-153, and in the acts of the general chapters.

14. Dominican life requires prayer, poverty, community life, study and preaching. Our vocation is contemplative, communitarian and missionary. Its source is a thirst for God and a desire to preach the compassion and friendship of God, directed towards the fullness of justice and peace, a desire established and formed by God's grace.

*The evangelical counsels*

15. Our constitutions understand the vows in relation to the following of Christ, the service of the Church, and our personal freedom for these tasks. In professing the evangelical counsels we seek to be conformed to Christ obedient, poor and chaste. These gifts of grace, received in our profession, enable the deepest desires of human nature to serve our search for God, the preaching of the Gospel and the care of others. Living the evangelical counsels makes us witnesses of the kingdom that is coming. In forming apostles and preachers we can never forget that our human nature is wounded by sin and needs to be healed by grace. Where we seek to possess material

goods, other people, and power, it enslaves us. By contrast, the gifts of grace bring freedom. We receive these gifts and develop them in living our vocation fully.

16. Our deepest human desires – for autonomy and achievement, for marriage and family life, for property and satisfying work – are distinct but it is helpful to consider them together and in our profession we name only obedience. We profess obedience to God, to Mary, to St Dominic, to our superiors, according to the institutions of the Order, including therefore our characteristic form of capitular government. St Dominic asked the brothers to promise him 'community and obedience' (LCO 17 §I).

*Obedience*

17. Obedience is the heart of our religious life, as we seek to imitate the love and obedience of Jesus for the Father. Entrusting ourselves to Him, and to each other, we seek to live together with the freedom for which Christ has set us free, mature men capable of sharing in the projects and responsibilities of the community. Formation in obedience begins immediately and continues throughout our lives as we learn to practice a genuine dialogue: listening openly and receptively to each other, speaking frankly and charitably to each other, learning how to work together, to moderate meetings, to resolve dialogue into determinate action, to be obedient to such determinations and to contribute generously whatever our particular responsibility in the community. The witness of obedience corrects distorted ideas of freedom and living it authentically enables us to confront abuses of power credibly and in solidarity with those who are voiceless and excluded.

*Chastity*

18. LCO speaks of the Christological, ecclesial, apostolic and eschatological meanings of consecrated chastity which unites us to Christ in a new way, strengthens our hearts for preaching, and heals our wounds. It gives us a new kind of availability to people, a deeper respect for each person, and a freedom to welcome and receive all with the compassion and tenderness of Christ. For such a commitment 'it is essential that the brothers grow in physical, psychological and moral maturity' (LCO 27 §II). Those with responsibility for formation must assist this growth in every possible way. At each stage of initial formation, and from time to time in permanent formation, there is to be serious reflection and sharing on affective life and maturity, sexuality, celibacy and chaste love (Bologna 1998, n.90). The general chapter of Providence gave a fuller context for this (Providence 2001, nn.348-349) and the general chapter of Trogir endorsed it (Trogir 2013, n.142). Issues that are

to be explicitly considered are homosexuality, the use of social media, pornography, and paedophilia (along with the province's guidelines concerning abuse).

*Poverty*

19. Relying on divine providence in imitation of Christ and the apostles, we live as poor men sharing all we earn and all we are given. As mendicants we live in simplicity and detachment, ready to move and to adapt for the sake of the preaching of the gospel. Living simply and even austerely as Jesus did, we grow in freedom and our preaching gains credibility. Evangelical poverty creates a solidarity among ourselves and with the poor, especially those closest to us. We observe it also by working hard at the tasks we have been given, and by our efforts to promote economic justice and a spirit of sharing amongst people.

*Compassion*

20. We seek God's mercy on coming to the Order and our formation ought to educate us in compassion. The theological, spiritual, apostolic and mystical traditions of the Order teach a wisdom of the heart which encourages us to sympathise with the sufferings and difficulties of people and bring them into our prayer. We are to be pastoral theologians and theological pastors, always aware, as St Dominic was, of those who suffer. We learn to bring to people the Word that heals, forgives, reconciles and renews by receiving and appreciating that Word in our own lives.

*Study and contemplation*

21. Study and contemplation go together for us. Although there is a *Ratio* for studies in the Order, intellectual formation is not a separate compartment isolated from the rest of our formation. Study is an essential part of our spirituality, of our form of religious life, and of our mission in the Church.

22. Our study begins and ends with the Word of God. For us, contemplation means seeking to understand the Word that is Christ and so be united with him as the Way of Truth that leads to Life (St Thomas Aquinas, *Summa theologiae*, III, prologue). Our study is always undertaken with a view to a deeper love of God and to evangelization, to understanding more profoundly the call of the Gospel and the needs of humanity. The brothers are to be introduced to *lectio divina*, a meditative study of the Scriptures and a practice that bears fruit in personal spirituality and in preaching.

*Silence and cloister*

23. 'Silence is the father of preachers' is a saying handed on in our tradition. Brothers need to be formed for solitude and silence so as to make good use of times for study and prayer, to free their minds from distractions, and simply to ponder the mysteries of the faith. The modern means of communication reach inside the cloister and inside our rooms. We need to be formed in wise use of the internet and especially the social media, appreciating how they can assist us but learning also how to avoid the negative effects they can have for brothers personally and for community life. Brothers in formation will be helped to see how our way of living needs the support of penitential practices (cf. LCO 52-55), the most important of which for us is study (LCO 83).

*Personal prayer*

24. St Catherine of Siena speaks of prayer as 'the cell of self-knowledge' and Sirach teaches us that 'the prayer of the humble person pierces the clouds' (35:17). Personal prayer is essential for the self-knowledge without which personal maturity is impossible. Initial and permanent formation will frequently consider the teachings and practices of prayer that are found in the traditions of the Order and the Church.

*The sacred liturgy*

25. 'The celebration of the liturgy is the centre and heart of our life, the basic source of our unity' (LCO 57). This refers not only to the Eucharist but also to the Liturgy of the Hours which structures our day and to which St Dominic was always faithful. Dominicans are formed to participate in the liturgy by participating in the liturgy. The liturgy draws us out of ourselves, to pray with Christ and the Church and so to grow in compassion for all. Through the variety of seasons and rites, celebrating the liturgy in its diversity, we praise God and our communion with Him is deepened. LCO 105 §II describes the Eucharist as 'the source and summit of all evangelization' while LCO 60 calls us to frequent reception of the sacrament of penance and reconciliation.

26. The liturgy is a privileged place for hearing the Word, receiving it in joyful celebration, and allowing ourselves to be formed by the power of its truth. A goal of formation is to bring the brothers to realise how our service of the Word of God brings together everything in our lives: we contemplate the Word of God in prayer and study, we welcome the Word and celebrate it in the sacred liturgy, we allow the Word to shape our lives through the other observances of conventual life, and we proclaim the Word through preaching.

*The Rosary and other devotions*

27. Devotion to Mary, the Mother of God, is at the heart of Dominican spirituality. In the Rosary we are with Mary, pondering the mysteries of the Word made flesh. Another essential resource for us is the example, the teaching and the prayers of the Order's saints. In addition it is important to introduce brothers to the popular devotions that are valued by believers, especially to those associated with the Order.

*Fraternity*

28. A common fraternal life is part of any *sacra praedicatio*, part of our preaching. We see this in the apostolic brotherhood gathered around Jesus, and in the first Christian communities. Preachers are sent to bring to other places the shared life of prayer and charity they have experienced. Each community is ecclesial, a school of Christian life. Our appreciation of this fraternity must extend beyond our own community to include the other branches of the Dominican family as well as the community of the local Church.

*Preaching*

29. Dominican preaching requires and illuminates approaches to formation. It seeks to be prophetic and doctrinal, marked by an evangelical spirit and sound teaching (LCO 99 §I), open to dialogue and yet not afraid to be critical. Our formation prepares preachers who will be zealous like the apostles and creative like the prophets. We are called to stimulate people's desire to know the truth (LCO 77 §II) and to help the Church to find new ways to that truth (LCO 99 §II). We seek to form men who will be imaginative in engaging with changing situations where new realities are coming to birth.

30. Initiation into the preaching of the province is to be continual and supervised, strengthening the passion of the brothers to preach the gospel. In initial formation the brothers are introduced to a range of apostolic activities, especially in contexts where people are seeking knowledge and truth, where people are suffering and seeking hope, and where there are opportunities for direct teaching and preaching. As well as learning to undertake these activities, they must also learn to work with others, with brothers and other members of the Dominican family, with priests and other religious, and with lay people.

*Mission*

31. While brothers belong to a particular province, and are formed for that province, their formation will never forget the universal character of the Order and its mission throughout the whole Church. It will be a formation in availability, adaptability and mobility in line with the universal missionary character of our vocation.

32. While the mission of preaching the Gospel is perennial, specific priorities for the Order's mission are identified from time to time, especially at general chapters (e.g., Quezon City, 1977; Avila, 1986; Rome, 2010). Part of the task of formation is to help the brothers to appreciate and to embrace these priorities, which ought also to give shape to the programmes of formation.

## B. The process of integration into Dominican life

33. Our formation initiates us into the following of Christ along the way devised by St Dominic. We do it by living in the way described in Section A above. All of this constitutes the 'Dominican culture' into which we are initiated through the process of formation. While integration into Dominican life is progressive, it must include, in all stages and in appropriate ways, all the elements which make up our life.

*Maturity*

34. All aspects of formation require time. LCO describes the kind of maturity we need: physical, psychological and moral (LCO 27 §II). Such maturity is seen in a stable personality, the ability to make weighty decisions, and the acceptance of personal responsibility (LCO 216 §I). It means a good sense of personal autonomy combined with a sense of the other person and the interests of the community, the ability to find balance in a lifestyle that makes varied demands, freedom from addictive and compulsive behaviour, the ability to live with tensions and to deal with conflicts, being at ease with people no matter what their race, age, gender, or social position. Formation seeks to help brothers mature in all these ways. The work of Thomas Aquinas on human action, passions and virtues, offers a solid starting point for reflecting on psychological maturity and moral development. His work ought to give shape to our formation, in conversation with the best of contemporary thought and experience in these areas.

35. People mature also through making mistakes, learning how to continue in spite of them while often also learning important things from those

mistakes. We 'seek mercy in the company of others' (Caleruega 1995 n.98.3): a mature person is one who can receive mercy and show it to others.

36. The experience of the Cross is at the heart of Christian life, a life lived in 'affliction and joy' (1 Thess 1:6). We need to be helped, at any stage of life, to integrate experiences of failure, disappointment and loss with faithfulness to our vocation. One task of formation is helping brothers to mature by letting go and moving on where this is what ought to be done. Formation helps the brothers to prepare themselves for paschal moments in the life of the preacher.

37. Formators and others are often called on to accompany brothers in times of crisis. This too is a necessary part of growth and maturing. There are times when it seems that the Lord is asleep as our boat is tossed around, but we can always call on him and on the help also of our brothers and sisters, to restore calm and be prepared for the fresh challenge that will come to us on the other shore. We ought to pray regularly for brothers experiencing difficulty, that God will reveal his presence to them and send to them a person able to help.

38. Initial formation continues over many years, and permanent formation for the whole of our lives, so it will at times feel tedious. This is another challenge and opportunity for maturing, to persevere in the daily living of our vocation, in regular observance, so as to live that vocation with constancy and depth (Providence 2001, n.355).

39. A basic human maturity is essential in those who are given particular responsibilities for formation as well as in those assigned to communities of formation. This is particularly necessary in order to provide positive role models for brothers in initial formation and to avoid any kind of exploitation of the brothers in formation by senior brothers.

40. Formators must work against a common tendency, especially in the years of initial formation, to infantilize brothers. On the other hand there is the contemporary phenomenon of an 'extended adolescence' along with a culture of dependence and entitlement in the younger generations. This presents new challenges for formation, particularly in regard to community life, poverty, and obedience. The nature of the freedom in Christ which St Dominic wanted his brothers to have can lead some to regress in how they respond to authority. The reasons for rules and expectations are to be explained and brothers are to be prepared to account for their behaviour.

41. To be a disciple means remaining faithful to the Word, abiding in the truth and so finding true freedom (John 8:31-32). There is a strength in our life because it is centred simply on the quest for truth: it gives us stability, doctrine to guide us, fraternal communion in the friendship of Christ, a freedom strengthened by obedience (LCO 214 §II).

42. Even before solemn profession brothers are to be educated in the function of Dominican government (Rome 2010 n.194). They are to be included in community meetings, participating in processes of discernment and decision except in matters for which solemn profession is required. They will see in practice that in our form of government, based on mutual trust and respect, listening and sharing with others are essential. Dominican government is responsible, participatory and consensual, it presupposes an evangelical freedom and an obedience that is not out of fear (Bogota 2007 n.207, f).

43. Brothers will be reminded of the importance of friendship and that genuine friendship is never exclusive or inimical to community life. The gift of friendship is to be welcomed, whether it is between brothers or with people outside the Order. Good experiences of friendship help in the mature integration of a religious vocation. However any friendship, even when in conformity with the vow of chastity, has to be coherent with the exclusivity of our relationship with God.

44. A challenge for formation is to help the brothers to establish a new relationship with their families, from within the choice of a consecrated life and where the brother must help his family to understand the path he has chosen. Responsibilities towards one's family of origin can vary from culture to culture and sometimes create tensions with the responsibilities that come with profession. These issues need to be addressed as soon as possible in the course of initial formation so that family relationships do not become an obstacle to a brother's full integration into the community. We must acknowledge family responsibilities and how they are understood culturally, help brothers to meet those responsibilities, and at the same time not allow them to damage the kind of belonging our profession requires.

45. In some parts of the Order the programme of formation is shared with other members of the Dominican Family, particularly with the nuns and with the sisters. Even where this is not the case, our formation must also initiate the brothers into the life of the Dominican family. It is another context in which we learn how to share life with others, women as well as men, religious as well as lay people, where we must practice dialogue, solidarity, and fraternal reconciliation.

46. Love of the Church is at the heart of our vocation. Integration into Dominican life is integration into the life of the Church: it is in this place and in this way that we live out our membership of the Body of Christ. We are at the service of the Church in ways appropriate to our charism and our mission is always to be related to that of the Church in a particular place.

## C. The contexts of formation

47. There are different contexts for formation in the Order depending on levels of education, social and political situations, and religious and ecclesial circumstances. To be considered also are the size of novitiate and studentate groups, the age at which men are admitted, traditions and customs specific to each province, and even to different regions within the one province. Formation has the task of initiating into our way of life brothers of different cultures and mentalities, while simultaneously offering them the fullness of Dominican life thus opening them to a larger and consequently more catholic communion. Another consequence of this diversity is that formators and the formation communities are asked to be open to new possibilities.

48. Formation takes on specific modalities in the different stages of initial formation, in formation for a particular vocation within the Order, in formation for a particular ministry, and in permanent formation for the different stages of life.

49. Local and regional resources for education and human formation, whether in the Dominican family, in the local Church, organised by regional conferences of religious or in inter-congregational collaboration, can normally be used in support of a Dominican formation that is holistic and permanent. However, initiation into Dominican life ought to take place in a convent (cf. LCO 160-161, 180 §I, 213 §II). In areas where such formation, or inter-provincial collaboration, is not feasible for cultural, geographical, or other reasons, permission to establish exceptional models of formation should be submitted to the Master of the Order for approval.

50. Each person brings a unique personal background and history with him, a new way in which the grace of a Dominican vocation has been working. Formators need to be aware of the needs of each individual as well as the dynamics within groups and he needs to be wise and patient with the rhythm of development of each brother (Bogota 2007, n.200).

51. In some contexts men are significantly older when entering the Order. Care needs to be taken to ensure that such candidates have sufficient

flexibility and openness to adapt to Dominican life. Sometimes men join as priests or having been in a seminary or in another religious institute. After simple profession men who are already ordained priests remain in formation under the care of a master to continue their initiation into Dominican religious life and to prepare adequately for solemn profession. The *Ratio Formationis Particularis* will consider the age limit for the admission of candidates as well as adaptations that may be needed to receive older men and men who are already ordained.

52. Where the desire to join the Order follows on a conversion or re-conversion to the faith, it is important to help the person to be clear that his conversion and his vocation are related but are also distinct. It is essential that men experience the ordinary life of the Church for a number of years before applying to join the Order. This will help them to grow in the faith and to appreciate the grace of a call to be a preacher at the service of the Church.

53. In contexts where religious life and priesthood offer a higher standard of living than would be generally available, or gives a status within the society, formators must help brothers to purify their motivation in wanting to be Dominicans and to live as the evangelical counsels require.

54. There can be significant differences between cultures concerning questions of sexuality, sexual orientation, human intimacy and attitudes to women and men. It is necessary to speak about these questions in initial and in permanent formation and to base our attitudes and behaviour on what we learn in the gospels.

55. In regard to sexuality, the questions presented for formation are about learning to live chastely as well as about integration in the life of the community so as to participate joyfully in its preaching mission (cf. Timothy Radcliffe, Letter to the Order, 'The Promise of Life').

56. Each generation is to be won for Christ and likewise each generation brings something new to the Order, new experiences, new questions, new apostolic zeal. Formators must work to ensure that each generation of brothers is enabled to grow, to bring its gifts to the Order and gradually to share responsibility for the Order with the older brothers. They must also work to ensure that our traditions are passed on to the new generations and that younger brothers are disposed to receive and to learn from those traditions.

# II. PERSONS INVOLVED IN FORMATION

## A. The community in formation, the community of formation

57. As a *sacra praedicatio*, every Dominican community is a school for preachers and a community in formation. This is true of every community, not only of the communities of initial formation. Each one is to be a place where the permanent formation of the brothers is encouraged and facilitated.

58. While every member of the province shares in the responsibility of formation, brothers assigned to communities of initial formation have a particular responsibility (cf. LCO 161). With the superiors and masters of formation, they accompany the process of growth in Dominican life and apostolic zeal of those in formation. The solemnly professed brothers ought to have the ability and desire to be with those in initial formation, where all who are assigned are jointly responsible for the formation of the Order's newest members.

59. The first task of a formation community is to be a good Dominican community. The community will be challenged by the brothers in formation to renew its life, but it must also take seriously its responsibility to inculcate in the younger brothers the fundamental values of Dominican life (Section I A above). The most powerful witness and teacher of fraternity for the younger brothers is a formation community that is living and functioning well.

60. The community of formation ought to be composed of brothers who have a deep Dominican spirituality, with varied gifts and apostolic engagements, who respect and encourage intellectual life, are kind and open to dialogue, who trust each other, are emotionally mature, know how to listen, and are capable of reconciliation (cf. LCO 160, 180 §I, 215 and Bogota 2007 n.216). Where possible, one or more cooperator brothers ought to be assigned in the communities of initial formation so that there is a living witness to this vocation for the brothers in formation and a support for new vocations to this precious vocation in the Order.

61. Initial formation presupposes a conventual life strong enough to receive and to form new members, well-prepared masters, and a sufficient number of novices or students. Where it is difficult for a province or other entity to sustain its own communities of formation, there needs to be collaboration between provinces, particularly in the same region.

62. It is important that where possible brothers are formed in their own entity but it is also important that they have the best possible formation. Where there are few vocations to a province consideration is to be given to sending new brothers to novitiates and studentates where they will have a good number of contemporaries. This is especially the case where there is a significant gap in age between the older brothers of a province and the brothers in formation. A very important part of formation is sharing life with one's peers who often have an important formative influence. Keeping a single novice in a novitiate, or too few students in a province, is to be avoided.

63. As part of the annual canonical visitation of the prior provincial (cf. LCO 340), each community of initial formation is to see whether the work of formation is in fact a primary and integral part of the community project, and whether the brothers of the community are collaborating well in that work.

64. After the annual visitation of the communities of initial formation, the provincial with his council shall review the environment in which formation is taking place as well as the implementation of the formation programme. They must ensure that the conditions required for a good formation community are present in both the novitiate and the studentate. Where there are difficulties the provincial council of formation must also be informed.

65. The prior provincial needs to be confident that any brother being assigned to a community of initial formation is committed to its purpose. When he has to confirm the election of a prior in a convent of initial formation, he will enquire to know if the elected brother really desires to interest himself and participate in the formation of brothers and in their integration into the community. He ought also to ensure that the elected brother understands the responsibility of the master of formation and how he needs to work together with him.

66. Brothers assigned in communities of initial formation are to be supportive of the masters but not try to substitute for them. If they have criticisms of the brothers in formation they are to bring these to the master or raise them at the conventual chapter. If they have criticisms of the master they are to bring these to the conventual prior or to the prior provincial. The prior of the formation community is to speak about these matters in the regular chapter at least twice each year.

## B. Brothers in formation

67. Because of the nature of a religious vocation, each brother has primary responsibility for his formation, i.e. for his progress in the following of Christ who calls him along the way of St Dominic. He fulfils this responsibility under the guidance of masters and other formators (LCO 156). It is not just a question of sharing an intellectual understanding but requires an active participation, a willingness to learn, and a readiness to collaborate. Without mutual trust the process of formation cannot succeed.

68. The principle that each brother has primary responsibility for his own formation is not to be interpreted by masters or by the brothers in formation in a way that would prevent appropriate intervention and correction. 'Subjectively' the brother has primary responsibility for his formation and 'objectively' the community and the masters of formation have a duty to assist him in fulfilling this responsibility.

69. As he grows in self-knowledge, each brother explores how his own experience is to be interpreted in the light of salvation history, so that his life becomes woven into that of Christ, in whom he is incorporated by baptism, and into that of the Order, into which he is incorporated by profession (LCO 265).

70. Brothers in initial formation should accept the help of the masters particularly in the discernment of their vocation, which is presumed to be a Dominican vocation but may not necessarily be so. It is precisely this that must be examined and verified particularly in the time of preparation for the novitiate and during the novitiate itself.

71. Brothers in initial formation should willingly accept correction from the master, accepting that it is intended for their good. Without the ability to give and receive fraternal correction there is no progress in the Dominican life. Brothers in initial formation are to be introduced to some form of regular and mutual fraternal correction.

72. For his human and spiritual maturing, as well as for progress in Dominican life, it is of great help to a brother in formation to have a regular confessor and/or spiritual counsellor to whom he can with confidence open his heart.

73. If there is misunderstanding between a brother in formation and his novice master or student master, either or both have the right and duty to seek the advice of the conventual prior. If the situation proves too conflictual so that it seems irremediable, either or both have the right and duty to seek the advice of the prior provincial.

## C. Those responsible for formation

74. The masters are to be men of faith and prayer, upright in their way of living, with the ability to receive others kindly, to listen well to them and to understand what is involved in human and Christian maturing (Bogota 2007 n.200). They are to be men who love the Order, with a lot of experience of its life and apostolic work, and who in their own lives have integrated well the different components of Dominican life.

75. The relationship of the master with the brothers in initial formation is to be that of a witness to and teacher of our way of life, a brother who will help foster mutual knowledge and appreciation, and who will show respect for each one's freedom and dignity. He is to be respected for his personal dignity and for his community responsibility.

76. Masters are to be left free of other major responsibilities and devote themselves to the work of formation as their principal ministry. They need to give adequate time and attention to the individual brothers in formation as well as to the group of novices or students. The master of novices or students can in no case reside outside the community of formation nor is he to have other responsibilities that oblige him to be absent for too long or too frequently.

77. The master must always be present when the conventual chapter or council discusses the progress of a brother in his charge or a question affecting his area of responsibility. It pertains to the masters of formation in the first place to give information from such discussions to novices and students, to identify clearly areas that give rise to concern and to help the brothers to respond to the concerns that have been raised.

78. Brothers appointed as masters of novices or students are to be given adequate time, as specified by the provincial chapter, to prepare themselves for taking up this responsibility (cf. Trogir 2013 n.133).

79. The masters are to be supported in their work by the whole province. This support is given by superiors observing what the constitutions require (LCO 185; 192 §II; 209; 214 §III; 370 §II) as well as in whatever other ways are deemed helpful.

80. The formation of formators is a perennial concern at recent general chapters. Experience shows that regional meetings of formators are of great importance in helping formators in their work. Such meetings are to be supported and facilitated by the provincials of each region.

81. Formators are to be open to participating in courses and formation events organised by local churches, by other religious or by other branches of the Dominican family. For questions that require special competence, or are particularly delicate, they are not to hesitate to ask for the help or supervision of qualified persons and to participate in training sessions organized for this purpose.

82. Masters are to ensure that novices and students who ask or need it, receive the spiritual or psychological accompaniment their particular situations require. In these cases, their role as masters cannot be replaced by the spiritual director or the psychologist On the contrary, respecting the legitimate autonomy and confidentiality of these, it is up to the master to hold together the different aspects that constitute the experience of formation, seeking the good of the brother in formation (cf. CIC 240 §§1-2).

83. Formators need to be well informed about current trends and pressures on young people and wise in their understanding of the implications for those who come to join the Order (Providence 2001 n.348). Sometimes the virtues needed for religious life have been neglected or even worked against in their previous experiences. Their understanding of the faith, and of a religious vocation, may be seriously incomplete and immature.

84. In discerning for admission to the novitiate and to profession, it is important to remember that not all deficiencies can be remedied in the course of formation. Some of the men who begin formation with us may not in fact have a Dominican vocation and prudent decisions must be made for their sake and for the sake of the Order. Where there is a serious doubt that cannot otherwise be resolved a decision is to be made in favour of the Order. It is essential that there be good communication between the relevant masters of formation whenever brothers in formation move from one community to another.

85. The masters must attend to the specific needs of cooperator and clerical brothers to ensure that all are being prepared for their distinctive roles in the Church and in the Order's preaching apostolate, and for playing their proper part in the life and government of our communities (Rome 2010 n.198; *Dominican Co-operator Brothers Study*, 2013).

85a. The socius for fraternal life and formation (LCO 425 §II) assists the Master and the provinces in regard to initial and permanent formation (cf Bologna 2016 nn.306-07). LCO 427-bis says: *Ad socium pro vita fraterna ac formatione in Ordine praecipue haec pertinent:*
   *1° adiuvare Magistrum Ordinis in omnibus quae pertinent ad vitam fraternam et ad formationem religiosam fratrum, sive permanentem sive initialem;*
   *2° omnes provincias adiuvare ut provideant ad formationem religiosam fratrum et ad florescentiam vitae fraternae;*
   *3° quando oporteat, congregare simul magistros fratrum formationem initialem habentium sicut et promotores formationis permanentis unius vel plurium regionum.*
   *4° facilius facere provinciis innovationem et formationem formatorum, sicut et augmentum et executionem pianificationum provincialium ad formationem permanentem spectantium.*

### D. The formation councils

86. A council of formation is to be established in each community of initial formation (cf. LCO 158). Where there is more than one community of formation in a province there is to be also a provincial council of formation.

87. The local council of formation will evaluate regularly the manner in which the brothers in formation are integrating into the community and the manner in which the community is welcoming them. It can point out to the formators points which need attention. It will also treat of every matter raised by one of the members of the council and agreed for discussion by the majority of the members (cf. Bogota 2007 n.209).

88. The local formation council will always include the prior, the master, the sub-master if there is one, and at least one other member of the community. In a studentate community it will include the person responsible for studies locally and may include a representative of the brothers in formation. The way of choosing the member(s) from the community and the student representative will be included in the *Ratio Formationis Particularis*.

89. The master of novices or students is the president of the local formation council, and he shall convoke it at least three times in each academic year. Where the novitiate and studentate are in the same community, the *Ratio Formationis Particularis* shall determine which of the masters is to preside at the local formation council.

90. The composition and tasks of the local formation council (LCO 158) shall be included in the *Ratio Formationis Particularis*.

91. The provincial council of formation is to be convoked and chaired by the prior provincial or by another brother as determined by the *Ratio Formationis Particularis*.

92. The tasks of the provincial council of formation are: to articulate and evaluate the provincial vision of formation within the broader context of Dominican formation; to co-ordinate what is done in the communities of formation to ensure continuity through the different stages of formation; to address questions and difficulties that arise in initial or permanent formation; to reflect on the policy of formation in the province; to maintain an appropriate connection with the formation activities of the Dominican family; and to be available to assist the prior provincial and his council as and when requested. It will also review regularly the policy and strategies for promoting vocations in the province.

93. The provincial council of formation will include the prior provincial, the masters of novices and students, the promoter of vocations, the regent of studies, moderators of studies, and the provincial promoter of permanent formation. It may include also the priors of the formation communities, a cooperator brother, other brothers and a representative of the student brothers. The *Ratio Formationis Particularis* shall specify the membership of this council, it shall say who is to convoke and preside at it, and it shall determine how the student representative is to be chosen.

94. The provincial council of formation will review regularly the programme of initial and permanent formation to ensure the unity and continuity that are essential in the formation process.

95. Councils of formation, both local and provincial, must remain attentive to social and cultural changes in their region and study the implications of these for vocations and for formation.

# III. STAGES OF INITIAL FORMATION

## A. The promotion and direction of vocations

96. In order to foster vocations we ought to strengthen our apostolic work with young people, encourage young friars to join in promoting vocations, invite the collaboration of the whole Dominican family, especially the prayers of the nuns, and encourage our communities to live visibly the rich dimensions of Dominican life (cf. Rome 2010 n.188).

97. The promotion of vocations is a task for every brother and for each community. We do it through regular times of prayer for vocations, through fidelity to regular observance and common life, through the apostolic witness of our communities, by discussing the Order and its mission with all who are interested, and by extending hospitality to those discerning their vocation.

98. Each province and vice-province shall appoint a promoter of vocations. Where possible this is to be the brother's primary task. He shall use all modern means of communication and information technology in carrying out his mission.

99. The promoter of vocations works to make the Order known and to inform people about its mission. The director of vocations accompanies more closely men who have indicated an intention to join the Order. In some provinces such direction or accompaniment takes the place of a postulancy or pre-novitiate. The promotion and direction of vocations may be undertaken by the same brother or the tasks may be shared. In either case the brothers concerned are to be allowed the time and resources necessary for their work.

100. The promoter and director of vocations must ensure that aspirants get to know a good number of the brothers and that a good number of the brothers gets to know them. The brothers will assess their level of human and spiritual maturity, help them to clarify their vocation and work with them to understand and deepen their motivation.

101. In order to understand something of how an aspirant's personality and Christian vocation have been formed, it is important that directors of vocations meet some members of his family.

102. The cooperator brothers are to be involved in determining how their vocation is promoted. Where a cooperator brother of the province is not available to help with vocations promotion or direction, brothers from other provinces may be invited to assist in this work.

103. Brothers promoting vocations will promote all the vocations in the Dominican family: friars, nuns and sisters, priestly and lay fraternities, and secular institutes (cf. Trogir 2013 n.148). In particular they will take care to promote explicitly the vocations of both clerical and cooperator brothers and will help aspirants to discern to which of these they are being called.

104. Regional meetings of superiors and formators provide a forum in which experiences in promoting and directing vocations can be shared as well as experiences in preparing brothers for the work of promoting and directing vocations.

105. The length of time a man ought to wait between his first contact and before applying to join the Order will vary according to individual circumstances and local customs. It depends also on the time and mode of preparation for the novitiate that a province has in place.

## B. Preparation for the novitiate

106. How aspirants are helped to prepare for the novitiate varies across the Order. The goals of this period are to know the candidate well, to discern his motivation and to judge when he is ready for the novitiate. In some provinces the director of vocations prepares men for the novitiate which begins after a short postulancy. In others this period is institutionalised in a pre-novitiate (LCO 167 §III) which includes a first experience of communal living. This allows the brothers of the Order who live with the aspirants to make a judgement on the basis of living with them from day to day. It is important that aspirants have had an experience of living with others in a context other than that of their family.

107. The *Ratio Formationis Particularis* will articulate clearly what the province's goals are for this time of preparation. It is for the provincial chapter, or the provincial and his council, to determine the manner and

duration as well as the place of the 'preparation for the novitiate' (LCO 167 §II).

108. Whatever form it takes, it is essential that postulancy or prenovitate not take away from the novitiate, which must maintain its special character as the time of initiation into Dominican religious life (Trogir 2013 n.144).

109. The time of preparing for the novitiate will provide a gradual transition, allow time for spiritual and psychological adjustment, and help the aspirant to understand the necessary changes he must make when he enters religious life. Aspirants are helped also to reflect on the vocation of the priest and of the cooperator brother in the Order and to discern about this in their own case.

110. Those preparing for the novitiate are to be encouraged to get to know some communities of the province.

111. Criteria for admission to the Order are given in LCO 155 and 216 §I. Provinces in the same region are to work together to ensure consistency in applying these criteria.

112. Aspirants cannot be expected to have perfect motivation, nor to be ready in every way to begin formation in the Order. However, a desire to listen to God and to serve the Body of Christ through preaching must be clearly present (Trogir 2013 nn.139, 149).

113. The *Ratio Formationis Particularis* determines the membership and *modus operandi* of the admissions board (LCO 171-173).

114. The *Ratio Formationis Particularis* will provide guidance about the advisability and the role of psychological evaluation in the process of admission. This is a delicate matter and the rights of the aspirant must be respected (see Congregation for Catholic Education, *Guidelines for the Use of Psychology in the Admission and Formation of Candidates for the Priesthood*, 13 June 2008). The psychological evaluation can be extremely useful in guiding aspirants in their human and spiritual growth, and in guiding the admissions board. However, it must be understood that the psychological advice does not usurp the work of evaluation by the admissions board. The responsibility of admitting aspirants remains with the province (LCO 171).

115. The brother or brothers responsible for preparing aspirants for the novitiate shall furnish a report to the admissions board. This report is to be

sent to the prior provincial at the same time as the recommendation of the admissions board.

116. In addition to the report mentioned above (n.115), the aspirant is to be interviewed by the members of the admissions board. Inquiries should be made about the candidate's background up to now, about his academic performance and about any work experience. Letters of reference are to be sought from individuals with knowledge of the aspirant, and safeguarding and child protection requirements of church and civil law must also be fulfilled.

117. When a man has been accepted for the novitiate, the master of novices will verify that all the conditions required by our laws are fulfilled and that all the necessary documentation has been gathered (CIC 642-645; LCO 168-170). Local rules on disclosure of personal information must always also be respected. The *Ratio Formationis Particularis* will include a policy for the retention of documents.

118. When an aspirant has already been refused entry into one of our novitiates, he cannot be validly admitted to another without a written report from the provincial of the province that refused him. This report ought to explain clearly the reasons for the province's decision. It is to be submitted to the admissions board of the province to which he is now applying and be included in the board's report to the prior provincial.

119. In countries where young religious are bound to military or civil service the *Ratio Formationis Particularis* is to specify the conditions under which these services are to be fulfilled.

## C. The novitiate and simple profession

120. The novitiate initiates brothers into our way of life, which is the following of Christ in the way devised by St Dominic, a way of life characterised by religious consecration, regular observance, poverty, common fraternal life, liturgy and prayer, study, and the ministry of the Word (LCO 2-153).

121. The novitiate ought to have something of the character of a 'desert experience' with many opportunities for solitude and prayer. It is a period of initiation in which the brother's entry into a new way of living ought to be clearly marked by rites of passage, particularly the rite of clothing with the

habit. The novitiate ought to provide the conditions necessary for the brother to experience a new depth of encounter with God and with himself, as well as introducing him to the reality of common fraternal life and to the apostolic mission of the Order. The novitiate is above all else a time for reading the Bible, seeking to understand its meaning through prayer and study, while learning also about the conditions and needs of people in the world.

122. The master of novices is responsible for formation in the novitiate. He is helped by the local formation council and, possibly, by an assistant. The novitiate programme is established by him and is to be submitted to the prior provincial for approval. He should remember also the role of the formation community in assisting him in the formation of the novices (see LCO 181 and Part II, Section A above). He is to meet frequently with the novices, both individually and as a group.

123. Although study is an essential part of the novitiate, and a curriculum is given in LCO 187, these studies are not to be undertaken in an academic way. Brothers are to be allowed plenty of time to read and reflect in the areas identified in the novitiate curriculum, above all to read the Bible. All other studies are to be suspended for this year.

124. The novitiate aims at helping the novice to a mature discernment regarding his vocation (LCO 186). It is also the beginning of formation in our way of living, as the novices begin to internalise, through living them, the values and attitudes of St Dominic's apostolic charism.

125. This time of progressive apprenticeship in the different elements of our life will give priority to spiritual and community life as well as the development of a strong practice of prayer, both personal and liturgical.

126. Novices are to be given a practical initiation into the Church's liturgy and sacramental practice. The master of novices will instruct them about personal and liturgical prayer, and teach them how to integrate these in their daily living of our life. He will endeavor to instill in them a love for the Order's liturgical life as well as an appreciation of its crucial importance for forming and sustaining the Dominican preacher.

127. Dominican liturgy is that of a fraternal community sharing a life and mission that are centred on the Word of God. The master of novices will help the novices to see how the discipline of personal study is supported by the liturgical life of the community. The novices will be introduced to the Order's

rich traditions of hymnody and plainchant, and to its traditions of devotional prayer, in particular to Mary, Mother of God (LCO 129).

128. While it is primarily a time for spiritual growth and the discovery of community life, the novitiate ought to include an introduction to the challenges of the apostolate. Novitiate formation is to be 'not just theoretical but practical, with an opportunity for some participation in the apostolic activities of the Order' (LCO 188). The apostolic priorities and orientation ordained by general chapters should guide the selection of these activities.

129. Integrated with this programme of formation and linked with it, regular meetings will permit the novices to discuss their life in the novitiate and will also initiate them into the practice of chapters (cf. LCO 7 §III).

130. The novitiate community and, more broadly, the whole province have their role to play in the integration and formation of novices, in ways which the master of novices and the prior provincial will take care to determine and recall. Nevertheless the task of discernment falls in a particular way to the master of novices (cf. LCO 186).

131. Brothers should realise that in making simple profession they are already committing themselves totally to Christ and to the Order. In a culture that values freedom of choice and changes of job it can be more difficult to impress on young men the definitive character of profession. They are to be helped to appreciate that Christ will sustain them in their profession when it is Christ who has called them to follow him along this way.

132. The criteria for admission to profession are the psychological, moral and religious maturity of the novice, the seriousness of his prayer life, his suitability for study, his disposition for apostolic work, his love for the gospel, his compassion for the poor, the sinner, and the un-evangelised, and his capacity to live the vowed life and the common life proper to our Order. Those who examine him and those who vote on him need to be confident that he understands the step he is taking and that he freely takes on the obligations of profession.

133. Profession is first made for one, two or three years, as determined in the statute of the province, and may be renewed as determined in the same statute. There must be at least three years, and there cannot be more than six years, of simple profession (cf. LCO 195 §II; 201 §I).

134. In provinces in which the statute allows a first profession for either one year or three years, these two possibilities are to be carefully considered between the master of novices and each novice (cf. LCO 195 §II). It must only be in exceptional circumstances that brothers make profession for one year and continue renewing it for single years.

135. The prior provincial needs to be satisfied that a novice asking to make profession has been properly informed about the vows and formed for living them. The brothers examining novices for profession must also be satisfied on this point.

136. A novice who has made perpetual or solemn profession in another congregation does not make simple profession at the end of the novitiate but a decisive vote of the conventual chapter and council is still required, on the basis of which he will either continue the period of probation, with the permission also of the prior provincial, or he will return to his own institute (cf. LCO 201 §II).

### D. The studentate

137. In the years between simple and solemn profession, academic study occupies a privileged but not exclusive place in the formation of the brothers. It is a time of maturing, and of deeper integration into Dominican life as well as of continued growth in the faith.

138. While there is an appropriate emphasis on study during these years, the brothers are to be helped to integrate their intellectual formation with the other aspects of our form of religious life with which that formation is intimately connected. Spiritual and religious development remains the first priority during these years (LCO 213 §§I-II).

139. It is for the master of students to help student brothers integrate harmoniously the different demands being made on them. In respecting the stages of initial formation and the priorities which each involves, care must be taken that the overall character of Dominican life (the balance of its various elements and fundamental values) remains present. Study is not to be stressed to the detriment of the life of prayer; and any tension between community life and study on the one hand, and apostolic life on the other, is never to be resolved by the rejection of one or the other.

140. If the brothers do their studies outside an institution of the Order, it is fitting that, in their community, the specific character of Dominican study is to be presented to them. Supplementary courses in Dominican philosophy and theology, in particular the contribution of Thomas Aquinas, as well as in Dominican teaching about the spiritual life, are to be provided according to the requirement of the *Ratio Studiorum Generalis*.

141. The master of students is to give explicit guidance and formation through regular individual meetings with student brothers and through meetings of the studentate as a group. He is to remind them of the value of having a regular confessor and help them to find more intensive spiritual guidance or counselling support where necessary. He should remember also the role of the formation community in assisting him in his work (see Part II, Section A above), other brothers in the community always respecting his specific responsibility as master.

142. The *Ratio Formationis Particularis* will indicate whether the master of students acts also as director of pastoral formation, and, where this task is given to another brother, it is to say how he is to be appointed. It is up to the master of students to assure at the same time the necessary spiritual accompaniment and theological reflection to aid the student brothers to evaluate and deepen their experiences with a view to the integration of the apostolic dimension into their Dominican life.

143. This progressive integration is done through practical and well-defined apostolic experiences during the academic year, more intensive experiences during the school holidays, and including also the possibility of interrupting the cycle of studies (cf. n.149 below).

144. These apostolic experiences must ensure that the student brothers will have contact with the world of the poor, the exploited and the marginalised, gradually introducing them in this way to the frontiers of Dominican life and mission

145. The master of students is to kept informed of the nature and demands of pastoral formation, particularly where pastoral commitments require a brother to be absent from community activities.

146. He will also ensure that the brothers have holidays and other free time. These should be for rest and enrichment, allowing them later to use more profitably the time devoted to study and to the apostolate.

147. Brothers in formation will be encouraged to develop their talents, to engage in sports and other physical recreation, to participate in cultural activities, to appreciate literature, music and art, and to be healthy in diet, sleep, etc.

148. Where possible, student brothers are to spend time in other convents of the province, in order to experience the life and ministry of a community other than the community of formation. This ought to help the student brother to integrate the different elements of our life in another setting. It also gives an opportunity to members of other communities to assess the progress of the brothers in formation.

149. Exchanges between provinces with a view to learning foreign languages, engaging in apostolic work, visiting convents and houses of particular interest, taking part in meetings between students of the same region etc., are to be encouraged and supported. Every brother in initial formation ought to have the opportunity to live in another culture and to learn another language. If it is deemed necessary for formation, studies may be interrupted for the sake of apostolic or other activity (cf. LCO 164; 225 §II). Such exchanges also help students to appreciate the universal mission of the Order.

150. To avoid all conflict concerning jurisdiction, the *Ratio Formationis Particularis* is to define clearly the role of the master of students in matters of responsibility such as permissions and dispensations, holidays and pastoral placements etc.

151. In preparation for the ministries of reader and acolyte, as well as for ordination as deacon and priest, there must be a proper education, practical as well as theoretical, about the liturgical duties these ministries involve, about the spirituality that ought to characterize those who exercise them, and about the apostolic commitments they entail.

152. The modalities for the institution of brothers as lectors and acolytes are to be given in the *Ratio Formationis Particularis*. These institutions take place between simple profession and solemn profession (LCO 215-bis).

*Formation of cooperator brothers*

153. Provinces must decide the arrangements for the post-novitiate formation of both cooperator and clerical brothers. Depending on local circumstances and the traditions of a province, there may be separate studentates for cooperator and clerical student brothers. This is to be specified in the *Ratio*

*Formationis Particularis*. Whatever those arrangements may be all brothers are to receive the same human and spiritual formation up until solemn profession.

154. The *Ratio Studiorum Generalis* describes the intellectual formation necessary for a Dominican preacher. This formation is common to clerical and cooperator brothers. Clerical students also pursue the course of studies required by the Church for ordination. Cooperator brothers either follow the same programme of studies, or receive another theological and professional formation, depending on the role in the mission of the province that is envisaged for them. The regent of studies and the master of cooperator brothers are to organize a programme of formation for cooperator brothers in formation (LCO 217). This must always include the formation of cooperator brothers for lay ministry in the Church.

155. Care is to be taken to form the cooperator brothers to participate fully in the life and mission of the Order. A suitably qualified senior cooperator brother should be involved in their formation. He is to help them to know the history of this vocation in the Order and to follow Christ, according to their specific vocation, along the way of St Dominic.

156. In the years of formation the brothers are to be warned about the temptation of 'clericalism', not just in relating to people outside the Order but also in relating to non-ordained members of the Order.

157. Where the studentate community is being moved to another convent, or a new studentate community is being established, the Master of the Order must be consulted and not just informed.

## E. Solemn profession

158. A brother can be admitted to solemn profession after three years of simple profession. With solemn profession a brother gains active voice and participates fully in the conventual chapter.

159. The master of students is to remind brothers that, in case of doubt or hesitation, they have the possibility of prolonging their time of simple profession, not however for more than three years (cf. LCO 201 §I).

160. In addition to the examination and vote of the conventual chapter and council, and along with the written report of the master of students, the prior

provincial or his delegate is bound to have a thorough interview with the brother who is to be professed concerning the step he is going to take.

161. Clerical brothers remain under the authority of a student master until their initial formation is completed with their ordination to the priesthood (cf. LCO 221). At the same time, their relationship with him, and the character of the formation he gives, will change in line with their position in the community as solemnly professed brothers.

162. Cooperator brothers remain under the authority of a master until their formation is completed, either with solemn profession or with the completion of their institutional studies or professional training, whichever is later. Where their initial formation ends with solemn profession, the local superior or another brother appointed by him is to accompany them for the first two years after solemn profession.

163. In preparation for solemn profession, brothers are to be helped again to appreciate the obligation of praying the Liturgy of the Hours each day, even when they cannot be present for choral office.

## F. Diaconate and priesthood

164. The mission of preaching is the specific mission confided to the Order by the Church. By our profession we are 'dedicated in a new way to the universal Church, fully committed to preaching the Word of God in its totality' (LCO 1, III).

165. The ministry of the word is intimately connected with the sacraments and finds its completion in them (cf. LCO 105). Thus there is a natural link between the Order's mission of preaching and diaconal and priestly ministry in the Church.

166. In presenting brothers for ordination to the diaconate or to the presbyterate, the requirements of our constitutions and of the Church's law are to be carefully observed (CIC 1031 §I; 1032; 1035-1036; LCO 246-248).

167. Aptitude for preaching within the context of the Sacred Liturgy is one of the essential elements to be considered in presenting brothers for ordination.

168. At his own request or at the decision of the prior provincial, and for serious and well-founded reasons (CIC 1030), a brother may remain a deacon for a period of time after the completion of his institutional studies.

169. Brothers who are deacons are to be given sufficient opportunities to exercise their proper ministry.

170. While there will be a natural sense of 'graduation' at the end of institutional studies, particularly where it coincides with ordination to the priesthood, our formation continues, not just in the years immediately following solemn profession or ordination, but throughout our lives.

# IV. PERMANENT FORMATION

## A. General principles: community in / of formation, 'masters' of permanent formation, the brothers themselves

171. From its foundation the Order is called to the proclamation of the Word of God, to preach everywhere the name of our Lord Jesus Christ (LCO 1, I). By our profession, we are consecrated to live the *sacra praedicatio* in its totality, something that becomes fully evident when the regular life of the brothers and their various preaching apostolates form a dynamic synthesis rooted in the abundance of contemplation (cf. LCO 1, IV).

172. To be a preacher is to be in constant dialogue with the Word of God through contemplation and study, prayer and fraternal life, constantly adapting to changing times and circumstances. We read in the Scriptures of encounters with God, where people, addressed by his Word, are called into friendship with God and to mission. We see that such an encounter requires a disposition open to conversion and unceasing renewal. For this reason the preacher is called to engage seriously in permanent formation.

173. It means for the brothers a particular form of continued renewal and maturing according to the different stages of their life, so that they may be true to what they preach in word and example. Through permanent formation we remain attentive and seek to understand the developments and concerns of the world, and to interpret the social and political reality of our time. Maintaining hope and sharing faith, we grow in human and emotional integration, and build a preaching community at the service of God's people

37

(Trogir 2013 n.124). It is in renewing us constantly, through permanent formation understood in its broadest and deepest sense, that, marked by both the divine life (2 Peter 1:4) and by the human experiences in which we share, we can seek to find solutions to the questions with which we are confronted, whether at the personal or social levels.

174. Permanent formation inevitably concerns the whole person of the religious, his human, intellectual, spiritual and apostolic formation. The *Ratio Studiorum Generalis* gives some guidelines for permanent intellectual formation whereas this *Ratio Formationis Generalis* focuses more on permanent formation from the human, spiritual and apostolic perspectives. It is essential that these four main aspects of permanent formation remain in balance with each other. The end of permanent formation is to integrate the graces of conversion and of spiritual transformation offered by God and that concern the wellbeing and holiness of the whole person. The more intellectual dimension of acquiring new skills and of updating for the purpose of preaching or pastoral ministry is subordinated to this end.

175. As is the case with initial formation, permanent formation is the responsibility in the first place of the brother himself. At the same time, since initial formation is always under the guidance of a master, so too is permanent formation. By analogy we can say that a first 'master' in permanent formation is the community itself in which the brother lives.

176. Traditionally, each Dominican convent is a school of the *sacra praedicatio*. The 'master' of this school is the communion of the brothers united in one heart and one mind, intent on God (Rule of St Augustine). The quality of permanent formation in a community will reflect the strength of communion among the brothers and the sacrifices they make for engaging holistically with that formation. Mutual understanding and fraternal communion (cf. LCO 5) are rooted in sharing life together and sharing the Word of God together. This requires the human and spiritual maturity that ought to mark the witness of the *sacra praedicatio*. By participating fully in the life of the convent (regular chapters, community discussions, conventual preaching, community retreats, fraternal life, recreation, etc.) the brothers experience what Reginald of Orléans noted when he said that he 'had received more from the Order than he gave to the Order'.

177. In the local community particular responsibility for the permanent formation of the brothers rests with the prior, assisted by the conventual lector (LCO 88; 326-bis) and the conventual chapter (LCO 311).

178. In addition to what is mentioned in LCO, the conventual lector will
- present the community with a plan for permanent formation for the year,
- promote theological reflection on the community's concrete apostolic experience,
- encourage the brothers to take part in meetings and courses concerned with permanent formation, whether in their own priory or province, in the diocese or in other centres.

179. The programme for permanent formation is to be included in the community project for each year. It is to be assessed in the prior's reports to the prior provincial or to the provincial chapter, especially in the report at the end of his term (LCO 306).

180. In the province responsibility for permanent formation belongs to the Prior Provincial, assisted by the Promoter of Permanent Formation (LCO 89 §I, 89 §III, 251-ter) and by the Regent of Studies where academic study is concerned. They will be concerned to support the efforts of local communities and to arrange events for the province as a whole.

181. The *Ratio Formationis Particularis* will establish the general framework, specific objectives and concrete modalities for permanent formation in the province, taking into account the province's life and mission.

182. Provinces of the same region are encouraged to cooperate in offering workshops for permanent formation in the different languages and cultures of the Order.

183. The socius for fraternal life and formation will foster communication among the provinces to exchange experiences and resources for permanent formation. The general chapter will propose topics for discussion that will serve as a frame of reference for the whole Order.

## B. Transition, first assignation

184. Experience shows that the first assignation at the end of his initial formation is one of the most important transitions a brother has to make. Brother Damian Byrne's letter on 'First Assignations' (May 1990) is often mentioned throughout the Order as a very important document. Superiors, having consulted formators, are to take care to assign brothers after their initial formation to communities and missions that are supportive of their

vocation. The prior provincial must ensure, along with the superiors of the communities to which they will be assigned, that a suitable brother or qualified other person accompanies them for the first two years after the end of their initial formation. It is important to avoid the extremes of leaving a brother entirely alone and of putting in place a system of mentoring that would be oppressive.

185. There ought to be an annual meeting for the brothers of a province who have completed their initial formation in the previous six years. At this meeting they should reflect on the experience of integration in a community after initial formation, the challenges of apostolic ministry, and any other issue they consider relevant. Where a province has only a small number of such brothers they are to organize common meetings in cooperation with neighbouring provinces.

186. Brothers should not be expected to undertake pastoral or apostolic ministries that require specialist formation without being given the opportunity to undergo that formation. Brothers are to be prepared well for the specific demands of parochial and other pastoral responsibilities.

187. One of the tasks for the newly ordained Dominican priest is that of integrating his priesthood with his life and spirituality. Experienced brothers are to be willing to share from their experience in this matter. In a similar way experienced brothers ought to accompany younger cooperator brothers for the first two years after completion of their initial formation.

188. Older brothers need to be alert not just to the ministerial needs of younger brothers but to the experiences of loneliness, generational difference, and loss which can characterise the first years away from a supportive community of formation (Providence 2001, n.362).

189. The first assignation is not the only significant moment of transition in a brother's life. There are other such moments that come with changes of assignation, the different stages of life, changes in health or family circumstances, old age, and so on. The community ought to be attentive to these transitions and, through its programme of permanent formation, offer moments to discuss and reflect on them. We can say therefore that there are stages also in permanent formation.

## C. Issues for permanent formation

190. Permanent formation is to be particularly focused on preaching. It ought, for example, to help the brothers to use well the modern media of communication (Oakland 1989 nn.56, 59-60).

191. There are to be regular sessions of permanent formation concerning the vow of chastity. These are to include a consideration of the province's guidelines concerning ministry and contact with young and vulnerable people. These sessions ought to consider also the question of professional and ministerial boundaries and other aspects of appropriate ethical behaviour (Rome 2010, n.199).

192. The liturgy is always the principal director of our spiritual lives, which are rooted in the Word of God. Communities ought therefore to reflect regularly on questions connected with the liturgy: its theology and history, its current practice, and especially its place in the spirituality of the Dominican preacher.

193. The ordinary accompaniment of each other in community life gives us the fraternal correction and encouragement we need for normal circumstances. But there will be times in the life of each brother when he needs, explicitly and concretely, the mercy he asked for on joining the Order. Each brother needs to be humble enough to seek help when it is necessary and the community kind and wise enough to give it. Invited to 'confess our sins to one another' (James 5:16), we ought at least to be sensitive to each other and to support each other in our weaknesses and vulnerabilities, as well as making frequent use of the sacrament of penance and reconciliation.

194. The senior brothers in a community ought to be a source of wisdom for the brothers. The community is to be mindful of their needs, and is also to ensure ways in which they may continue to participate meaningfully in its life.

195. Gatherings of the senior brothers of a province are encouraged in order to reflect theologically on the spirituality of aging as well as to address the particular matters that arise for them. Such gatherings ought also to include meetings with younger brothers in order to reflect together on generational differences and strengths.

196. The outcome of such gatherings of senior brothers, whose rich experience provides a certain vantage point for Dominican preaching, ought to be shared with all in the province and be discussed in local communities.

## D. Identity and mission

197. The demands of conventual religious life and the demands of apostolic preaching can sometimes be in conflict. Brothers may, from time to time, come to prefer the consolations of one to the detriment of the other. Permanent formation must focus frequently therefore on the dynamic relationship between our common fraternal life and our preaching mission.

198. We must be willing, and helped, to reflect on the tensions generated by modern life and their implications for traditional ways of living. These are never simply outside ourselves, affecting other individuals and communities. They are tensions within ourselves and within our communities that need to be understood and to which we ought to respond. It means engaging not only with the questions put to faith by science and philosophy but with the questions put to ways of living and practising the faith.

199. Our form of government cannot work unless we continue to learn and practise the art of dialogue, listening to each one, being prepared to consider other points of view, being ready to help out, being prepared to take initiatives. 'Our preparation for the art of dialogue is never done once and for all, and everyone has to perfect it and learn it over and over again' (Bologna 1998 123, 3).

200. Permanent formation ought to help us have confidence in God and respect for others. Its final purpose is to bring healing, hope and renewal into our lives and the lives of all entrusted to our care.

# APPENDIX

## A. The purpose of the Ratio Formationis Particularis

i. Each province is to draw up a new *Ratio Formationis Particularis*, adapting the general principles and filling out the basic structures given in this *Ratio Formationis Generalis*.

ii. The *Ratio Formationis Particularis* makes concrete the norms given in the *Ratio Formationis Generalis* according to the specific needs and concrete situations of each province.

## B. Preparing the Ratio Formationis Particularis

iii. The prior provincial and his council will determine the way in which the *Ratio Formationis Particularis* is to be drafted and reviewed.

iv. Each *Ratio Formationis Particularis* is to be submitted to the Master of the Order for final approval.

v. The socius for fraternal life and formation will assist the provinces in the preparation of the *Ratio Formationis Particularis*.

## C. Contents of the Ratio Formationis Particularis

vi. The *Ratio Formationis Particularis* must:
1. consider the age limit for the admission of candidates as well as adaptations that may be needed to receive older men and men who are already ordained;
2. include the composition and tasks of the local council of formation as determined by the provincial chapter or by the provincial and his council (LCO 158);
3. determine whether the local council of formation will include more than one representative of the community and a representative of the student brothers, and if so how these are to be chosen;
4. where the novitiate and studentate are in the same community, determine who is to convoke and preside at the local council of formation;
5. determine the membership of the provincial council of formation;
6. if a representative of the student brothers is to be a member of the provincial council of formation, determine how this brother is to be chosen;
7. determine who is to convoke and preside at the provincial council of formation;

8. articulate clearly what the province's goals are for the time of preparation for the novitiate;
9. determine the membership and *modus operandi* of the admissions board;
10. provide guidance about the advisability and the role of psychological evaluation in the process of admission;
11. include a policy for the retention of documents;
12. in countries where young religious are bound to military or civil service, specify the conditions under which these services are to be fulfilled;
13. define the role of the master of students in matters of responsibility (permissions, holidays, pastoral placements, dispensations, etc.);
14. indicate whether the master of students is to act also as director of pastoral formation, and if not to determine how that director is to be appointed;
15. determine the modalities for the institution of brothers as lectors and acolytes;
16. specify where relevant whether there will be separate studentates for cooperator and clerical brothers;
17. establish the general framework, specific objectives and concrete modalities for permanent formation in the province.

## D. Notes for a contract when novices or students are formed in another province

vii.
1. Name of the province of affiliation (cf. LCO 267-268)
2. Name of the receiving province
3. Name of the brother
4. His date of birth
5. His date of profession
6. Copies of the identity documents of the brother as well as his blood group and any other relevant medical information
7. Next of kin contact information in case of emergency
8. A report from the admissions board / master of novices / master of students describing the brother's character and progress, and indicating any areas of concern
9. The length of time the brother is expected to be in the formation programme of the receiving province
10. Confirmation that the regent of studies of the brother's province is responsible for overseeing the brother's study programme. If this is done by a brother delegated by the regent, the name of this delegate should be given. What his province wants the brother to study should be communicated clearly to those responsible for intellectual formation in the receiving province.
11. A novice has only one master of novices and a student has only one master of students. Where a brother is entrusted to another province for part or all of his formation it means that the brother's province trusts the formation programme and personnel of the receiving province (cf. LCO 162, 191-192, 196-198, 202, 206).

12. Indicate how often each year the brother will be visited by his own provincial or regent of studies (cf. LCO 340)
13. Indicate when his own provincial will receive from the master of novices the two reports on a novice's progress (cf. LCO 185)
14. Indicate when his own provincial will receive from the master of students the annual report on a student brother's progress (cf. LCO 209, 214 §III)
15. Indicate when his own provincial will receive from the local moderator of studies the annual report on the brother's academic progress (cf. LCO 209)
16. Clarify the rights and obligations that go with the kind of assignation the brother receives (cf. LCO 208, 270 §§III-V, 271 §§III-V, 391.6, Appendix 16)
17. Indicate where the brother will spend the time between academic terms, especially the feasts of Christmas and Easter, as well as the summer break
18. Indicate how the pastoral placements of the brother are to be arranged and who is to be responsible for directing them
19. Indicate what the arrangements are for the brother's *ad honesta* and other personal financial needs
20. Say who is to give permission for extraordinary expenses
21. Clarify what is to happen with money earned by the brother (cf. LCO 548.5, 600)
22. Clarify the situation regarding health insurance
23. Indicate how often each year the brother may return to his own province
24. This contract accompanies the assignation of the brother and does not replace it.

# *Ratio Formationis Generalis* – 2016
## Español

**FRATRES ORDINIS PRÆDICATORUM**
**CURIA GENERALITIA**

Roma, el 22 de diciembre de 2016

Carta de promulgación de la *Ratio Formationis Generalis*
(R.F.G.)

Prot. *50/16/875 RFG*

Queridos hermanos:

Con la aprobación del Capítulo General de Bolonia (ACG 2016 Bolonia, 244), por la presente promulgo la nueva *Ratio Formationis Generalis* (RFG) que «debe consignar los principios generales de carácter espiritual y las normas pedagógicas fundamentales para la formación de los frailes, dejando a las provincias el cuidado de elaborar sus propias normas conforme a las circunstancias de tiempo y lugar» (LCO 163).

Esta *Ratio* reemplaza la que estaba vigente desde 1987. La misma es el fruto de un largo proceso de consulta a provincias y formadores en las diferentes regiones de la Orden, adelantado por el consejo general y el socio encargado de la formación inicial. Agradezco sinceramente a todos aquellos que han participado de este modo a la elaboración de la presente *Ratio* – cuya versión original está en inglés. Ahora le corresponde a cada provincia proceder a la actualización de su propia *Ratio Formationis Particularis* (RFP), sobre la base de la *Ratio Generalis* (ACG 2016 Bolonia, 245), y de enviarla al consejo general para su aprobación. El socius para la vida fraterna y la formación estará encargado especialmente de acompañar este proceso.

Es la primera vez que una *Ratio* se dirige a todos los frailes, estén en formación inicial o no. Efectivamente, desde hace varios capítulos generales, se ha insistido en la continuidad entre la formación inicial y la formación permanente y en la necesidad de que todos prestemos la misma atención a estas dos dimensiones de la formación. Una vez más, la formación se presenta en esta *Ratio* como un camino, una escuela de vida apostólica, insistiendo a la vez en la responsabilidad primera de cada uno de los frailes por su propia formación, pero también en la responsabilidad d las comunidades y provincias que tiene el deber de apoyar a cada uno en ese proceso continuo de renovación de su propia vocación a convertirse en un «hombre evangélico y apostólico». Escuela de vida, nuestra formación nos conduce, según la etapa de vida de cada uno, a contemplar en el centro de nuestra vida la gracia de esa Palabra que queremos predicar. De este modo, la formación nos invita a unirnos a Cristo, camino de verdad que nos conduce a la vida y centrar nuestra vida en la búsqueda de la verdad. Escuela de Predicadores, la formación inicial y permanente nos guía por el camino de la obediencia apostólica que nos hace libres para dejar al Espíritu configurar en nosotros la compasión de Cristo y su anhelo ferviente de que el mundo tenga vida y sea salvado.

Las Constituciones Primitivas, en el capítulo sobre el noviciado, se referían al llamado de Cristo «aprended de mi». Ven y verás, decía Felipe a Natanael; Ve y predica, decía Domingo haciéndose eco de los apóstoles. Esta es la finalidad que orienta la formación en todas las edades de la vida dominicana y que reúne nuestra diversidad en la unidad de una comunión de «santa predicación».

*f. Bruno Cadoré*
fr. Bruno Cadoré, O.P.
Maestro de la Orden de Predicadores

CONVENTO S. SABINA (AVENTINO), PIAZZA PIETRO D'ILLIRIA, 1 - 00153 ROMA
Tel. : +39 06 57 94 05 55 ; Fax : +39 06 575 06 75 ; E-mail : secretarius@curia.op.org

49

# I. INTRODUCCIÓN

## A. La formación de un predicador dominico

1. 'La meta de nuestra formación es la preparación de predicadores dominicos que sean predicadores de la gracia y verdaderos testigos de Cristo' (Roma 2010, nn.185, 200). Esto requiere un ambiente de oración, de pobreza y estudio, de celo apostólico y sentido de la misión, de alegría en la celebración litúrgica y en la vida común. Sus logros se manifiestan en una madurez personal genuina, la práctica de la oración, la fidelidad a los votos, la vida comunitaria, el estudio constante, la solidaridad con los pobres y la pasión por la salvación de las almas.

2. La formación comienza con las etapas de la formación inicial y continúa a lo largo de toda nuestra vida. Por eso, gran parte de esta *Ratio Formationis Generalis* no se refiere solamente a la formación inicial, sino también a la formación permanente. Este único proceso de formación encuentra su unidad en el objetivo de la Orden: la misión de predicar (México 1992, Capítulo II A 2). La formación inicial nos introduce en una realidad que caracteriza toda nuestra vida.

3. En nuestra tradición, la formación significa crecer en el discipulado a medida que seguimos a Cristo en el camino de Santo Domingo. No se trata sólo de una formación académica ni tampoco se refiere simplemente a un período de nuestras vidas. Ella presupone humildad y docilidad, aceptando que siempre tenemos necesidad de crecer en el conocimiento y en la virtud, para comprender mejor y ser renovados. Por supuesto, a un nivel más profundo, la formación es obra de la gracia de Dios.

4. Nuestra formación busca integrar las dimensiones intelectual y pastoral en el desarrollo humano y espiritual de los frailes (*Pastores Dabo Vobis* §§42-59). Varios capítulos generales han enfatizado que nuestra formación busca ayudar a los hermanos a ser más maduros como hombres y creyentes, como religiosos y predicadores. Los hermanos que se preparan para el sacerdocio necesitan una formación inicial particular para su vocación, al igual que los hermanos cooperadores necesitan una preparación para la suya.

5. Nuestra formación debe atender a todos estos aspectos porque es una formación de apóstoles, según el modo de vida ideado por Santo Domingo. Su paradigma es la escuela de la vida apostólica donde el Maestro es Jesús. Por ello nuestro primer texto de formación es la Sagrada Escritura. Jesús formó a los apóstoles para ser predicadores de la gracia invitándoles a vivir en su compañía y a aprender de sus palabras y acciones. Les enseñó a orar y les inició en los misterios de su persona y su misión. Su formación concluye con el don del Espíritu que los sostiene en su amor por el Maestro y en su deseo de seguirle. Domingo restauró, con miras a su misión, esta escuela de vida apostólica que nosotros estamos llamados a vivir en formas adaptadas a nuestro tiempo y circunstancias.

6. Creemos que hemos sido llamados por Dios a seguir a Domingo y seguir de este modo a Cristo en su misión de predicación. La Palabra de Dios, la Iglesia y nuestras Constituciones nos llaman a crecer en esta misión. También nos llaman a esto las necesidades de nuestros hermanos y hermanas a los que se nos envía para anunciar la Buena Nueva de la salvación (cf. Trogir 2013 n.124). Nos llaman especialmente los pobres, los ciegos y los afligidos, los presos y los delincuentes, los oprimidos y los marginados (cf. Lucas 4,18). Todo esto nos exige una formación permanente: la Palabra de Dios que permanece en nosotros, los estudios que hacemos, los hombres y mujeres que encontramos, las mentalidades que nos desafían, los lugares y los eventos en los que nos encontramos inmersos.

## B. El objetivo de la *Ratio Formationis Generalis*

7. La *Ratio Formationis Generalis* contiene principios espirituales generales y normas pedagógicas fundamentales para la formación de los frailes (LCO 163). Recuerda y desarrolla las prescripciones del LCO 154-251 y de las actas de los capítulos generales. Describe el espíritu y el contexto de la formación en la Orden y propone algunas conclusiones de carácter práctico. La RFG asigna a cada provincia la tarea de aplicar y adaptar estos principios y normas de acuerdo a sus necesidades específicas.

8. La *Ratio Formationis Generalis* se dirige a todos los frailes. Cada uno es el primer responsable de su formación, bajo la guía de maestros y de directores, cuando sea oportuno, y siempre en respuesta a la gracia de la vocación que hemos recibido (cf. LCO 156).

9. La *Ratio Formationis Generalis* se dirige en particular a los frailes que tienen una responsabilidad específica dentro de la formación inicial o permanente con el fin de guiarlos en su tarea.

10. La *Ratio Formationis Generalis* tiene que leerse en complementariedad con la *Ratio Studiorum Generalis*. El estudio es una parte esencial de nuestra forma de vida religiosa. La tarea del estudio no es una alternativa al trabajo apostólico sino una parte necesaria de nuestro servicio de la Palabra de Dios. El estudio es una parte esencial de nuestro estilo de vida, está relacionado con la oración y la contemplación, con el ministerio de la Palabra y con nuestra vida comunitaria. Por eso, nuestra formación no puede pensarse sin hacer referencia al estudio, como tampoco nuestro estudio sin hacer referencia a los demás aspectos de la formación.

11. Es esencial, por el bien de los frailes en formación inicial, que haya una buena relación entre regentes y directores de estudios, por una parte, y maestros encargados de la formación, por la otra. El progreso de los frailes en formación inicial, en general, también cuenta con el seguimiento de los consejos de formación provinciales y locales.

12. Las directrices para la elaboración de la *Ratio Formationis Particularis* están en el Apéndice de esta *Ratio Formationis Generalis*.

## I. FORMACIÓN DOMINICANA

### A. Los valores fundamentales de la vida dominicana

13. La formación pretende la iniciación e integración progresiva de los frailes dentro de nuestro modo de vida y nuestra misión de predicación como se describe en la Constitución Fundamental, en el LCO 2-153 y en las actas de los capítulos generales.

14. La vida dominicana implica oración, pobreza, vida comunitaria, estudio y predicación. Nuestra vocación es contemplativa, comunitaria y misionera. Su fuente es una sed de Dios y un deseo de predicar la compasión y la amistad de Dios, inculcado y formado por la gracia de Dios, encaminado hacia la plenitud de la justicia y la paz.

## Los consejos evangélicos

15. Nuestras Constituciones entienden los votos en relación con el seguimiento de Cristo, con el servicio de la Iglesia y con nuestra libertad personal para asumir esta tarea. En la profesión de los consejos evangélicos buscamos conformarnos con Cristo obediente, pobre y casto. Estos dones de la gracia, recibidos en nuestra profesión, permiten que los deseos más profundos de nuestra naturaleza humana estén al servicio de nuestra búsqueda de Dios, de la predicación del Evangelio y del servicio de los demás. Vivir los consejos evangélicos nos hace testigos del reino que ha de venir. En la formación de apóstoles y predicadores nunca podemos olvidar que nuestra naturaleza humana está herida por el pecado y necesita ser sanada por la gracia. Cuando buscamos poseer bienes materiales, poseer a otras personas o poder, esa búsqueda nos esclaviza. Por el contrario, los dones de la gracia llevar la libertad. Recibimos estos dones y los desarrollamos viviendo plenamente nuestra vocación.

16. Nuestros deseos humanos más profundos – de autonomía y realización, de matrimonio y vida familiar, de propiedad y trabajo satisfactorio –son distintos entre sí, pero es útil considerarlos como un conjunto. Así en nuestra profesión, sólo mencionamos la obediencia. Profesamos obediencia a Dios, a María, a Domingo y a nuestros superiores, de acuerdo con las instituciones de la Orden, incluyendo entre ellas nuestra forma característica de gobierno capitular. Domingo pidió a los hermanos prometerle 'comunidad y obediencia' (LCO 17 § I).

## La obediencia

17. La obediencia es el corazón de nuestra vida religiosa en cuanto que tratamos de imitar el amor y la obediencia de Jesús al Padre. Confiándonos a Él y teniendo confianza entre nosotros, queremos vivir juntos la libertad para la que Cristo nos ha liberado, como hombres maduros capaces de compartir los proyectos y responsabilidades de la comunidad. La formación para la obediencia comienza inmediatamente y continúa a lo largo de toda nuestra vida en la medida en que aprendemos a practicar un diálogo genuino: escuchando al otro de manera abierta y receptiva, hablando con franqueza y caritativamente, aprendiendo cómo debemos trabajar juntos, moderando reuniones, decidiendo a través del diálogo una acción determinada, obedeciendo dichas determinaciones y colaborando generosamente, cualquiera sea nuestra responsabilidad dentro de la comunidad. El testimonio de la obediencia corrige las ideas distorsionadas sobre la libertad y su vivencia

auténtica nos permite confrontar el abuso de poder de manera creíble y ser solidarios con aquellos que no tienen voz y que son excluidos.

*La castidad*

18. El LCO habla sobre el significado cristológico, eclesial, apostólico y escatológico de la castidad consagrada, que nos une a Cristo de una manera nueva, fortalece nuestro corazón para la predicación y sana nuestras heridas. Nos da una nueva disponibilidad hacia las personas, un mayor respeto hacia cada persona, una libertad para acoger y recibir a todos con la compasión y ternura de Cristo. Para asumir ese compromiso 'es necesario que nuestros frailes logren una progresiva madurez física, psíquica y moral' (LCO 27 §II). Los que tienen la responsabilidad de la formación deberían ayudar en esta adquisición por todos los medios posibles. En cada etapa de la formación inicial y periódicamente durante la formación permanente, debe darse una reflexión seria y un compartir sobre la vida afectiva y la madurez, la sexualidad, el celibato y el amor casto (Bolonia 1998 n.90). El capítulo general de Providence ofreció un contexto más amplio a este respecto (Providence, 2001, nn.348-349) que, a su vez, fue avalado por el capítulo general de Trogir (Trogir, 2013, n.142). Las preguntas que se deben considerar explícitamente son: homosexualidad, el uso de medios de comunicación social, la pornografía y la pedofilia (además de las directrices de la provincia concernientes a temas de abuso).

*La pobreza*

19. Confiando en la providencia divina a imitación de Cristo y los apóstoles, vivimos como hombres pobres compartiendo todo lo que ganamos y todo lo que recibimos. Como mendicantes vivimos con sencillez y desapego, dispuestos para cambiar de lugar y adaptarse por el bien de la predicación del evangelio. Al vivir con sencillez y austeridad, como lo hizo Jesús, crecemos en libertad y nuestra predicación gana en credibilidad. La pobreza evangélica crea una solidaridad entre nosotros y con los pobres, especialmente los más cercanos a nosotros. También vivimos la pobreza trabajando con devoción en las tareas que se nos han confiado, con nuestro esfuerzo por promover la justicia económica y un espíritu de solidaridad entre las personas.

*La compasión*

20. Pedimos la misericordia de Dios al llegar a la Orden y nuestra formación debe educarnos en la compasión. La tradición teológica, espiritual, apostólica y mística de la Orden nos enseña una sabiduría del corazón que nos anima a

solidarizarnos con los sufrimientos y las dificultades de la gente y a llevarlos a nuestra oración. Debemos ser teólogos pastorales y pastores teólogos, siempre conscientes, como Domingo, de los que sufren. Recibiendo y apreciando la Palabra en nuestras propias vidas, aprendemos a llevar a la gente la Palabra que cura, perdona, reconcilia y renueva.

## El estudio y la contemplación

21. Para nosotros, el estudio y la contemplación están unidos. Aunque haya una *Ratio* para los estudios en la Orden, la formación intelectual no es una sección separada del resto de nuestra formación. El estudio es una parte esencial de nuestra espiritualidad, de nuestra forma de vida religiosa y de nuestra misión en la Iglesia.

22. Nuestro estudio empieza y termina con la Palabra de Dios. Para nosotros, la contemplación significa el esfuerzo de comprender la Palabra, que es Cristo, para estar unidos con Él, el Camino de Verdad que lleva a la Vida (Sto. Tomás *Suma Teológica*, III, prólogo). Estudiamos teniendo siempre en mente la profundización en el Amor de Dios y la evangelización, buscando entender con mayor profundidad el llamado del Evangelio y las necesidades de la humanidad. Se debe iniciar a los frailes en la *lectio divina*, que es un estudio meditativo de las Escrituras y una práctica que da fruto en la propia espiritualidad y en la predicación.

## El silencio y el claustro

23. «El silencio es el padre de los predicadores» reza un refrán de nuestra tradición. Los frailes necesitan formarse en la soledad y en el silencio para hacer buen uso de tiempos de estudio y de oración, para liberar su mente de distracciones y para meditar tranquilamente los misterios de la fe. Los medios modernos de comunicación alcanzan el interior del claustro y el interior de nuestras habitaciones. Necesitamos que se nos forme para el uso prudente de Internet y de los medios sociales, apreciando la ayuda que nos pueden brindar y aprendiendo a evitar sus posibles efectos negativos en nosotros, a nivel personal y de la vida común. Se debe ayudar a los frailes en formación a comprender que nuestra forma de vida necesita el apoyo de prácticas penitenciales (cf. LCO 52-55), entre las cuales, la más importante para nosotros es el estudio (LCO 83).

## La oración personal

24. Santa Catalina habla de la oración como «la celda del conocimiento de sí mismo» y Eclesiástico nos enseña que 'La oración del humilde atraviesa las nubes' (35,17). La oración personal es esencial para el conocimiento de sí mismo, sin el cual la madurez personal es imposible. La formación inicial y permanente debe tener en cuenta frecuentemente las enseñanzas y prácticas de la oración que encontramos en la tradición de la Orden y de la Iglesia.

## Sagrada liturgia

25. «La celebración de la liturgia es el centro y el corazón de toda nuestra vida, cuya unidad radica principalmente en ella» (LCO 57). Esto se refiere no sólo a la Eucaristía sino también a la Liturgia de las Horas que estructura nuestra jornada y a la que Santo Domingo era siempre fiel. Los dominicos nos formamos para la participación en la liturgia, participando en la liturgia. La liturgia nos saca de nosotros mismos para llevarnos a orar con Cristo y con la Iglesia y, así, crecer en la compasión hacia todos. A través de sus ciclos y ritos, celebrando la liturgia con su riqueza, alabamos a Dios y profundizamos nuestra comunión con Él. El LCO 105 §II describe la Eucaristía como «fuente y cumbre de toda evangelización» y el LCO 60 nos invita a la recepción frecuente del sacramento de la penitencia y reconciliación.

26. La liturgia es lugar privilegiado para escuchar la Palabra, acogiéndola en una celebración gozosa y permitiendo que ella nos forme con la fuerza de su verdad. Un objetivo de la formación es llevar a los frailes a entender que nuestro servicio a la Palabra de Dios integra todos los elementos de nuestra vida: contemplamos la Palabra de Dios en la oración y en el estudio, la acogemos y la celebramos en la sagrada liturgia, permitimos que la Palabra dé forma a nuestra vida a través de las observancias de la vida conventual y proclamamos la misma Palabra por medio de la predicación.

## El Rosario y otras devociones

27. La devoción a la Virgen María, Madre de Dios, está en el centro de la espiritualidad dominicana. En el Rosario, junto a María, reflexionamos sobre los misterios de la Palabra hecha carne. Otra fuente esencial para nosotros es el ejemplo, las enseñanzas y las oraciones de los santos de la Orden. Es importante iniciar a los frailes en las devociones populares que tienen valor especial para los creyentes, especialmente aquellas asociadas con la Orden.

## Fraternidad

28. Una vida común fraterna es parte de toda *sacra praedicatio*, parte de nuestra predicación. Lo vemos en la fraternidad apostólica alrededor de Jesús y en las primeras comunidades cristianas. A los predicadores se les envía para llevar a otros lugares la vida compartida de oración y caridad que han experimentado. Cada comunidad es eclesial, es una escuela de vida cristiana. Nuestro aprecio por dicha fraternidad debería extenderse más allá de nuestra comunidad inmediata para incluir a otras ramas de la familia dominicana, así como a la comunidad de la iglesia local.

## La predicación

29. La predicación dominicana requiere e ilumina modos particulares de formación. Ella busca ser profética y doctrinal, con un espíritu evangélico y una enseñanza sólida (LCO 99 §I), abierta al diálogo y sin miedo de ser crítica. Nuestra formación prepara predicadores valientes como los apóstoles y creativos como los profetas. Estamos llamados a cultivar la inclinación de los hombres hacia la verdad (LCO 77 §II) y a ayudar a la Iglesia a encontrar nuevos caminos para la búsqueda de la verdad (LCO 99 §II). Queremos formar hombres imaginativos que afronten situaciones cambiantes donde emergen nuevas realidades.

30. La iniciación en la predicación de la provincia debe ser gradual y supervisada. Se debe animar la pasión de los frailes por la predicación del evangelio. Durante la formación inicial, los frailes deben entrar en contacto con una variedad de actividades apostólicas, especialmente en contextos de búsqueda de conocimiento y de verdad, situaciones de sufrimiento y búsqueda de esperanza y donde haya posibilidades para predicar y enseñar directamente. Además de aprender a desempeñar estas actividades, también deben aprender a trabajar otros, con frailes y miembros de la familia dominicana, con sacerdotes, religiosos y laicos.

## Misión

31. Aunque los frailes pertenezcan a una provincia particular y sean formados para ella, en su formación no deben olvidar la universalidad de la Orden y su misión en toda la Iglesia. Debe ser una formación para la disponibilidad, adaptabilidad y movilidad en consonancia con el carácter misionero universal de nuestra vocación.

32. Si bien la misión de la predicación del Evangelio es perenne, las prioridades específicas de la misión de la Orden se identifican periódicamente, especialmente durante los capítulos generales (por ejemplo, Quezon City, 1977; Ávila, 1986; Roma, 2010). Una de las tareas de la formación es ayudar a los hermanos aprecien y abracen estas prioridades, que deben estructurar también los programas de formación.

## B. El proceso de integración en la vida dominicana

33. Nuestra formación nos inicia en el seguimiento de Cristo según el camino ideado por Santo Domingo. Lo logramos asumiendo el modo de vida del que se ha hablado en la sección precedente (A). Todo esto constituye la «cultura dominicana» en la que nos hemos iniciado dentro del proceso de formación. Dado que la integración en la vida dominicana es progresiva, ésta debe incluir, en todas las etapas y bajo las modalidades apropiadas, todos los elementos que componen nuestra vida.

*Madurez*

34. Todos los aspectos de la formación requieren tiempo. LCO describe qué clase de madurez necesitamos: física, psíquica y moral (LCO 27 §II). Dicha madurez se evidencia en la estabilidad de ánimo y en la capacidad de tomar decisiones ponderadas y de asumir las responsabilidades propias (LCO 216 §II). Esto significa una buena comprensión de la autonomía personal combinada con la conciencia de los demás y de los intereses de la comunidad, capacidad para encontrar equilibrio dentro de un estilo de vida con exigencias diversas, libertad de comportamientos adictivos y compulsivos, capacidad para vivir en medio de tensiones y de resolver conflictos, estar cómodo con las personas, sin importar su raza, edad, sexo o posición social. La formación busca ayudar a los hermanos a madurar en todos estos aspectos. La obra de Santo Tomás acerca de las acciones humanas, pasiones y virtudes, ofrece un sólido punto de partida para reflexionar sobre la madurez psíquica y el desarrollo moral. Su pensamiento debe caracterizar nuestra formación en diálogo con lo mejor de la experiencia y el pensamiento contemporáneos sobre estos temas.

35. Las personas también maduran cometiendo errores, aprendiendo a seguir adelante a pesar de los mismos y, a menudo, aprendiendo cosas importantes de esos mismos errores. Nosotros «buscamos compasión en compañía de otros» (Caleruega 1995 n.98.3): una persona madura es la que puede recibir compasión hacia sí mismo y ofrecerla a los demás.

36. La experiencia de la Cruz está en el centro de la vida cristiana, es una vida vivida con «aflicción y alegría» (1Ts. 1:6). Necesitamos ayuda, en cualquier etapa de nuestra vida, para integrar experiencias de fracaso, decepción y pérdida con fidelidad a nuestra vocación. Una tarea de la formación es ayudar a los frailes a madurar dejando atrás los malos momentos y avanzando hacia lo que se debe hacer. La formación ayuda a los hermanos a prepararse para los momentos pascuales en la vida del predicador.

37. A los formadores, como también a otros, se les pide a menudo que acompañen a los frailes en momentos de crisis. Esto también es una parte necesaria del crecimiento y de la maduración. Algunas veces, parece que el Señor duerme mientras la barca es zarandeada, pero siempre podemos llamarle y con la ayuda también de nuestros hermanos y hermanas, re-stablecer la calma y prepararnos para el nuevo desafío que nos espera en la otra orilla. Deberíamos rezar con regularidad por los hermanos que están en dificultad, para que Dios les regale su presencia y les envíe una persona que pueda ayudarlos.

38. La formación inicial continúa por muchos años y la formación permanente, por toda la vida. Esto puede resultar, por momentos, tedioso. Es otro desafío y oportunidad para madurar, para perseverar en el vivir diario de nuestra vocación, en la observancia regular, para vivir esta vocación con constancia y profundidad (Providence 2001, n. 355).

39. Una madurez humana básica es esencial para aquellos que tienen una responsabilidad especial en la formación, así como en los asignados a las comunidades de formación. Esto es necesario, especialmente, para brindar modelos positivos a los frailes en formación inicial y evitar todo tipo de explotación de los frailes en formación por parte los frailes más antiguos.

40. Los formadores deben ir en contra de tendencia común, especialmente en los años de la formación inicial, de infantilizar a los frailes más jóvenes. Por otra parte, hay un fenómeno en las generaciones más jóvenes de una 'adolescencia prolongada' y una cultura de dependencia y de derecho. Todo esto presenta nuevos desafíos a la formación, en especial en relación a la vida común, la pobreza y la obediencia. La naturaleza de la libertad en Cristo, que Domingo quería para sus hermanos, puede llevar a algunos a una regresión en la forma en que reaccionan a la autoridad. Deben explicarse las razones de las reglas y lo que se espera, a la vez que los frailes deben estar preparados para responder por su conducta.

41. Ser discípulo significa permanecer fiel a la Palabra, permaneciendo en la verdad y así encontrar la verdadera libertad (Jn 8, 31-32). La fuerza de nuestra vida procede del hecho que ella está centrada en la búsqueda de la verdad: esto nos da estabilidad, doctrina que nos guía, fraternal comunión en la amistad con Cristo y una libertad fortalecida por la obediencia (LCO 214 §II).

42. Aún antes de la profesión solemne, los frailes deberían ser educados en el funcionamiento del gobierno dominicano (Roma 2010 n. 194). Deben participar en reuniones de la comunidad, en los procesos de discernimiento y decisión, salvo en asuntos en los que se requiere la profesión solemne. Los frailes verán, en la práctica que, en nuestra forma de gobierno, basada en la confianza mutua y el respeto, es esencial el escuchar y el compartir con otros. El gobierno dominicano es responsable, participativo y consensuado, presupone una libertad evangélica y una obediencia que no nace del miedo (Bogota 2007 n. 207, f).

43. Los frailes deberían recordar la importancia de la amistad y saber que la verdadera amistad nunca es excluyente o enemiga de la vida comunitaria. El don de la amistad tiene que ser bienvenido, ya sea entre frailes o con compañeros fuera de la Orden. Las buenas experiencias de amistad ayudan a la integración madura de una vocación religiosa. Sin embargo, cualquier amistad, incluso cuando está en conformidad con el voto de castidad, tiene que ser coherente con la exclusividad de nuestra relación con Dios.

44. Un desafío para la formación es ayudar a los frailes a establecer una nueva relación con sus familias, desde dentro de la opción de una vida consagrada y en la que el mismo fraile ayude a su familia a entender el camino que ha elegido. Las responsabilidades con la familia de origina de cada uno pueden variar de cultura a cultura y a veces crear tensiones con las responsabilidades asumidas con la profesión. Estos temas necesitan ser abordados lo antes posible durante el tiempo de formación inicial para que las relaciones de la familia no sean un obstáculo para la completa integración del fraile dentro de la comunidad. Debemos reconocer las responsabilidades para con la familia y cómo se entienden culturalmente, ayudar a los frailes a afrontarlas y, al mismo tiempo, a no permitir que ellas perjudiquen el tipo de pertenencia que nuestra profesión requiere.

45. En algunas partes de la Orden, el programa de formación es compartido con otros miembros de la Familia dominicana, especialmente con las monjas y con las hermanas. Aún donde este no sea el caso, nuestra formación debe también iniciar a los frailes en la vida de la familia dominicana. Es otro

contexto en el que aprendemos a compartir la vida con otros, tanto mujeres como hombres, religiosos y seglares, donde debemos practicar el diálogo, la solidaridad y la reconciliación fraterna.

46. El amor a la Iglesia está en el corazón de nuestra vocación. La integración dentro de la vida dominicana es la integración dentro de la vida de la Iglesia: es en este lugar y de esta manera donde vivimos como miembros del Cuerpo de Cristo. Estamos al servicio de la Iglesia en la manera apropiada a nuestro carisma y nuestra misión siempre tiene que estar relacionada con la misión de la Iglesia en un lugar particular.

## C. Los contextos de la formación

47. Los contextos de la formación en la Orden son muy variados, dependiendo de los niveles de educación, situaciones sociales y políticas, y las circunstancias religiosas y eclesiales. Para ser considerando también es el tamaño de los grupos del noviciado y estudiantado, la edad a la que los postulantes son admitidos, las tradiciones y costumbres específicas de cada provincia e incluso de diferentes regiones dentro de la provincia. La formación debe inculturar a nuestro modo de vida frailes de diferentes culturas y mentalidades, ofrecerles la plenitud de la vida dominicana, ayudarles a entrar en una comunión más amplia, es decir, más católica. Otra consecuencia de esta diversidad es que a los formadores y comunidades de formación se les pide apertura a nuevas posibilidades.

48. La formación contiene modalidades específicas en las diferentes etapas de la formación inicial, en la formación para una vocación particular dentro de la Orden, en la formación para un ministerio particular, y para las diferentes etapas de la vida en la formación permanente.

49. Habitualmente deberían aprovecharse los recursos locales y regionales referentes a la educación y a la formación humana, ya sean en la Familia dominicana, en la Iglesia local, organizados por las conferencias regionales de religiosos o en una colaboración inter-congregacional, con el fin respaldar la formación dominicana que es holística y permanente. Sin embargo, la iniciación a la vida dominicana debe tener lugar en un convento, (LCO 160-161, 180 §I, 213 §II). En áreas donde esta formación o la colaboración inter-provincial no es factible por razones culturales, geográficas o por otras razones, el permiso para establecer modelos extraordinarios de formación debe someterse a la aprobación de Maestro de la Orden.

50. Cada persona trae consigo sus propios antecedentes y biografía, una nueva manera en que la gracia de la vocación dominicana ha estado actuando. El formador necesita ser consciente de las necesidades de cada individuo al igual que de la dinámica dentro de los grupos; necesita ser prudente y paciente con el ritmo de desarrollo de cada fraile (Bogota 2007, n.200).

51. En algunos contextos, los candidatos que entran a la Orden son mayores. Se debe tener cuidado para asegurarse de que esos candidatos tengan suficiente flexibilidad y apertura para adaptarse a la vida dominicana. A veces, los candidatos entran como sacerdotes o tras haber estado en un seminario o en otro instituto religioso. Después de la profesión simple, los formandos que ya han sido ordenados sacerdotes permanecen en la formación bajo el cuidado de un maestro para continuar su iniciación en la vida religiosa dominicana y prepararse adecuadamente para la profesión solemne. La *Ratio formationis particularis* debe considerar el límite de edad para la admisión de candidatos, así como las adaptaciones que puedan ser necesarias para recibir candidatos mayores y candidatos que ya han sido ordenados.

52. Cuando el deseo de entrar en la Orden sigue a una conversión o re-conversión a la fe, es importante dejar claro que conversión y vocación están relacionadas, pero que, a la vez, son distintas. Es esencial que los aspirantes experimenten la vida ordinaria de la Iglesia durante algunos años antes de solicitar la entrada en la Orden. Esto les ayudará a crecer en la fe y apreciar la gracia de una llamada a ser predicador al servicio de la Iglesia.

53. En los contextos donde la vida religiosa y el sacerdocio ofrecen un nivel de vida más elevado del común de las personas o brindan un estatus social, los formadores deben ayudar a los frailes a purificar sus motivaciones para ser dominicos y a vivir como los consejos evangélicos requieren.

54. Puede haber diferencias significativas entre culturas con respecto a asuntos de sexualidad, orientación sexual, intimidad y actitudes con relación hacia hombres y mujeres. Es necesario hablar de estos temas en la formación inicial y permanente y basar nuestras actitudes y comportamientos en lo que nos enseña el Evangelio.

55. Con relación a la sexualidad, los temas que se presentan en la formación tienen que ver con el aprendizaje para vivir de modo casto y la integración en la vida de la comunidad para participar alegremente en su misión de predicación (cf Timothy Radcliffe, Carta a la Orden, «La Promesa de Vida»).

56. Cada generación debe ganarse para Cristo y, a la vez, cada nueva generación trae algo nuevo a la Orden, nuevas experiencias, nuevos interrogantes, nuevo celo apostólico. Los formadores deben buscar que cada generación de frailes sea capaz de crecer, traer sus dones a la Orden y, gradualmente, compartir con los hermanos mayores la responsabilidad de la Orden. Deben trabajar también para asegurar que nuestras tradiciones se transmitan a las nuevas generaciones y que los hermanos más jóvenes están dispuestos para recibir y aprender de esas tradiciones.

## II. LAS PERSONAS IMPLICADAS EN LA FORMACIÓN

### A. La comunidad en formación, la comunidad de formación

57. Como *sacra praedicatio*, cada comunidad dominicana es una escuela de predicadores y una comunidad en formación. Esto es verdad no sólo de las comunidades de formación inicial sino también de toda comunidad. Cada una tiene que ser un lugar donde se aliente y facilite la formación permanente de los frailes.

58. Mientras cada miembro de la provincia comparte la responsabilidad de la formación, los frailes asignados a las comunidades de formación inicial tienen una responsabilidad especial (cf. LCO 161). Ellos, con los superiores y maestros de formación, acompañan el proceso de crecimiento en la vida dominicana y en el celo apostólico de los formandos. Los frailes profesos solemnes deben tener la capacidad y gusto para estar con los hermanos en formación inicial, de modo que todos los asignados sean corresponsables en la formación de los miembros más recientes en la Orden.

59. La primera tarea de una comunidad de formación es ser una buena comunidad dominicana. La comunidad se ve desafiada por los frailes en formación a renovar su propia vida, pero, a la vez, sus miembros deben tomar en serio su responsabilidad de inculcar a los frailes más jóvenes los valores dominicanos fundamentales (Sección I A, ver arriba). El testigo más elocuente y el mejor maestro de fraternidad para los frailes jóvenes es una comunidad de formación que vive y funciona bien.

60. La comunidad de formación debería está compuesta por frailes que tienen una espiritualidad dominicana profunda, con variedad de dones y compromisos apostólicos, que respetan y animan la vida intelectual, son

amables y dialogantes, confían unos en otros, son maduros emocionalmente, que tienen una capacidad de escucha y de reconciliación (cf. LCO 160, 180 §I, 215 y Bogota 2007 n. 216). Donde sea posible, se asignarán a las comunidades de formación inicial uno o más frailes cooperadores para que haya un testigo viviente de esta vocación para los hermanos en formación y un apoyo para las nuevas vocaciones a esta valiosa vocación en la Orden.

61. La formación inicial presupone una vida conventual fuerte para recibir y formar nuevos miembros, formadores bien preparados y un número suficiente de novicios y estudiantes. Cuando una provincia u otra entidad tiene dificultad para sostener sus propias comunidades de formación se hace necesaria la colaboración con otras provincias, particularmente las que están en la misma región.

62. Es importante que los hermanos, donde sea posible, se formen en su propia entidad, pero también es importante que tengan la mejor formación posible. Cuando una provincia tiene pocas vocaciones, hay que considerar el envío de los nuevos frailes a un noviciado y estudiantado donde tengan un buen número de formandos de las mismas edades. De modo especial allí donde hay una distancia significativa de edad entre los frailes mayores de una provincia y los frailes en formación. Una parte muy importante de la formación es compartir con compañeros y estos tienen, a menudo, una importante influencia formativa. Debe evitarse el tener un solo novicio en un noviciado o muy pocos estudiantes en una provincia.

63. Como parte de la visita canónica del prior provincial (cf. LCO 340), cada comunidad de formación inicial deberá ver si el trabajo de formación es de hecho primario e integral en el proyecto comunitario y si los frailes de la comunidad están colaborando bien en dicho trabajo.

64. Después de la visita anual de las comunidades de formación inicial, el provincial con su consejo revisará el ambiente en que la formación tiene lugar, así como la realización del programa de formación. Ellos deben asegurar que se den las condiciones requeridas para una buena comunidad de formación tanto en el noviciado como en el estudiantado. En caso de dificultades, también se debe informar al consejo provincial de formación.

65. El prior provincial debe estar seguro de que todo fraile asignado a una comunidad de formación inicial está comprometido con este propósito. Cuando tenga que confirmar la elección del prior de un convento de formación inicial, el prior provincial preguntará si el fraile elegido desea

realmente comprometerse y participar en la formación de los frailes y en su integración dentro de la comunidad. Debe asegurarse también de que el hermano elegido entienda la responsabilidad del maestro de formación y cómo deben trabajar juntos.

66. Los frailes asignados en las comunidades de formación inicial deben ayudar a los formadores, pero no deben tratar de sustituirlos. Si tienen observaciones sobre los frailes en formación deben llevarlas al maestro o hacerlas en el capítulo conventual y si tienen observaciones sobre el maestro deben llevarlas al prior conventual o al prior provincial. El prior en una comunidad de formación inicial debería hablar de estos asuntos en el capítulo conventual al menos dos veces al año.

### B. Los hermanos en formación

67. Por la naturaleza de la vocación religiosa, cada fraile es el principal responsable de su formación, es decir, de su progreso dentro el seguimiento de Cristo que le llama por el camino de Santo Domingo. El cumple esta responsabilidad bajo la guía de maestros y otros formadores (LCO 156). No es sólo cuestión de compartir un conocimiento intelectual, sino que es necesaria una participación activa, deseo de aprender y disposición para colaborar. Sin una mutua confianza el proceso de formación no puede tener éxito.

68. El principio 'cada fraile tiene la principal responsabilidad de su propia formación' no debe ser interpretado por los formadores o por los frailes en formación en un modo que impida una apropiada intervención y corrección. «Subjetivamente» el fraile tiene la principal responsabilidad de su formación y «objetivamente» la comunidad y los formadores tienen la obligación de asistirle en el cumplimiento de esta responsabilidad.

69. Al tiempo que crece en el conocimiento de sí mismo, cada fraile debe explorar cómo interpretar su propia experiencia a la luz de la historia de salvación para que su historia se entrelace con la de Cristo, a la que es incorporado por el bautismo y a la de la Orden, a la que se incorpora por la profesión (LCO 265).

70. Los formandos deberían aceptar ayuda de los formadores sobretodo en el discernimiento de su vocación, que se presume es dominicana, pero no es necesariamente. Esto es lo que debe ser examinado y verificado espe-

cialmente en el tiempo de preparación para el noviciado y durante el noviciado.

71. Los frailes en formación inicial deberían aceptar gustosamente la corrección por parte de los responsables de la formación, aceptando que se busca su propio bien. Sin la capacidad para dar y recibir corrección fraterna no hay progreso en la vida dominicana. Frailes en formación inicial deben ser iniciados en alguna forma de corrección fraterna regular y recíproca.

72. Tanto por su madurez humana y espiritual, como por su progreso en la vida dominicana, es de gran ayuda para el formando tener un confesor habitual y/o un consejero espiritual a quien poder abrir confiadamente su corazón.

73. Si hay un mal entendimiento entre un formando y un formador, uno de los dos o los dos tienen el derecho y la obligación de buscar el consejo del prior conventual. Si la situación resulta ser conflictiva de modo que parece irremediable, uno de los dos o los dos tienen el derecho y la obligación de pedir el consejo del prior provincial.

## C. Los responsables de la formación

74. Los formadores deben ser hombres de fe y oración, rectos en su manera de vivir, con capacidad de acogida, escucha, empatía y de comprender el proceso de madurez humana y cristiana (Bogota 2007 n. 200). Deberían ser frailes que aman la Orden, con bastante experiencia de su vida y su apostolado, que han integrado bien, en su propia vida, los diferentes componentes de la vida dominicana.

75. La relación del maestro con los formandos debe ser la de un testigo y maestro de nuestro modo de vida, un fraile que ayude a fomentar el conocimiento y la apreciación mutua y que muestre respeto por la libertad y dignidad de cada uno. Él también pueda ser respetado por su dignidad y responsabilidad comunitaria.

76. Los formadores deben estar libres de otras responsabilidades mayores para dedicarse a la formación como su principal ministerio. Necesitan contar con el tiempo y la atención adecuados para cada uno de los frailes en formación como para el grupo de novicios o estudiantes. El maestro de novicios o de estudiantes no puede en ningún caso residir fuera de la

comunidad de formación ni tendrá otras responsabilidades que le obliguen a estar ausente por mucho tiempo o con mucha frecuencia.

77. El formador siempre debe estar presente cuando el capítulo o consejo conventual hablan sobre el avance de un fraile bajo su cargo o de un tema relacionado con su área de responsabilidad. Corresponde en primer lugar a los maestros de la formación informar sobre tales diálogos a los novicios y estudiantes, para identificar claramente las áreas que suscitan preocupación y para ayudar a los hermanos a responder a las preocupaciones planteadas.

78. Los frailes nombrados como maestros de la formación deben contar con un tiempo adecuado, especificado por el capítulo provincial, para prepararse a esta responsabilidad (cf. Trogir 2013 n.133).

79. Los formadores deberían ser apoyados en su labor por toda la provincia. Este respaldo se manifiesta por parte de los superiores en la aplicación de lo que está mandado por las constituciones (LCO 185; 192 §II; 209;214 §III; 370 §II) como de cualquier otra ayuda que se considere útil.

80. La formación de los formadores es preocupación constante en los recientes capítulos generales. La experiencia muestra que las reuniones regionales de formadores son de gran utilidad para ayudar a los formadores en su trabajo. Tales reuniones deben ser apoyadas y facilitadas por los provinciales de cada región.

81. Los formadores deben estar abiertos a participar en cursos y actividades de formación organizados por las iglesias locales, por otros religiosos o por otras ramas de la familia dominicana. En cuestiones que requieren una competencia especial o son particularmente delicadas, no deberían dudar en pedir ayuda o supervisión a personas cualificadas y participar en sesiones de preparación organizadas con este propósito.

82. Los maestros deben asegurar a los novicios y estudiantes que lo solicitan o precisen, el acompañamiento espiritual o psicológico que sus situaciones particulares requieren. En estos casos, su función de formador no puede ser sustituida por el director espiritual o el acompañante psicológico. Al contrario, respetando la legítima autonomía y confidencialidad de éstos, le corresponde al maestro mantener unidos los diferentes aspectos que constituyen la experiencia de la formación, buscando el bien del fraile en formación (cf. CIC 240 §§1-2).

83. Los formadores necesitan estar bien informados acerca de las tendencias actuales y las presiones que viven los jóvenes y tener cierta sabiduría en la comprensión de sus implicaciones para aquellos que entran en la Orden (Providence 2001 n. 348). A veces las virtudes que se necesitan en la vida religiosa, han sido abandonadas o, incluso, se han asumido actitudes contrarias a ellas en experiencias previas. La comprensión de la fe y de la vocación religiosa puede ser, en algunos casos, incompleta e inmadura.

84. En el discernimiento para la admisión al noviciado y a la profesión, es importante recordar que no todas las deficiencias se pueden remediar en el tiempo de la formación. Es posible que algunos de los aspirantes que empiezan la formación con nosotros en realidad no tengan una vocación dominicana. Deben tomarse entonces decisiones prudentes por su propio bien y el de la Orden. Donde haya una duda seria que no pueda resolverse de otra manera se tomará una decisión a favor de la Orden. Es esencial que haya una buena comunicación entre los maestros relevantes de la formación cada vez que los hermanos en formación pasar de una comunidad a otra.

85. Los formadores deben atender a las necesidades específicas tanto de los frailes cooperadores como de los frailes clérigos para asegurarse de que todos están bien preparados para sus roles particulares en la Iglesia, en la misión de la predicación de la Orden y para desempeñar la parte que le corresponde en la vida y en el gobierno de nuestras comunidades (Rome 2010 n. 198; *Estudio sobre los Frailes Cooperatores Dominicos*, 2013).

85a. El socio para la vida fraterna y la formación (LCO 425 §II) asiste al Maestro y a las provincias en lo referente a formación inicial y permanente (cf Bolonia 2016 nn.306-07). LCO 427-bis dice: *Ad socium pro vita fraterna ac formatione in Ordine praecipue haec pertinent:*
   *1° adiuvare Magistrum Ordinis in omnibus quae pertinent ad vitam fraternam et ad formationem religiosam fratrum, sive permanentem sive initialem;*
   *2° omnes provincias adiuvare ut provideant ad formationem religiosam fratrum et ad florescentiam vitae fraternae;*
   *3° quando oporteat, congregare simul magistros fratrum formationem initialem habentium sicut et promotores formationis permanentis unius vel plurium regionum.*
   *4° facilius facere provinciis innovationem et formationem formatorum, sicut et augmentum et executionem pianificationum provincialium ad formationem permanentem spectantium.*

## D. Los consejos de formación

86. Es que se establecerá un consejo de formación en cada comunidad de formación inicial (cf. LCO 158). Cuando en una provincia haya más de una comunidad de formación se establecerá también un consejo provincial de formación.

87. El consejo local de formación deberá evaluar con regularidad la manera en que los frailes en formación se están integrando en la comunidad y el modo como la comunidad les acoge. Puede señalar a los formadores puntos que necesitan atención. También tratara cualquier tema que sea propuesto por uno de los miembros del consejo y aprobado para discutir por la mayoría de los miembros (cf Bogota 2007 n.209).

88. El consejo local de formación debe incluir el prior, el formador o los formadores y al menos otro miembro de la comunidad. En una casa del estudiantado debe incluir la persona responsable localmente de los estudios y puede incluir un representante de los frailes en formación. La manera de escoger el (los) miembro(s) de la comunidad y el representante de los estudiantes debe incluirse en la *Ratio Formationis Particularis*.

89. El maestro de novicios o de estudiantes es el presidente del consejo local de formación y lo convocará, al menos, tres veces cada año escolar. Cuando el noviciado y el estudiantado estén en la misma comunidad, la *Ratio Formationis Particularis* determinará cuál de los formadores presidirá el consejo de formación local.

90. La composición y las tareas del consejo local de formación (LCO 158) deberían incluirse en la *Ratio Formationis Particularis*.

91. El consejo provincial de formación tiene que ser convocado y presidido por el prior provincial o por otro fraile, como se determina en la *Ratio Formationis Particularis*.

92. Los tareas del consejo provincial de formación son: articular y evaluar la visión provincial de la formación dentro del contexto más amplio de la formación dominicana; coordinar la labor de las comunidades de formación para asegurar la continuidad entre las diferentes etapas de la formación; enfrentarse a preguntas y dificultades que surjan en la formación inicial o permanente; reflexionar en la política de formación de la provincia; mantener la debida conexión con las actividades formativas de la familia dominicana;

y estar disponible para asistir al prior provincial y a su consejo como y cuando se requiera. También revisará periódicamente la política y las estrategias para la promoción de vocaciones en la provincia.

93. El consejo provincial de formación debería incluir el prior provincial, los maestros de formación, el promotor de vocaciones, el regente de estudios, los moderadores de estudios y el promotor provincial de la formación permanente. También pueden ser parte del mismo los priores de las comunidades de formación, un fraile cooperador, otros frailes y un representante de los frailes estudiantes. La *Ratio Formationis Particularis* especificará quiénes son los miembros de este consejo, se dirá que debe convocarlo y presidirlo, y se determinará cómo se elige al representante de los estudiantes.

94. El consejo provincial de formación debe revisar regularmente el programa de formación inicial y permanente para asegurarse de la unidad y continuidad esenciales en el proceso de formación.

95. Los consejos de formación, tanto locales como provinciales, deben estar atentos a los cambios sociales y culturales en su región y estudiar sus consecuencias para la vocación y la formación.

## III. LAS ETAPAS EN LA FORMACIÓN INICIAL

### A. La promoción y la dirección de vocaciones

96. Para fomentar las vocaciones debemos fortalecer nuestro trabajo con la juventud, animar a los frailes jóvenes a unirse a la promoción de vocaciones, invitar a toda la familia dominicana a colaborar, especialmente a las monjas con su oración, y alentar a nuestras comunidades a vivir visiblemente todas las ricas dimensiones de la vida dominicana (Roma 2010 n. 188).

97. La promoción de vocaciones es tarea de cada fraile y de cada comunidad. Hacemos esto a través de los tiempos regulares de oración, la fidelidad a la observancia regular y vida común, el testimonio apostólico de nuestras comunidades, hablando de la Orden y su misión con todos los que están interesados y extendiendo la hospitalidad a aquellos que están discerniendo su vocación.

98. Cada provincia y viceprovincia debe nombrar un promotor de vocaciones. Donde sea posible ésta debería ser la tarea primordial de un fraile. Este debe usar todos los medios modernos de comunicación e información en el desempeño de su misión.

99. El promotor trabaja para hacer que la Orden sea conocida y para informar a la gente de su misión. El director acompaña más estrechamente aquellos que han mostrado una intención de entrar en la Orden. En algunas provincias, esta dirección toma la forma de un postulantado, pre-noviciado o acompañamiento. La promoción y la dirección de vocaciones pueden ser asumidas por el mismo fraile o las tareas pueden ser compartidas. En ambos casos, a estos frailes se les deberá proveer del tiempo y los recursos necesarios para su trabajo.

100. El promotor y director de vocaciones deben asegurarse de que los aspirantes conozcan a un buen número de frailes y que un buen número de frailes conozca a los aspirantes. Los frailes evaluarán su nivel de madurez humana y espiritual, para ayudarlos a clarificar su vocación y colaborarles en la comprensión y la profundización de su motivación.

101. Con el fin de entender mejor cómo se han formado la personalidad y la vocación cristiana de un aspirante, es importante que los directores de vocaciones se encuentren con algunos miembros de su familia.

102. Los frailes cooperadores deben implicarse en la promoción de su propia vocación. Cuando no hay un fraile cooperador de la provincia disponible para ayudar en la promoción o dirección de las vocaciones, debería invitarse a frailes de otras provincias para ayudar en esta labor.

103. Los frailes que promueven las vocaciones promoverán todas las vocaciones de la familia dominicana: los de los frailes, las monjas y hermanas, los fraternidades sacerdotales y laicales, y de los institutos seculares (cf. Trogir 2013 n.148). Se encargarán especialmente de promover de modo explícito la vocación de los frailes clérigos y cooperadores y de ayudar a los aspirantes a discernir a cuál de ellas están llamados.

104. Las reuniones regionales de superiores y formadores brindan un espacio de diálogo en el que se pueden compartir experiencias para promover y dirigir las vocaciones, así como las experiencias en la preparación de los hermanos para la labor de promover y dirigir las vocaciones.

105. El tiempo que un aspirante debe esperar entre su primer contacto y el momento de pedir entrar en la Orden variará de acuerdo a las circunstancias individuales y las costumbres locales. También depende del tiempo y modo de preparación para el noviciado que una provincia tenga.

### B. La preparación para el noviciado

106. La preparación de los aspirantes para el noviciado es variada dentro de la Orden. Los objetivos de este período son conocer mejor al candidato, discernir su motivación y juzgar si está listo para el noviciado. En algunas provincias el director de vocaciones es quien prepara a los aspirantes para el noviciado que inicia después de un postulantado corto. En otras, este periodo se institucionaliza en un pre-noviciado (LCO 167 §III) que incluye una primera experiencia de la vida común. Esto permite que los hermanos de la Orden que viven con los aspirantes puedan juzgar sobre la base de su vivencia cotidiana con ellos. Es importante que los aspirantes hayan tenido una experiencia de vivir con otras personas en un contexto fuera de su contexto familiar.

107. La *Ratio Formationis Particularis* especificará cuáles son las metas para este tiempo de preparación. Corresponde al capítulo provincial o al prior provincial con su consejo determinar la modalidad, la duración y el lugar de esta «preparación para el noviciado» (LCO 167 §II).

108. Cualquiera sea su forma, es esencial que el postulantado o pre-noviciado no le reste nada al noviciado, que debe mantener su carácter individual de iniciación a la vida religiosa dominicana (Trogir 2013 n. 144).

109. El tiempo de preparación para el noviciado deber permitir una transición gradual, brindando el tiempo para una adaptación espiritual y psicológica, y ayudar al aspirante a entender los cambios necesarios que debe hacer cuando entró en la vida religiosa. También se debe ayudar a los aspirantes a reflexionar sobre la vocación del sacerdote y del hermano cooperador en la Orden y para discernir acerca de esto en su propio caso.

110. A los que se preparan para el noviciado deben ser estimulados a conocer algunas comunidades de la provincia.

111. Los criterios de admisión a la Orden están en LCO 155 y 216 §I. Las provincias que están en la misma región deben trabajar juntas para asegurar la consistencia en la aplicación de estos criterios.

112. No se puede esperar que los aspirantes tengan una motivación perfecta, ni que estén preparados en todo aspecto al empezar la formación en la Orden. Pero el deseo de escuchar a Dios y de servir al Cuerpo de Cristo a través de la predicación debería estar claramente presente (Trogir 2013 n. 139, 149).

113. La *Ratio Formationis Particularis* determinará la composición y el modus operandi de la comisión de admisión (LCO 171-173).

114. La *Ratio Formationis Particularis* debería brindar una orientación sobre la conveniencia y el papel de la evaluación psicológica dentro del proceso de admisión. Este es un asunto delicado en el que deben respetarse los derechos del aspirante (cf. Congregación para la Educación Católica, *Orientaciones para el uso de las competencias de la psicología en la admisión y en la formación de los candidatos al sacerdocio*, 13 de junio de 2008). La evaluación psicológica puede ser muy útil tanto para guiar a los aspirantes en su crecimiento humano y espiritual como para guiar a la comisión de admisión. Sin embargo, debe entenderse que la asesoría psicológica recibida no usurpa el trabajo de evaluación de la comisión de admisión. La responsabilidad de admitir aspirantes le corresponde a la provincia (LCO 171).

115. El fraile o frailes responsables de la preparación de aspirantes para el noviciado suministrará un informe a la comisión de admisión. Este informe será enviado al prior provincial junto con la recomendación de la comisión de admisión.

116. Además del informe mencionado anteriormente (n.115), el aspirante debería ser entrevistado por miembros de la comisión de admisión. Deberían hacerse indagaciones sobre el contexto de su vida hasta ahora, su rendimiento académico y su experiencia laboral. Deben solicitarse cartas de referencia de personas que lo conocen y verificar que se cumplan los requisitos de la ley de la iglesia y el derecho civil en cuanto a la salvaguardia y la protección menores.

117. Cuando un aspirante ha sido aceptado para el noviciado, el maestro de novicios verificará que todas las condiciones requeridas por nuestras leyes se cumplen y que se tiene toda la documentación requerida CIC 642-645; LCO

168-170). Se deben respetar siempre los requisitos locales sobre la divulgación de información personal. La *Ratio Formationis Particularis* incluirá una política de retención de documentos.

118. Cuando a un aspirante ha sido rechazado para entrar en uno de nuestros noviciados, no puede ser válidamente recibido en otro a no ser que la provincia haya recibido un informe escrito del provincial de la provincia que lo rechazó. Este informe debe explicar claramente los motivos de la decisión de la provincia. Este documento debe ser entregado a la comisión de admisión de la provincia en la que ahora él presenta la solicitud e incluirse en el informe de la comisión al prior provincial.

119. En los países donde los religiosos jóvenes están obligados al servicio militar o civil, la *Ratio Formationis Particularis* debería especificar las condiciones bajo las cuales estos servicios tienen que cumplirse.

### C. El noviciado y la profesión simple

120. El noviciado inicia a los frailes en nuestro modo de vida, que es el seguimiento de Cristo según el modo ideado por Santo Domingo: un modo de vida que se caracteriza por la consagración religiosa, la observancia regular, la pobreza, vida fraterna común, la liturgia y la oración, el estudio, y el ministerio de la palabra (LCO 2-153).

121. El noviciado debe tener algo del carácter de una «experiencia de desierto» con muchas oportunidades para la soledad y la oración. Es un período de iniciación en el que la entrada del fraile en un nuevo modo de vida debería estar claramente marcado por los ritos de paso, particularmente por la vestición del hábito. El noviciado tiene que ofrecer las condiciones necesarias para que el fraile experimente una nueva profundidad en el encuentro con Dios y consigo mismo, así como su iniciación en la realidad de la vida fraterna en común y para la misión apostólica de la Orden. El noviciado es sobre todo un tiempo para leer la Biblia, buscando entender su significado a través de la oración y el estudio, al igual que de aprendizaje sobre las condiciones y necesidades de las personas en el mundo.

122. El maestro de novicios es el encargado de la formación en el noviciado. Es ayudado por el consejo de formación local y, posiblemente, también por un asistente. El programa del noviciado es establecido por él y tiene que someterse a la aprobación del prior provincial. Él debería recordar también el papel de la comunidad de formación en asistirle en la formación de los

novicios (ver LCO 181 y Parte II, Sección A, arriba). Se reúne regularmente con los novicios, tanto a nivel individual como en grupo.

123. Aunque el estudio es una parte esencial del noviciado y se da el currículum en LCO 187, estos estudios no poseen un carácter académico. A los frailes se les brindará tiempo suficiente para leer y reflexionar en las áreas señaladas en el currículum del noviciado; deben, sobre todo, leer la Biblia. Durante este año debe suspenderse cualquier otro estudio.

124. El noviciado tiene como objetivo ayudar al novicio a un discernimiento maduro con respecto a su vocación (LCO 186). Es también el comienzo de la formación en nuestro modo de vida, ya que los novicios empiezan a interiorizar, viviéndolos, los valores y las actitudes del carisma apostólico de Santo Domingo.

125. Este tiempo de aprendizaje progresivo de los diferentes elementos de nuestra vida va a dar prioridad a la vida espiritual y a la vida comunitaria, así como el desarrollo de una fuerte práctica de la oración, tanto personal como litúrgica.

126. Se debe brindar a los novicios una iniciación práctica en la liturgia y en la práctica sacramental de la Iglesia. El maestro de novicios les instruirá en la oración personal y litúrgica y les enseñará cómo integrar esto en su vida cotidiana. Se esforzará en infundir en ellos el amor a la vida litúrgica de la Orden y el aprecio de su centralidad para formar y sostener al predicador dominico.

127. La liturgia dominicana es la de una comunidad fraterna que comparte una vida y una misión centradas en la Palabra de Dios. El maestro ayudará a los novicios a ver cómo la disciplina del estudio personal es sustentada por la vida litúrgica de la comunidad. Los novicios serán iniciados en las ricas tradiciones de la Orden en himnos y cantos, y en sus tradiciones de oración devocional, en particular a María, la Madre de Dios (LCO 129).

128. Aunque primariamente es un tiempo de crecimiento espiritual y de descubrimiento de la vida comunitaria, el noviciado debería incluir una iniciación a los retos del apostolado. La formación del noviciado «no ha de ser solamente teórica sino también práctica, teniendo incluso alguna participación en las actividades apostólicas de la Orden» (LCO 188). Las prioridades y la orientación ordenada por los capítulos generales deberían guiar la selección de estas actividades.

129. Integrados en este programa de formación y unidos a él, las reuniones regulares permitirán a los novicios hablar de su vida en el noviciado, iniciándolos, de este modo, en la práctica de los capítulos (cf. LCO 7 §III).

130. La comunidad del noviciado, y más ampliamente toda la provincia, tiene un papel en la integración y formación de los novicios, bajo las modalidades que el maestro de novicios y el prior provincial tendrán que determinar y recordar. Sin embargo, la tarea del discernimiento recae en particular sobre el maestro de novicios (cf. LCO 186).

131. Los frailes deben ser conscientes de que, al hacer la profesión simple, ya se están comprometiendo totalmente con Cristo y con la Orden. En una cultura que valora la libertad de escoger y los cambios de trabajo, puede ser más difícil imprimir en los jóvenes el carácter definitivo de la profesión. Deberían ser ayudados a apreciar que Cristo los sostendrá en su profesión ya que es Cristo quien les ha llamado a seguirle en este camino.

132. Criterios para la admisión a la profesión: madurez psicológica, moral y religiosa del novicio, seriedad de la vida de oración, idoneidad para el estudio, disposición para el trabajo apostólico, amor al Evangelio, compasión por los pobres, los pecadores y a los no evangelizados, capacidad para vivir la vida de los votos y la vida común propia de nuestra Orden. Los que examinan y los que votan deben tener la seguridad de que el formando comprende los pasos que está dando y que asume libremente las obligaciones de la profesión.

133. La profesión se hace por un año, dos o tres, como está determinado en el estatuto de la provincia y puede renovarse según como esté determinado en el mismo estatuto. Se deben hacer por lo menos tres años de profesión simple y no más de seis (LCO 195 §II; 201 §I).

134. En las provincias en la que el estatuto permite una primera profesión por un año o por tres, estas dos posibilidades deben ser consideradas cuidadosamente entre el maestro de novicios y cada novicio (cf. LCO 195 §II). Sólo en circunstancias excepcionales los frailes harían la profesión por un año para continuar renovando cada año.

135. El prior provincial debe tener seguridad de que al novicio que pide hacer la profesión se le ha informado sobre los votos y formado para vivirlos. Los frailes que examinan a los novicios para la profesión también deben tener certeza sobre este punto.

136. Un novicio que ha hecho votos perpetuos o profesión solemne en otra congregación, no hace la profesión simple al final del noviciado, sino que se requiere una votación decisiva del capítulo y consejo conventuales en base a la cual él podrá continuar, con el permiso del prior provincial, el período de prueba, o deberá volver a su propio instituto (cf. LCO 201 §II).

## D. El estudiantado

137. En los años entre la profesión simple y la profesión solemne, el estudio académico ocupa un lugar privilegiado, pero no exclusivo, en la formación de los frailes. Es un tiempo de madurar y de profundizar en la vida dominicana, así como de continuar creciendo en la fe.

138. Mientras se pone un apropiado énfasis en el estudio durante estos años, se debe ayudar a los frailes para que integren la formación intelectual con otros aspectos de nuestra forma de vida religiosa con los que dicha formación está íntimamente conectada. Su desarrollo espiritual y religioso sigue siendo la primera prioridad de estos años (LCO 213 §§I-II).

139. El maestro de estudiantes debe ayudar a los frailes estudiantes a integrar armoniosamente las diferentes exigencias que se les presentan. Con respecto a las etapas de la formación inicial y las prioridades que cada una de ellas incluye, debe tenerse cuidado en que el carácter total de la vida dominicana (el equilibrio de sus elementos y valores fundamentales) esté presente. El estudio no debe ser acentuado en detrimento de la vida de oración; y cualquier tensión entre la vida de comunidad y el estudio, por un lado, y la vida apostólica, por otro, nunca debería conllevar al rechazo de una u otra.

140. Si los frailes realizan sus estudios fuera una institución de la Orden, es necesario que en su comunidad se les presente el carácter específico del estudio dominicano. Se deben brindar cursos complementarios de teología y filosofía dominicana, en particular, sobre la contribución de Tomás de Aquino, así como sobre la enseñanza dominicana acerca de la vida espiritual, de acuerdo con lo pedido por la *Ratio Studiorum Generalis*.

141. El maestro de estudiantes debe brindar una orientación y formación específicas a través de reuniones individuales periódicas con cada fraile estudiante y de reuniones con el grupo del estudiantado. Debe recordarlos el valor de tener un confesor habitual y ayudarles a encontrar un director espiritual o un asesoramiento cuando sea necesario. Debe recordar también el papel de la comunidad de formación que le ayuda en su trabajo (ver Parte

II, Sección A, arriba), otros frailes en la comunidad siempre respetando su responsabilidad específica como maestro.

142. La *Ratio Formationis Particularis* debe indicar si el maestro de estudiantes actúa como director de formación pastoral y, en caso que esta tarea se dé a otro fraile, debe decir cómo se le nombra. Corresponde al maestro de estudiantes asegurar tanto el acompañamiento espiritual como la reflexión teológica necesarios para ayudar a los frailes estudiantes a evaluar y profundizar sus experiencias buscando la integración de la dimensión apostólica en su vida dominicana.

143. Esta integración progresiva puede hacerse a través de experiencias apostólicas prácticas y bien definidas durante el año académico o experiencias de apostolado más intensas durante las vacaciones escolares, incluyendo también la posibilidad de interrumpir el ciclo de estudios (cf. n.149).

144. Estas experiencias apostólicas deben asegurar que los frailes estudiantes tengan contacto con el mundo de los pobres, los explotados y los marginados y que, al mismo tiempo, los introduzcan gradualmente en las fronteras específicas de la vida y de la misión dominicanas.

145. El maestro de estudiantes debe mantenerse informado de la naturaleza y exigencias de la formación pastoral, especialmente cuando los compromisos pastorales requieran que un fraile esté ausente de las actividades de la comunidad.

146. También se asegurará de que los frailes tienen unas vacaciones y tiempo libre otra. Estos deben ser los tiempos de descanso y de enriquecimiento para después de más plenamente beneficio fue el tiempo dedicado al estudio y el apostolado.

147. Se alentará a los hermanos en formación a desarrollar sus talentos, a participar en deportes y otras actividades físicas recreativas, a participar en actividades culturales, apreciar la literatura, la música, el arte y a una vida saludable en la dieta, el sueño, etc.

148. Donde sea posible, los frailes estudiantes deberían pasar un tiempo en otros conventos de la provincia para experimentar la vida y el ministerio de otra comunidad distinta a la de formación. Esto ayudaría al fraile estudiante

a integrar los diferentes elementos de nuestra vida en otro contexto. Esto también ofrece una oportunidad a los frailes de otras comunidades para valorar el progreso de los frailes en formación.

149. Se deben alentar y apoyar los intercambios entre provincias para aprender lenguas extranjeras, dedicarse a un trabajo apostólico, visitar conventos y casas de particular interés, tomar parte en reuniones de una misma región, etc. Cada fraile en formación inicial debería tener la posibilidad de vivir en otra cultura y aprender otra lengua. Cuando se considere necesario para la formación, los estudios pueden ser interrumpidas por el bien de una actividad apostólica o por otras razones (cf. LCO 164; 225 §II). Los intercambios también ayudan a los frailes en formación a apreciar la misión universal de la Orden.

150. Para evitar conflictos con relación a la jurisdicción, la *Ratio Formationis Particularis* debe definir claramente el papel del maestro de estudiantes en materias de responsabilidad como permisos y dispensas, vacaciones y trabajos pastorales, etc.

151. Se debe brindar una preparación adecuada, no sólo teórica sino también práctica, para los ministerios de lector y acólito, así como para la ordenación de diácono y sacerdote, sobre los deberes litúrgicos que estos ministerios implican, sobre la espiritualidad que debe caracterizar a quienes los ejercen y sobre el compromiso apostólico que suponen.

152. La *Ratio Formationis Particularis* debe establecer las modalidades para la institución de los frailes como lectores y acólitos. Estas instituciones tienen lugar entre la profesión simple y la profesión solemne (LCO 215-bis).

## Formación de los frailes cooperadores

153. Las provincias deben organizar la formación después del noviciado para los frailes cooperadores y frailes clérigos. Dependiendo de circunstancias locales y de las tradiciones de una provincia, puede haber estudiantados separados para frailes cooperadores y frailes clérigos. Esto debería especificarse en la *Ratio Formationis Particularis*. Cualquiera sea la organización prevista, todos los frailes deben recibir la misma formación humana y espiritual hasta la profesión solemne.

154. La *Ratio Studiorum Generalis* describe la formación intelectual necesaria para un predicador dominico. Esta formación es común para los frailes clérigos y cooperadores. Los estudiantes clérigos siguen además el curso de estudios que requiere la Iglesia para la ordenación. Los frailes cooperadores pueden seguir el mismo programa de estudios o recibir otra formación teológica y profesional de acuerdo al rol que la provincia prevea para ellos en la misión. El regente de estudios y el maestro de los cooperadores organizarán un programa de formación teológica para los frailes cooperadores en formación (LCO 217). Esto debe incluir siempre la formación de los frailes cooperadores para el ministerio laico en la Iglesia.

155. Se debe prestar atención en la formación de los frailes cooperadores para que participen plenamente la vida e la misión de la Orden. Un fraile cooperador más antiguo, con cierta capacidad, debe estar implicado en su formación. Dicho fraile debe ayudarlos a conocer la historia de esta vocación en la Orden y a seguir a Cristo, de acuerdo con su vocación específica, en el camino de Santo Domingo.

156. Durante los años de formación a los frailes se les debe advertir sobre la tentación del 'clericalismo', no sólo en relación a personas externas a la Orden, sino también en relación a los miembros no ordenados de la Orden.

157. En caso que la comunidad del estudiantado deba trasladarse a otro convento, o que se establezca una nueva comunidad del estudiantado, se debe consultar y no solo informar al Maestro de la Orden.

### E. La profesión solemne

158. Un fraile puede ser admitido a la profesión solemne después de tres años de profesión simple. Con la profesión solemne los frailes adquieren voz activa y participan plenamente en el capítulo conventual.

159. El maestro de estudiantes recordará a los frailes que, en caso de duda o vacilación, tienen la posibilidad de prolongar su tiempo de profesión simple, aunque no por más de tres años (cf. LCO 201 §I).

160. Además del examen y del voto del capítulo y del consejo conventuales, y junto con el informe escrito del maestro de estudiantes, el prior provincial o su delegado debe tener un exhaustivo dialogo con el fraile que profesará, relacionada con el paso que va a dar.

161. Los frailes clérigos quedan bajo la autoridad de un maestro de estudiantes hasta que culmine su formación inicial con la ordenación sacerdotal (cf. LCO 221). La naturaleza de su relación con él y el carácter de la formación que él da, cambiarán conforme a su situación dentro de la comunidad como profesos solemnes.

162. Los frailes cooperadores quedan bajo la autoridad del maestro hasta que culminen su formación sea con la profesión solemne o sea con la conclusión de los estudios institucionales o de la formación profesional (la que sea más tarde). Cuando se establece que la formación inicial termina con la profesión solemne, el superior local u otro fraile nombrado por él debería acompañarles en sus primeros años como profesos solemnes.

163. Dentro de la preparación para la profesión solemne, se debe ayudar a los frailes de nuevo deben a apreciar la obligación a la celebración diaria de la Liturgia de las Horas, aun cuando no estemos presentes en el oficio del coro.

## F. El diaconado y el sacerdocio

164. La misión de predicar es la misión específica confiada a la Orden por la Iglesia. Por nuestra profesión estamos «dedicados de una manera nueva a la Iglesia universal, completamente entregados a predicar la palabra de Dios en su totalidad» (LCO 1, III).

165. El ministerio de la palabra está en conexión íntima con los sacramentos y se completa en ellos (cf. LCO 105). Así, hay un nexo natural entre la misión de la Orden de predicar y el ministerio diaconal y sacerdotal en la Iglesia.

166. Al presentar a los frailes para la ordenación al diaconado y al presbiterado, se deben observar cuidadosamente los requisitos de nuestras constituciones y de la legislación de la Iglesia (CIC 1031, §I, 1032; 1035; LCO 246-248).

167. La aptitud para la predicación en el contexto de la liturgia sagrada es uno de los elementos esenciales que se deben considerar en la presentación de los frailes a la ordenación.

168. Por petición propia o por decisión del prior provincial, por razones serias y bien fundadas (CIC 1030), un fraile puede permanecer como diácono por

un cierto período de tiempo después de completar sus estudios institucionales.

169. A los frailes diáconos se les dará oportunidades suficientes para ejercer su ministerio propio.

170. Aunque exista un sentido natural de «graduación» al final de los estudios institucionales, particularmente cuando coincide con la ordenación al sacerdocio, nuestra formación continua, no sólo en el periodo que sigue inmediatamente a la profesión solemne o a la ordenación, sino por toda la vida.

## IV. LA FORMACIÓN PERMANENTE

### A. Los principios generales: la comunidad en formación e de formación, los «maestros» de la formación permanente, los frailes mismos.

171. Desde su fundación la Orden ha sido llamada a proclamar la Palabra de Dios, a predicar por todas partes el nombre de nuestro Señor Jesucristo (LCO 1, I). Por nuestra profesión estamos consagrados a vivir la *sacra praedicatio* en toda su totalidad, algo que resulta evidente cuando la vida regular de los frailes y sus diversos apostolados, forman una síntesis dinámica que tiene su raíz en la abundancia de la contemplación (cf. LCO 1, IV).

172. Ser predicador es estar en constante diálogo con la palabra de Dios a través de la contemplación y el estudio, la oración y la vida fraterna, en constante adaptación a los nuevos tiempos y circunstancias. En las Escrituras leemos sobre encuentros con Dios en los que su Palabra llega a las personas y las llama a su amistad y a la misión. Vemos también que dicho encuentro requiere una actitud abierta a la conversión y a una renovación incesante. Por esta razón el predicador está llamado a comprometerse en una formación permanente.

173. Esto significa para los frailes una forma particular de renovación continua y maduración de acuerdo con las diferentes etapas de la vida, buscando ser veraces en lo que predican por medio de la palabra y el ejemplo. A través de la formación permanente nos mantenemos atentos y buscamos

entender las desarrollos y preocupaciones del mundo, y interpretar la realidad social y política de nuestro tiempo. Mantener la esperanza y compartir la fe, crecemos en integración humana y emocional, y formamos una comunidad de predicación al servicio del pueblo de Dios (Trogir 2013 n. 124). Renovándonos continuamente, a través de la formación permanente entendida en su sentido más amplio y profundo, al igual que participando de la vida divina (2 Pe 1, 4) y de las experiencias humanas que compartimos, podremos buscar soluciones a las preguntas con las que nos enfrentamos sea a nivel personal o social.

174. La formación permanente implica toda la persona del religioso, su formación humana, espiritual, intelectual y apostólica. Mientras que la *Ratio Studiorum Generalis*, da cierta orientación para la formación intelectual permanente, esta *Ratio Formationis Generalis* se centra más en la formación permanente desde una perspectiva humana, espiritual y apostólica. Es esencial que estos cuatro aspectos principales de la formación permanente estén en un equilibrio unos con otros. De aquí que la finalidad de la formación permanente sea integrar las gracias de conversión y de transformación espiritual ofrecidos por Dios y que tienen que ver con el bienestar y la santidad de toda la persona. La dimensión, más intelectual, de adquisición de nuevas habilidades y de actualización con el fin de predicación o de la pastoral, se subordina a este fin.

175. Como en el caso de la formación inicial, la formación permanente es responsabilidad en primer lugar, del fraile mismo. Así como la formación inicial está siempre bajo la guía de un maestro, sucede lo mismo con la formación permanente. Por analogía, podemos decir que un primer "maestro" en la formación permanente es la propia comunidad en la que vive el hermano.

176. Tradicionalmente, cada convento dominicano es una escuela de *sacra praedicatio*. El «maestro» de esta escuela es la comunión de frailes unánimes con una sola mente y un solo corazón hacia Dios (Regla de San Agustín). La calidad de la formación permanente en una comunidad refleja la fuerza de la comunión entre los frailes y los sacrificios que hacen para comprometerse holísticamente con esta formación. El entendimiento mutuo y la comunión fraterna (cf. LCO 5) están enraizadas en la vida común y en el compartir de la Palabra de Dios. Esto requiere una madurez humana y espiritual que debe caracterizar al testigo de la *sacra praedicatio*. Participando plenamente en la vida del convento (capítulos regulares, deliberaciones de la comunidad, predicación conventual, retiros comunitarios, vida de fraternidad, recreación,

etc.), los frailes experimentan lo que Reginaldo de Orleáns afirmó cuando decía que él «había recibido más de la Orden que aquello que él había dado a la Orden».

177. En la comunidad local la responsabilidad particular para la formación permanente de los frailes reside en el prior, asistido por el lector conventual (LCO 88; 326-bis) y el capítulo conventual (LCO 311).

178. Además de lo que se menciona en LCO, el lector conventual deberá
- presentar a la comunidad un plan de formación permanente para el año,
- promover una reflexión teológica sobre la experiencia apostólica concreta de la comunidad,
- animar a los frailes a tomar parte en reuniones y cursos relacionados con la formación permanente, ya sea en su convento o provincia, en la diócesis o en otros centros.

179. El programa de la formación permanente será incluido en el proyecto comunitario de cada año y será evaluado en los informes del prior al prior provincial o al capítulo provincial, especialmente en el informe al final de su mandato (LCO 306).

180. En la provincia la responsabilidad de la formación permanente pertenece al prior provincial asistido por el promotor de la formación permanente (LCO 89 §I, 89 §III, 251-ter) y por el regente de estudios en lo que se refiere a estudios académicos. Ellos se preocuparán de sostener los esfuerzos de las comunidades locales y preparar acontecimientos para toda la provincia.

181. La *Ratio Formationis Particularis* establecerá la estructura general, los objetivos específicos y las modalidades concretas para la formación permanente en la provincia, teniendo en cuenta la vida y la misión de la provincia.

182. Animamos a las provincias de la misma región a cooperar ofreciendo talleres de formación permanente en las diferentes lenguas y culturas de la Orden.

183. El socio para la vida fraterna y la formación fomentará la comunicación entre provincias para cambiar experiencias de formación permanente.

Asimismo, el capítulo general propondrá temas de discusión que sirvan de marco para toda la Orden.

## B. La transición, la primera asignación

184. La experiencia demuestra que la primera asignación al final de la formación inicial es una de las transiciones más importantes que un hermano tiene que hacer. La carta de fray Damián Byrne sobre «La Primera Asignación» (mayo de 1990) se cita a menudo en la Orden como un documento de gran importancia. Los superiores, habiendo consultado a los formadores, deben tener cuidado al asignar a los frailes después de su formación inicial a comunidades y misiones que contribuyan a afianzar en su vocación. El prior provincial, junto con los superiores de las comunidades a las que los frailes sean asignados, debe asegurar que tales frailes estén acompañados, por un hermano adecuada u otra persona calificada, al menos durante los primeros dos años después de culminar su formación. Es importante evitar los extremos de dejar a un fraile solo o de imponerle un seguimiento que sea excesivo.

185. Debería haber una reunión anual para los frailes de una provincia que hayan completado su formación inicial en los seis años anteriores. En esta reunión se reflexionará sobre la experiencia de la integración en una comunidad después de la formación inicial, los desafíos del ministerio apostólico y otros asuntos que se consideren relevantes. Cuando una provincia tiene sólo un pequeño número de estos hermanos deben organizar reuniones comunes en cooperación con las provincias vecinas.

186. Los frailes no deberían comprometerse con ministerios pastorales y apostólicos que requieran una formación especializada sin que se les dé la oportunidad de recibir dicha formación. Los frailes deben prepararse bien para las demandas específicas de las responsabilidades parroquiales y otras pastorales.

187. Una de las tareas para un sacerdote dominico recién ordenado es la de integrar su sacerdocio con su vida y espiritualidad. Los frailes experimentados deberían ser solícitos para compartir su experiencia en esta materia. De la misma manera, los frailes cooperadores más jóvenes deberían estar acompañados por frailes experimentados los primeros dos años después de su formación inicial.

188. Los frailes mayores tienen que estar atentos no sólo a las necesidades ministeriales de los frailes más jóvenes, sino a las experiencias de soledad, la diferencia generacional y la falta que pueden caracterizar los primeros años fuera del ámbito de la comunidad de formación (Providence 2001, n. 362).

189. La primera asignación no es el único momento significativo de transición en la vida de un fraile. Hay otros momentos como éste que vienen con los cambios de asignación, las diferentes etapas de la vida, cambios en la salud o circunstancias familiares, la vejez, entre otros. La comunidad tiene que estar atenta a estas transiciones y, a través de su programa de formación permanente, ofrecer momentos para dialogar y reflexionar sobre ellas. Podemos decir, por tanto, que hay etapas también en la formación permanente.

### C. Cuestiones para la formación permanente

190. La formación permanente debe centrarse particularmente en la predicación. Por ejemplo, debe ayudar a los frailes a hacer un buen uso de los medios modernos de comunicación (Oakland 1998, n. 56, 59-60).

191. Debería haber encuentros regulares de formación permanente sobre el voto de castidad. Esto incluiría una consideración de las directivas en relación al ministerio e al contacto con gente joven y vulnerable. Debería considerarse también el tema del marco ético del ejercicio de nuestro ministerio, así como otros aspectos del comportamiento ético apropiado (Roma 2010, n.199).

192. La liturgia es siempre el director principal de nuestra vida espiritual que está enraizada en la Palabra de Dios. Por lo tanto, las comunidades deberán reflexionar regularmente sobre los temas relacionados con la liturgia: su teología y historia, su práctica concreta y, especialmente, su lugar en la espiritualidad del predicador dominico.

193. El acompañamiento habitual de unos con otros dentro de la vida de comunidad debería facilitar la corrección fraterna y el estímulo que necesitamos en circunstancias cotidianas. Habrá momentos en la vida de cada fraile en los que sea necesaria, de modo explícito y concreto, la compasión que él pidió al entrar en la Orden. Cada fraile debe tener la humildad para buscar ayuda cuando sea necesario y la comunidad, por su parte, la amabilidad y sabiduría para brindarla. Invitados a «confesar nuestros pecados unos a otros» (Santiago, 5, 16), necesitamos al menos a escucharnos unos a otros y

apoyarnos en nuestras debilidades y vulnerabilidades, así como acudir con frecuencia al sacramento de la penitencia y de la reconciliación.

194. Los frailes mayores deberían ser, dentro de la comunidad, una fuente de sabiduría para los frailes. La comunidad debería ser consciente de sus necesidades y debería también asegurar maneras para que continúen participando significativamente en su vida.

195. Se deben animar espacios de encuentro de los frailes mayores de una provincia para reflexionar teológicamente sobre la espiritualidad del envejecimiento, así como para abordar asuntos particulares que les conciernen. Tales reuniones deberán incluir encuentros con frailes más jóvenes para reflexionar juntos sobre las diferencias generacionales y las respectivas fortalezas.

196. El resultado de tales reuniones de frailes mayores, cuya rica experiencia puede ofrecer un punto de vista aventajado para la predicación dominicana, podría ser interesante para toda la provincia y ser tratado en las comunidades locales.

### D. La identidad y la misión

197. Las exigencias de la vida religiosa conventual, por una parte, y las exigencias de la predicación apostólica, por otra, pueden estar algunas veces en tensión. Los frailes pueden, de vez en cuando, preferir el consuelo de una en detrimento del otro. La formación permanente debe frecuentemente centrarse, por tanto, en una relación dinámica entre nuestra vida fraterna en común y nuestra misión de predicación.

198. Debemos estar abiertos y recibir ayuda para reflexionar sobre las tensiones generadas en la vida moderna y sus implicancias en los modos tradicionales de vida. Dichas tensiones no existen solamente fuera de nosotros, afectando a otros individuos y comunidades, sino que se encuentran dentro de nosotros y de nuestras comunidades, por eso, debemos comprendidas y a las cuales deberíamos responder. Esto significa ocuparse no sólo en las preguntas planteadas a la fe desde la ciencia y la filosofía sino también en los interrogantes planteados de los modos de vivir y practicar la fe.

199. Nuestra forma de gobierno sólo puede funcionar en la medida en que aprendamos continuamente el arte del diálogo, de la escucha mutua, de estar preparados para considerar otros puntos de vista, para cooperar y para

emprender iniciativas. «Nuestra preparación para el arte del diálogo nunca se hace de una vez para siempre, todos tenemos que perfeccionarlo y aprenderlo una y otra vez» (Bolonia 1998, 123, 3).

200. La formación permanente deberá ayudarnos a tener confianza en Dios y respeto hacia los demás. Su objetivo final es lograr la curación, esperanza y renovación en nuestras vidas y las vidas de todos aquellos confiados a nuestro cuidado.

# APÉNDICE

## A. El objetivo de la *Ratio Formationis Particularis*

i. Cada provincia debe redactar una nueva *Ratio Formationis Particularis*, adaptando los principios generales y completando las estructuras básicas dadas en esta *Ratio Formationis Generalis*.

ii. La *Ratio Formationis Particularis* concretiza las normas dadas en la *Ratio Formationis Generalis* de acuerdo con las necesidades específicas y las situaciones concretas de cada provincia.

## B. La preparación de la *Ratio Formationis Particularis*

iii. El prior provincial y su consejo determinarán el modo en el que la *Ratio Formationis Particularis* deberá ser redactada y revisada.

iv. Cada *Ratio Formationis Particularis* tiene que someterse al Maestro de la Orden para su aprobación.

v. El socio para la vida fraterna y la formación asiste a las provincias en la elaboración de la *Ratio Formationis Particularis*.

## C. Los contenidos de la *Ratio Formationis Particularis*

vi. La *Ratio Formationis Particularis* debe:
1. considerar el límite de edad para la admisión de candidatos, así como las adaptaciones que puedan ser necesarios para recibir candidatos mayores, así como los candidatos que ya han sido ordenados;
2. incluir la composición y las tareas del consejo local de formación según lo determine el capítulo provincial o el provincial y su consejo (LCO 158);
3. determinar si el consejo local de formación incluirá a más de un representante de la comunidad y un representante de los frailes estudiantes. En tal caso, establecerá el modo de su elección;
4. cuando el noviciado y el estudiantado estén en la misma comunidad, determinar quién tiene que convocar y presidir el consejo local de formación;
5. determinar la composición del consejo provincial de formación;
6. si un representante de los frailes estudiantes debe ser miembro del consejo provincial de formación, determinar cómo se elige a este hermano;

7. determinar quién debe convocar y presidir el consejo provincial de formación;
8. articular claramente cuáles son las metas de la provincia para el tiempo de preparación para el noviciado;
9. determinar la composición y el *modus operandi* de la comisión de admisión;
10. brindar una orientación sobre la conveniencia y el papel de la evaluación psicológica dentro del proceso de admisión;
11. incluir una política de conservación de documentos;
12. en los países donde los religiosos jóvenes están obligados al servicio militar o civil, especificar las condiciones bajo las cuales estos servicios deben cumplirse;
13. definir el papel del maestro de estudiantes en materias de responsabilidad (permisos, vacaciones, trabajos temporales de pastoral, dispensas, etc.);
14. indicar si el maestro de estudiantes tiene que actuar también como director de formación pastoral, si no, determinar cómo se nombra a este director;
15. determinar las modalidades para la institución de los frailes como lectores y acólitos:
16. especificar, donde sea relevante, si habrá estudiantados separados para frailes cooperadores y frailes clérigos;
17. establecer la estructura general, los objetivos específicos y modalidades concretas para la formación permanente de la provincia.

### D. Elementos para un contrato cuando los novicios o estudiantes se forman en otra provincia

vii.
1. Nombre de la provincia de afiliación (cf. LCO 267-268)
2. Nombre de la provincia que recibe
3. Nombre del fraile
4. Fecha de nacimiento
5. Fecha de profesión
6. Copia del documento de identidad del fraile, así como su grupo sanguíneo y cualquier otra información médica relevante
7. Datos de los familiares a quienes contactar en caso de urgencia
8. Un informe del consejo de admisión/ maestro de novicios/ maestro de estudiantes describiendo la personalidad del fraile, sus progresos y posibles aspectos problemáticos
9. El periodo de tiempo previsto para el programa de formación que seguirá el fraile en la provincia que lo recibe
10. Confirmación de que el regente de estudios de la provincia originaria del fraile será el responsable de supervisar el avance en el programa de estudio. Si la supervisión se lleva a cabo por medio de un fraile delegado a tal efecto por el regente, se debe especificar su nombre. El programa de estudios previsto para

el fraile por su provincia de origen debe ser informado con claridad a los responsables de la formación intelectual de la provincia que lo recibirá.

11. Un novicio sólo tiene un maestro de novicios y un estudiante sólo tiene un maestro de estudiantes. Cuando un fraile es confiado a otra provincia para llevar a cabo una parte o la totalidad de su formación significa que la provincia de origen confía en el programa de formación de la provincia que lo recibe y en los responsables de la formación nombrados por la misma (cf. LCO 162, 191-192, 196-198, 202, 206).

12. Se indicará con qué frecuencia anual el prior provincial o el regente de estudios de la provincia de origen visitarán al fraile (cf. LCO 340)

13. Se indicará en qué momento el prior provincial de la provincia de origen recibirá del maestro de novicios los dos informes concernientes al progreso del novicio (cf. LCO 185)

14. Se indicará cuándo el prior provincial de la provincia de origen recibirá del maestro de estudiantes el informe anual concerniente al progreso del fraile estudiante (cf. LCO 209, 214 §III)

15. Se indicará cuándo el prior provincial de la provincia de origen recibirá del moderador de estudios local el informe anual concerniente al progreso académico del fraile (cf. LCO 209)

16. Se dejarán claros los derechos y obligaciones que conllevan el tipo de asignación que recibe el fraile (cf. LCO 208, 270 §§III-V, 271 §§III-V, 391.6, Apéndice 16)

17. Se indicará el lugar de residencia del fraile durante los periodos en que no hay clases, especialmente las fiestas de Navidad y Pascua y las vacaciones

18. Se indicará cómo se estarán organizadas las actividades pastorales del fraile, así como quién será el responsable de dirigirlas

19. Se indicará el régimen económico del fraile *ad honesta* y otras necesidades económicas personales

20. Se indicará quién debe dar permiso para realizar gastos extraordinarios

21. Se indicará qué se debe hacer con el dinero que pueda ganar el fraile (cf. LCO 548.5, 600)

22. Se indicará lo previsto respecto al seguro médico

23. Se indicará con qué frecuencia anual el fraile deberá regresar a su provincia

24. Este contrato acompaña a la asignación del fraile, pero no la sustituye.

# *Ratio Formationis Generalis* – 2016
## Français

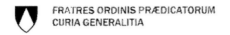

**FRATRES ORDINIS PRÆDICATORUM
CURIA GENERALITIA**

Rome, le 22 décembre 2016

Lettre de promulgation
de la Ratio Formationis Generalis
(R.F.G.)

*Prot. 50/16/875 RFG*

Chers frères,

Avec l'approbation du Chapitre général de Bologne (ACG 2016 Bologne, 244), je promulgue par cette lettre la nouvelle *Ratio Formationis Generalis* (RFG) qui « doit donner les principes spirituels généraux et les normes pédagogiques fondamentales pour la formation des frères, étant laissé aux provinces les soin d'élaborer des normes propres en fonction des conditions de lieu et de temps » (LCO 163).

Cette *Ratio* vient remplacer celle qui était en vigueur depuis 1987. Elle est le fruit d'un large processus de consultation des provinces et des formateurs dans les différentes régions de l'Ordre, mené par le conseil généralice et le *socius* en charge de la formation initiale. Je remercie très vivement tous ceux qui ont ainsi participé à l'élaboration de la présente *Ratio* – dont la version originale est en anglais. Il appartient maintenant à chaque province de procéder à l'actualisation de sa propre *Ratio Formationis Particularis* (RFP), sur la base de la *Ratio generalis* (ACG 2016 Bologne, 245), et de la soumettre ensuite au conseil généralice pour approbation. Le Socius pour la vie fraternelle et la formation sera tout spécialement chargé d'accompagner ce processus.

Pour la première fois, cette *Ratio* est adressée à tous les frères, qu'ils soient en formation initiale ou non. En effet, depuis plusieurs chapitres généraux, il a été souligné la continuité entre la formation initiale et la formation permanente, et la nécessité que tous nous portions une égale attention à ces deux dimensions de la formation. Une fois de plus, la formation est présentée dans cette *Ratio* comme un chemin, une école de vie apostolique, soulignant à la fois la responsabilité première de chacun des frères pour sa propre formation, mais aussi la responsabilité des communautés et des provinces qui ont la charge de soutenir chacun dans ce processus continu de renouvellement de sa propre vocation à devenir un « homme évangélique et apostolique ». Ecole de vie, notre formation nous conduit, chacun selon l'étape de sa vie, à contempler au cœur de notre vie la grâce de la Parole que nous voulons prêcher. Ainsi, la formation nous invite à nous unir au Christ, chemin de vérité qui conduit à la vie, et à centrer notre vie sur la quête de la vérité. Ecole de Prêcheurs, la formation initiale et permanente nous guide sur le chemin de l'obéissance apostolique qui nous rend libres pour laisser l'Esprit configurer en nous la compassion du Christ et son désir ardent que le monde ait la vie et soit sauvé.

Les Constitutions primitives, au chapitre du noviciat, se référaient à l'appel du Christ « Mettez-vous à mon école ». Viens et vois, disait Philippe à Nathanaël, Va et prêche, disaient en écho les apôtres à Dominique. C'est cette finalité qui détermine la formation à tous les âges de la vie dominicaine, et rassemble notre diversité en l'unité d'une communion de « sainte prédication ».

*f. Bruno Cadoré*
fr. Bruno Cadoré, op
Maître de l'Ordre des Prêcheurs

CONVENTO S. SABINA (AVENTINO), PIAZZA PIETRO D'ILLIRIA, 1 - 00153 ROMA
Tel. : +39 06 57 94 05 55 ; Fax : +39 06 575 06 75 ; E-mail : secretarius@curia.op.org

95

# INTRODUCTION

## A. La Formation d'un Prêcheur Dominicain

1. « Le but de notre formation est de préparer un prêcheur dominicain qui soit un prêcheur de grâce et un véritable témoin du Christ » (Rome 2010, n. 185, 200). Un tel projet requiert un environnement caractérisé par la prière, la pauvreté et l'étude, par le zèle apostolique et le sens de la mission, par la joie éprouvée dans la célébration liturgique et dans la vie commune. Sa réussite se vérifie dans une maturité personnelle authentique, la pratique de la prière, la fidélité aux vœux, la vie communautaire, l'étude continue, la solidarité avec les pauvres et la passion pour le salut des âmes.

2. La formation commence dans les étapes de la formation initiale et se poursuit tout au long de notre vie. C'est pourquoi la plupart des éléments de cette *Ratio Formationis Generalis* concernent aussi bien la formation initiale que la formation permanente. Ce processus unique de la formation trouve son unité l'objectif de l'Ordre : la mission de prédication (Mexico 1992 n.27,2). La formation initiale nous introduit donc à quelque chose qui caractérise notre vie entière.

3. Dans notre tradition, la formation nous donne de croître comme disciple du Christ à la manière de saint Dominique. Elle n'a pas seulement pour objectif les études académiques, et elle ne se réfère pas seulement une période de notre vie. Elle présuppose l'humilité et la docilité, acceptant que nous ayons toujours besoin de grandir en connaissance et en vertu, ainsi que dans la compréhension des choses et le renouvellement de nous-mêmes. Plus profondément, bien sûr, la formation est l'œuvre de la grâce de Dieu.

4. Notre formation cherche à intégrer la dimension intellectuelle et pastorale dans le développement spirituel et humain des frères (*Pastores Dabo Vobis* §§42-59). Beaucoup de chapitres généraux ont soulignés que notre formation cherche à aider les frères à mûrir en tant qu'hommes et croyants, religieux et prêcheurs. Les frères qui se préparent au sacerdoce ont besoin d'une formation initiale particulière en vue de leur vocation, tout comme les frères coopérateurs pour se préparer à la leur.

5. Notre formation doit prendre ces aspects en considération, car il s'agit de la formation d'apôtres, d'après le projet de vie conçu par saint Dominique. Son paradigme est l'école de vie apostolique où Jésus est le Maître. Ainsi notre premier document de formation est l'Écriture Sainte. Jésus a formé les apôtres comme prêcheurs de la grâce en les invitant à partager sa vie et à apprendre de ses paroles et de ses actes. Il leur enseignait à prier et il les initia aux mystères de sa personne et de sa mission. Les apôtres ont reçu leur formation finale grâce au don de l'Esprit qui a nourri leur amour pour le Maître et leur désir de le suivre. Saint Dominique a adopté ce modèle de vie apostolique pour sa mission et nous sommes appelés à la vivre en l'adaptant à notre époque et à nos conjectures.

6. Nous croyons que nous avons été appelés par Dieu à suivre saint Dominique et ainsi à suivre le Christ dans sa mission de prédication. Par la Parole de Dieu, par l'Église et par nos constitutions, nous sommes appelés à progresser dans cette mission. Nous sommes appelés aussi par les besoins de nos frères et sœurs à qui nous sommes envoyés annoncer la Bonne Nouvelle du salut (cf. Trogir 2013 n.124). Nous sommes appelés en particulier par les pauvres, les aveugles et les affligés, les prisonniers et les délinquants, les opprimés et les marginaux (cf. Luc 4:18). Tout cela nous incite à une formation permanente : la parole de Dieu qui habite en nous, les études que nous poursuivons, les hommes et les femmes que nous rencontrons, les mentalités qui nous confrontent, les lieux et les événements dans lesquels nous sommes plongés.

### B. Objectif de la *Ratio Formationis Generalis*

7. La *Ratio Formationis Generalis* contient des principes spirituels généraux et des règles pédagogiques fondamentales pour la formation des frères (LCO 163). Elle rappelle et développe les recommandations du LCO 154-251-ter, ainsi que les actes des chapitres généraux. Elle décrit l'esprit et le contexte de la formation dans notre Ordre et elle ébauche quelques indications d'ordre pratique. Elle laisse à chaque province la tâche d'appliquer et d'adapter ces principes et ces normes selon les exigences spécifiques de chaque province.

8. La *Ratio Formationis Generalis* est destinée à tous les frères. La responsabilité première de la formation personnelle incombe au frère lui-même, sous la conduite des pères maîtres et des autres formateurs le cas échéant, toujours en réponse à la grâce de la vocation que nous avons reçue (cf. LCO 156).

9. La *Ratio Formationis Generalis* s'adresse plus particulièrement aux frères à qui est confiée une responsabilité spécifique dans la formation initiale ou permanente, afin de les guider dans leurs tâches.

10. La *Ratio Formationis Generalis* doit être lue en complémentarité avec la *Ratio Studiorum Generalis*. L'étude est une partie essentielle de notre forme de vie religieuse. Le travail alloué à l'étude n'est pas une alternative au travail apostolique, mais une exigence indispensable en vue de servir la Parole de Dieu. Etant donné que l'étude est une partie intégrante de notre forme de vie, elle est liée à la prière et à la contemplation, au ministère de la Parole, et à notre vie en communauté. C'est pourquoi notre formation ne peut jamais être prise en considération sans faire référence à l'étude, et notre étude ne peut être prise en considération sans faire référence aux autres aspects de la formation.

11. Il est essentiel pour le bien des frères en formation initiale d'assurer un bon contact particulièrement entre les régents et les directeurs des études d'une part, et les maîtres de formation d'autre part. L'ensemble des progrès des frères en formation initiale est supervisé également par les conseils de formation, provinciaux et locaux.

12. On trouvera en annexe à cette *Ratio Formationis Generalis* des lignes directrices en vue de la rédaction de la *Ratio Formationis Particularis*.

## I. FORMATION DOMINICAINE

### A. Valeurs fondamentales de la vie dominicaine

13. La formation implique l'initiation et l'intégration progressive des frères à notre mode de vie avec sa mission de prédication telle qu'elle est décrite dans la Constitution Fondamentale, dans le LCO 2-153, et dans les actes des chapitres généraux.

14. La vie dominicaine implique la prière, la pauvreté, la vie communautaire, l'étude et la prédication. Notre vocation est contemplative, communautaire et missionnaire. Sa source est une soif de Dieu et un désir de prêcher la compassion et l'amitié de Dieu, dirigés vers la l'accomplissement de la justice et la paix, un désir établi et formé par la grâce de Dieu.

*Les conseils évangéliques*

15. Nos constitutions conçoivent les vœux en rapport avec la suite du Christ, le service de l'Église et notre liberté personnelle devant ces tâches. En professant les conseils évangéliques, nous cherchons à être conformés au Christ obéissant, pauvre et chaste. Ces dons de la grâce, reçus dans notre profession, mettent les désirs les plus profonds de la nature humaine au service de notre recherche de Dieu, de la prédication de l'Évangile et du soin des autres. Vivre les conseils évangéliques fait de nous les témoins du royaume qui vient. En formant des apôtres et des prédicateurs, nous ne devons jamais oublier que notre nature humaine est blessée par le péché et a besoin d'être guérie par la grâce. Lorsque nous cherchons à posséder des biens matériels, d'autres personnes et le pouvoir, cela nous asservit. En revanche, les dons de la grâce apportent la liberté. Nous recevons ces dons et nous les développons lorsque nous vivons pleinement notre vocation.

16. Nos désirs humains les plus profonds – la recherche d'autonomie et du succès, du mariage et de la vie de famille, de la propriété et d'un travail gratifiant – se distinguent les uns des autres, mais il est utile aussi de les considérer tous ensemble, et c'est en ce sens que, dans notre profession, nous nommons seulement l'obéissance. Nous professons l'obéissance à Dieu, à Marie, à saint Dominique, à nos supérieurs, selon les Institutions de l'Ordre, incluant ainsi notre forme caractéristique du gouvernement capitulaire. Saint Dominique a demandé aux frères de lui promettre « vie commune et obéissance » (LCO 17 §I).

*L'obéissance*

17. L'obéissance est le cœur de notre vie religieuse puisque nous essayons d'imiter l'amour et l'obéissance de Jésus pour le Père. En nous confiant à Lui, et les uns aux autres, nous voulons vivre ensemble avec la liberté pour laquelle le Christ nous a libérés, comme des hommes matures, capables de partager les projets et les responsabilités de la communauté. La formation à l'obéissance commence immédiatement et se poursuit tout au long de nos vies où nous apprenons à pratiquer un dialogue authentique : nous mettant à l'écoute des autres de façon ouverte et réceptive, leur parlant franchement et de façon charitable, apprenant à travailler ensemble, à gérer les réunions, à transformer le dialogue en action déterminée, nous conformant aux décisions prises, et collaborant généreusement quelle que soit notre responsabilité dans la communauté. Le témoignage de l'obéissance corrige les fausses conceptions de la liberté. L'obéissance vécue authentiquement nous rend

capables de faire face aux abus de pouvoir de manière crédible et en solidarité avec les sans voix et les exclus.

*La chasteté*

18. Le LCO parle des significations christologiques, ecclésiales, apostoliques et eschatologiques de la chasteté consacrée, qui nous unit au Christ d'une manière nouvelle, renforce nos cœurs pour la prédication et guérit nos blessures. Elle nous donne une disponibilité accrue envers les gens, un plus grand respect pour chaque personne, la liberté d'accueillir et de recevoir tout le monde avec la compassion et la tendresse du Christ. Pour un tel engagement « il est nécessaire que les frères acquièrent progressivement leur maturité physique, psychique et morale » (LCO 27 §II) Ceux qui ont la responsabilité de la formation doivent favoriser cette croissance de toutes les manières possibles. A chaque étape de la formation initiale et à intervalles réguliers pendant la formation permanente, il doit y avoir une réflexion sérieuse et un partage sur la vie affective et la maturité, la sexualité, le célibat et l'amour chaste (Bologne 1998, n.90,). Le chapitre général de Providence a proposé à cette fin un cadre de référence complet (Providence 2001, n. 348-349) et le chapitre général de Trogir l'a approuvé (Trogir 2013, n.142). Les questions qui doivent être explicitement considérées sont l'homosexualité, l'utilisation des réseaux sociaux, la pornographie, et la pédophilie (en tenant compte des lignes directrices de la province en matière d'abus).

*La pauvreté*

19. En comptant sur la providence divine, à l'imitation du Christ et des apôtres, nous vivons comme des hommes pauvres partageant tout ce que nous gagnons et tout ce que nous recevons. Comme mendiants, nous vivons dans la simplicité et le détachement, prêts à nous déplacer et à nous adapter pour le bien de la prédication de l'Évangile. En vivant simplement et même avec austérité comme le fit Jésus, nous grandissons en liberté et notre prédication gagne en crédibilité. La pauvreté évangélique crée une solidarité entre nous et avec les pauvres, en particulier ceux plus proches de nous. Nous observons aussi la pauvreté en travaillant avec dévouement aux tâches qui nous ont été confiées, et par nos efforts à promouvoir une économie juste et un esprit de partage entre les peuples.

*La compassion*

20. En entrant dans l'Ordre nous demandons la miséricorde de Dieu et notre formation doit nous éduquer à la compassion. Les traditions théologique,

spirituelle, apostolique et mystique de l'Ordre nous enseignent une sagesse du cœur qui nous encourage à compatir aux souffrances et aux difficultés des gens et à les porter dans notre prière. Nous devons être des théologiens pastoraux et des pasteurs théologiques, toujours conscients, comme l'était saint Dominique, de ceux qui souffrent. Nous apprenons à porter aux gens la Parole qui guérit, pardonne, réconcilie et renouvelle, en recevant et en goûtant cette Parole dans nos propres vies.

*L'étude et la contemplation*

21. Pour nous, l'étude et la contemplation vont de pair. Bien qu'il y ait une *Ratio* pour les études dans l'Ordre, la formation intellectuelle n'est pas un compartiment séparé du reste de notre formation. L'étude est partie intégrante de notre spiritualité, de notre forme de vie religieuse et de notre mission dans l'Église.

22. Notre étude commence et finit avec la Parole de Dieu. Pour nous la contemplation signifie chercher à comprendre la Parole qui est le Christ pour être unis à lui comme le Chemin de Vérité qui conduit à la Vie (S. Thomas d'Aquin, *Summa theologiae*, III, prologue). Notre étude est toujours entreprise en vue d'un amour plus profond pour Dieu et pour l'évangélisation, en vue de comprendre plus profondément l'appel de l'Évangile et les besoins de l'humanité. Les frères seront initiés à la *lectio divina*, une étude méditative des Écritures et une pratique qui porte du fruit dans la spiritualité personnelle et dans la prédication.

*La silence et le cloître*

23. « Le silence est le père des prêcheurs » : c'est là un dicton qui a cours dans notre tradition. Les frères ont besoin d'être formés à la solitude et au silence, afin de bien utiliser leur temps pour l'étude et la prière, libérer leur esprit des distractions, et simplement méditer les mystères de la foi. Les moyens modernes de communication atteignent l'intérieur du cloître et l'intérieur de nos chambres. Nous devons être formés à l'utilisation rationnelle de l'internet et notamment des réseaux sociaux, en appréciant comment ils peuvent nous aider, mais apprenant aussi à éviter les effets négatifs qu'ils peuvent avoir sur les frères personnellement et sur la vie communautaire. Les frères en formation seront aidés à voir comment notre mode de vie a besoin du soutien des pratiques pénitentielles (cf. LCO 52-55), dont la plus importante pour nous est l'étude (LCO 83).

*La prière personelle*

24. Sainte Catherine de Sienne décrit la prière comme « la cellule de la connaissance de soi » et le Siracide nous enseigne que « la prière des gens simples monte jusqu'au ciel » (35:17). La prière personnelle est essentielle pour la connaissance de soi, sans laquelle la maturité personnelle est impossible. La formation initiale et permanente doit souvent aborder les enseignements et les pratiques de prière qui font partie des traditions de l'Ordre et de l'Église.

*La sainte liturgie*

25. « La célébration de la liturgie est le centre et le cœur de toute notre vie dont l'unité s'enracine spécialement en elle » (LCO 57). Cela se réfère non seulement à l'Eucharistie, mais aussi à la Liturgie des Heures qui structure nos journées et à laquelle saint Dominique était toujours fidèle. Les dominicains sont formés à la participation de la liturgie en participant à la liturgie. La liturgie nous fait sortir de nous-mêmes pour prier avec le Christ et l'Église, et ainsi croître dans la compassion pour tous. À travers rites et saisons, en célébrant la liturgie dans sa diversité, nous louons Dieu et notre communion avec Lui s'approfondit. Le LCO 105 §II décrit l'Eucharistie comme « la source et le sommet de l'évangélisation totale » tandis que LCO 60 nous appelle à la réception fréquente du sacrement de pénitence et réconciliation.

26. La liturgie est un lieu privilégié pour entendre la Parole, la recevoir en une joyeuse célébration et nous laisser former par son pouvoir de vérité. L'un des objectifs de la formation est d'amener les frères à comprendre combien notre service de la Parole de Dieu rassemble tout de nos vies : nous contemplons la Parole de Dieu dans la prière et l'étude, nous accueillons la Parole et la célébrons dans la liturgie sacrée, nous laissons la Parole façonner nos vies à travers les autres observances de la vie conventuelle, et nous proclamons la Parole par notre prédication.

*Le Rosaire et autres dévotions*

27. La dévotion à Marie, la Mère de Dieu, est au cœur de la spiritualité dominicaine. Dans le Rosaire, nous sommes avec Marie, méditant les mystères de la Parole faite chair. Une autre ressource essentielle pour nous est l'exemple, l'enseignement et les prières des saints de l'Ordre. De plus, il est important de faire connaître aux frères les dévotions populaires qui sont estimées par les croyants, notamment celles qui sont associées à l'Ordre.

*Fraternité*

28. Une vie fraternelle en communauté est partie intégrante de toute *sacra praedicatio*, elle fait partie de notre prédication. Nous le constatons dans la fraternité apostolique rassemblée autour de Jésus et dans les premières communautés chrétiennes. Les prêcheurs sont envoyés pour apporter ailleurs la vie partagée de prière et de charité dont ils ont fait l'expérience. Chaque communauté est ecclésiale, elle est une école de vie chrétienne. Notre appréciation de cette fraternité doit se prolonger au-delà de notre propre communauté, jusqu'à inclure les autres branches de la famille dominicaine, ainsi que la communauté de l'Église locale.

*La prédication*

29. La prédication dominicaine requiert une formation particulière en même temps qu'elle lui donne sa couleur. Elle vise à être prophétique et doctrinale, marquée par un esprit évangélique et un enseignement solide (LCO 99 §I), ouverte au dialogue et sans crainte d'être critique. Notre formation prépare des prêcheurs qui seront audacieux comme les apôtres et créatifs comme les prophètes. Nous sommes appelés à cultiver l'inclination des gens vers la vérité (LCO 77 §II) et à aider l'Église à ouvrir des voies nouvelles à cette vérité (LCO 99 §II). Nous voulons former des hommes imaginatifs capables d'affronter des situations changeantes où de nouvelles réalités émergent.

30. L'initiation à la mission de prédication de la province doit être graduelle et supervisée, de manière à renforcer la passion des frères pour prêcher l'évangile. Les frères en formation initiale sont introduits à une série d'activités apostoliques, particulièrement dans les milieux où les personnes sont en quête de connaissance et de vérité, où les gens souffrent et cherchent l'espoir et où il y a des occasions directes de prédication et d'enseignement. En plus d'apprendre à faire ces activités, ils doivent aussi apprendre comment collaborer avec les autres, avec les frères et les autres membres de la famille dominicaine, avec des prêtres et d'autres religieux, et avec les laïcs.

*Mission*

31. Bien que les frères appartiennent à une province spécifique et soient formés pour cette province, leur formation doit toujours tenir compte du caractère universel de l'Ordre et de sa mission dans l'Église tout entière. Il s'agit de former à la disponibilité, l'adaptabilité et la mobilité selon le caractère missionnaire universel de notre vocation.

32. Alors que la mission de prédication de l'Évangile est pérenne, les priorités spécifiques de la mission de l'Ordre sont identifiées périodiquement, surtout lors des chapitres généraux (par exemple, Quezon-City, 1977 ; Avila, 1986 ; Rome, 2010). L'une des tâches de la formation est d'aider les frères à connaître et à assumer ces priorités, qui doivent aussi donner forme aux les programmes de formation.

## B. Processus d'intégration à la vie dominicaine

33. Notre formation nous initie à la suite du Christ, sur la voie tracée par saint Dominique. Nous le faisons en vivant de la façon décrite dans la section A ci-dessus. Tout cela constitue la « culture dominicaine » à laquelle nous sommes initiés à travers le processus de formation. Bien que l'intégration à la vie dominicaine soit progressive, elle doit inclure, à tous les stades et de manière adéquate, tous les éléments qui composent notre vie.

### Maturité

34. Tous les aspects de la formation demandent du temps. Le LCO décrit le genre de maturité dont nous avons besoin : physique, psychique et morale (LCO 27 §II). Une telle maturité est-perceptible dans la fermeté d'âme, la capacité de décisions pondérées et l'aptitude à assumer ses responsabilités personnelles (LCO 216 §I). Cela veut dire une bonne compréhension de l'autonomie personnelle couplée à une empathie envers les autres et le souci des intérêts de la communauté, la capacité de trouver un équilibre dans un mode de vie aux exigences multiples, être libre de comportements addictifs et compulsifs, habilite à vivre les tensions et à gérer les conflits, être à l'aise avec les gens, peu importe leur race, âge, sexe, ou position sociale. La formation vise à aider les frères à mûrir dans toutes ces dimensions. Les écrits de Thomas d'Aquin sur l'action humaine, les passions et les vertus offrent un point de départ solide pour une réflexion sur la maturité psychique et le développement moral. Son oeuvre doit inspirer–notre formation, dans un dialogue avec le meilleur de la pensée et de l'expérience contemporaine dans ces domaines.

35. Les personnes grandissent aussi en maturité à partir de leurs erreurs, faisant l'apprentissage de choses importantes à travers elles, tout en apprenant à persévérer malgré elles. Nous « cherchons la miséricorde dans la compagnie des autres » (Caleruega 1995 n.98.3) : une personne mûre est quelqu'un qui peut recevoir de la compassion et en exprimer aux autres.

36. L'expérience de la Croix est au cœur de la vie chrétienne, une vie vécue dans « l'affliction et dans la joie » (1 Thes. 1 : 6). À tous les stades de notre vie, nous avons besoin d'être aidés à intégrer des expériences d'échec, de déception et de manque de fidélité à notre vocation. Une des tâches de la formation consiste à aider les frères à lâcher prise et à aller de l'avant, quand c'est cela qui doit être fait. La formation aide les frères à être préparés pour des moments pascals dans la vie du prêcheur.

37. Les formateurs, entre autres, sont souvent appelés à accompagner les frères en temps de crise. Cela aussi fait partie de la croissance et de la maturité. Il y a des moments où il semble que le Seigneur se soit endormi alors que notre barque est malmenée, mais nous pouvons toujours l'appeler et compter sur l'aide de nos frères et sœurs, pour rétablir le calme et nous préparer aux nouveaux défis qui nous attendent sur l'autre rive. Nous devons prier régulièrement pour les frères qui traversent une période difficile, afin que Dieu leur révèle sa présence et envoie quelqu'un pour les aider.

38. La formation initiale dure plusieurs années, et la formation permanente toute notre vie. Il est donc normal de ressentir parfois une certaine lassitude. C'est là un autre défi et une occasion à saisir pour mûrir, pour persévérer et vivre notre vocation quotidiennement, dans l'observance régulière, pour la vivre avec constance et profondeur (Providence 2001, n.355).

39. Une maturité humaine de base est essentielle à ceux qui exercent des responsabilités particulières dans le domaine de la formation, ainsi que pour les frères assignés dans les communautés de formation. Elle est nécessaire afin de fournir un modèle positif aux frères en formation initiale et pour-éviter toute sorte d'exploitation des frères en formation par les frères plus âgés.

40. Les formateurs doivent travailler contre une tendance fréquente, surtout lors des années de formation initiale, à infantiliser les frères. D'autre part, il existe chez les plus jeunes générations le phénomène de « prolongation de l'adolescence », ainsi que d'une culture de dépendance et de revendication. Tout cela représente de nouveaux défis pour la formation, surtout en ce qui concerne le partage de la vie commune, la pauvreté et l'obéissance. La nature de la liberté dans le Christ que saint Dominique voulait pour ses frères peut conduire certains à régresser dans la façon dont ils réagissent à l'autorité. Les raisons des règles et des attentes doivent être expliquées et les frères doivent être préparés à rendre compte de leur comportement.

41. Être disciple signifie rester fidèle à la Parole, demeurant dans la vérité et trouvant ainsi la vraie liberté (Jean 8 :31-32). La force de notre vie est d'être centrée d'abord sur la quête de la vérité : cela nous donne un équilibre, une doctrine éprouvée pour nous acheminer vers la perfection, une communion fraternelle dans l'amitié du Christ, une liberté fortifiée par l'obéissance (LCO 214 §II).

42. Les frères doivent être éduqués aux fonctions du gouvernement dominicain avant même de prononcer leur profession solennelle (Rome 2010 n.194). Ils doivent participer à des réunions de communauté, aux processus de discernement et de décision, sauf dans les matières pour lesquelles la profession solennelle est requise. Ils verront ainsi, dans la pratique, que dans notre mode de gouvernement, fondé sur la confiance et le respect mutuel, l'écoute et le partage avec les autres sont essentiels. Le gouvernement dominicain est responsable, participatif et consensuel, il présuppose une liberté évangélique et une disposition à obéir « non par crainte » (Bogota 2007 n. 207, f).

43. Il faut rappeler aux frères l'importance de l'amitié et le fait qu'une véritable amitié n'est jamais exclusive ou allant à l'encontre de la vie communautaire. Le cadeau de l'amitié doit toujours être le bienvenu, que ce soit entre frères ou avec des amis en dehors de l'Ordre. Des expériences positives d'amitié aident à intégrer la vocation religieuse d'une façon plus mûre. Cependant, toute amitié, même si elle est en conformité avec le vœu de chasteté, doit être cohérente avec l'exclusivité de notre relation avec Dieu.

44. Un défi de la formation est d'aider les frères à établir les bases d'une nouvelle relation avec leurs familles à partir de leur choix pour la vie consacrée, et les aider à comprendre l'orientation de vie qu'ils ont choisie. Il peut parfois y avoir des tensions entre les responsabilités, variant d'une culture à l'autre, envers la famille d'origine d'un frère et les responsabilités liées à sa profession religieuse. Ces questions doivent être abordées le plus tôt possible au cours de la formation initiale afin que les relations familiales ne deviennent pas un obstacle à la pleine intégration d'un frère dans la communauté. Nous devons tenir compte des responsabilités à l'égard de la famille et de la façon dont elles sont perçues culturellement, aider les frères à assumer ces responsabilités, et en même temps ne pas leur permettre de causer du tort au type d'appartenance découlant de leur profession.

45. À certains endroits dans l'Ordre, le programme de formation est partagé avec d'autres membres de la famille dominicaine, en particulier avec les

moniales et avec les sœurs. Même lorsque ce n'est pas le cas, notre formation doit aussi initier les frères à la vie de la famille dominicaine. Il s'agit là d'un autre contexte où nous apprenons à partager avec les autres, avec les femmes comme les hommes, les religieux comme les laïcs, pratiquant le dialogue, la solidarité, et la réconciliation fraternelle.

46. L'amour pour l'Église est au cœur de notre vocation. L'intégration dans la vie dominicaine est une intégration à la vie de l'Église : c'est de cette façon que nous témoignons de notre appartenance au Corps du Christ. Nous sommes au service de l'Église par des moyens appropriés à notre charisme et notre mission doit toujours être liée à celle de l'Église dans un lieu particulier.

## C. Contextes de formation

47. Les contextes sont très différents pour la formation dans l'Ordre, selon les niveaux d'éducation, les situations sociales et politiques, les conjonctures religieuses et ecclésiales. Il faut également prendre en considération la taille des groupes au noviciat et au studentat, l'âge d'admission des frères, les traditions et les coutumes spécifiques à chaque province, et même aux différentes régions au sein d'une province. La formation a comme tâche d'intégrer à notre mode de vie des frères de différentes cultures et mentalités, tout en leur offrant la plénitude de la vie dominicaine en les initiant à une communion plus large et donc plus catholique. Cette diversité exige en outre de la part des formateurs et des communautés de formation une ouverture à de nouvelles possibilités.

48. La formation assume des modalités spécifiques selon les différents stades de la formation initiale, dans la formation des vocations particulières au sein de l'Ordre, dans la formation des ministères particuliers et selon les différentes périodes de la vie dans la formation permanente.

49. Les ressources locales et régionales pour l'éducation et la formation humaine, que ce soit dans la famille dominicaine ou dans l'Église locale, ou dans les conférences régionales des religieux, ou en collaboration entre congrégations, ces ressources peuvent normalement être utilisées à l'appui d'une formation dominicaine qui se veut holistique et permanente. Cependant, l'initiation à la vie dominicaine doit se dérouler dans un couvent (LCO 160-161, 180 §I, 213 §II). Dans les régions où cette formation, ou la collaboration interprovinciale n'est pas possible pour des raisons d'ordre culturelles, géographiques ou autres, il faut demander l'autorisation au maître de l'Ordre pour établir des modèles extraordinaires de formation.

50. Chaque personne est porteuse d'une expérience et d'une histoire personnelle qui lui sont propres, une nouvelle façon où la grâce de la vocation dominicaine s'est déployée. Les formateurs doivent être conscients des besoins de chaque individu ainsi que des dynamiques au sein des groupes et ils doivent être sages et patients par rapport au rythme de développement de chaque frère (Bogota 2007, n.200).

51. À certains endroits, les hommes sont beaucoup plus âgés lorsqu'ils entrent dans l'Ordre. Une attention particulière doit être apportée afin que ces candidats aient la flexibilité et l'ouverture nécessaires pour s'adapter à la vie dominicaine. De temps en temps, les hommes entrent comme prêtres ou après avoir déjà fréquenté le séminaire ou un autre institut religieux. Après la profession simple, les hommes qui sont déjà ordonnés prêtres restent en formation sous la direction d'un père maître, afin de poursuivre leur initiation à la vie religieuse dominicaine et se préparer adéquatement pour la profession solennelle. La *Ratio Formationis Particularis* doit envisager la limite d'âge pour l'admission des candidats ainsi que les adaptations qui pourraient être nécessaires pour recevoir des hommes plus âgés ainsi que les hommes qui sont déjà ordonnés.

52. Lorsque le désir d'entrer dans l'Ordre se manifeste après une conversion ou une reconversion à la foi, il est important d'aider la personne à clarifier le fait que sa conversion et sa vocation sont liées, mais qu'elles sont néanmoins distinctes. Il est essentiel que cette personne fasse l'expérience de la vie ordinaire de l'Église pendant quelques années avant d'entrer dans l'Ordre. Cela l'aidera à fortifier sa foi et à apprécier la grâce d'une vocation pour devenir un prêcheur au service de l'Église.

53. Dans les milieux où la vie religieuse et le sacerdoce offrent un niveau de vie nettement plus élevé que le milieu ambiant, ou encore confèrent un statut dans la société, les formateurs doivent aider les frères à purifier leurs motivations quant à leur désir de devenir dominicains et vivre selon les exigences des conseils évangéliques.

54. Il peut y avoir des différences importantes, selon les cultures au sujet de la sexualité, l'orientation sexuelle, l'intimité et les attitudes envers les femmes et les hommes. Il est nécessaire de parler de ces questions lors de la formation initiale et de la formation permanente, et de conformer nos attitudes et nos comportements selon ce que nous enseignent les évangiles.

55. En ce qui a trait à la question de la sexualité, les problématiques soulevées pendant la formation portent à la fois sur l'apprentissage d'une vie chaste, ainsi que l'intégration à la vie de la communauté de manière à participer joyeusement à sa mission de prédication. (cf. Timothy Radcliffe, Lettre à l'Ordre, 'La Promesse de Vie').

56. Chaque génération est à gagner pour le Christ, tout comme génération apporte quelque chose de nouveau à l'Ordre : de nouvelles expériences, de nouvelles questions, un nouveau zèle apostolique. Les formateurs doivent veiller à ce que chaque génération de frères puisse grandir et apporter ses capacités à l'Ordre, et ainsi partager graduellement avec les frères aînés les responsabilités à l'intérieur de l'Ordre. Ils doivent également veiller à ce que nos traditions sont transmises aux nouvelles générations et que les jeunes frères soient disposés à recevoir et à apprendre de ces traditions.

## II. PERSONNES IMPLIQUEES DANS LA FORMATION

### A. Communauté en formation, communauté de formation

57. Comme *sacra praedicatio*, chaque communauté dominicaine est une école de prêcheurs et une communauté en formation. Cela est vrai non seulement des communautés de formation initiale, mais de toutes les communautés. Chacune d'elle doit être un lieu où la formation permanente des frères est encouragée et facilitée.

58. Bien que tous les membres de la province partagent la responsabilité de la formation, les frères assignés aux communautés de formation initiale ont une responsabilité particulière (cf. LCO 161). Avec les supérieurs et les pères maîtres, ils accompagnent le processus de croissance dans la vie dominicaine et dans le zèle apostolique de ceux qui sont en formation. Les frères profès solennels doivent avoir la capacité et le désir d'être avec ceux qui sont en formation initiale, où tous ceux qui sont assignés sont conjointement responsables de la formation des membres plus récents de l'Ordre.

59. La première qualité de la communauté de formation est d'être une bonne communauté dominicaine. La communauté doit se montrer accueillante aux appels à renouveler sa vie qui lui vient des frères en formation, mais elle doit aussi prendre au sérieux sa responsabilité d'inculquer aux plus jeunes frères

les valeurs dominicaines fondamentales (Section I A ci-dessus). Le témoignage et l'enseignement les plus puissants de la fraternité pour les jeunes frères consistent en une communauté de formation qui vit et fonctionne bien.

60. La communauté de formation doit être composée de frères vivant une spiritualité dominicaine profonde, dotés de capacités et d'engagements apostoliques variés, respectant et encourageant la vie intellectuelle, accueillants et ouverts au dialogue, sachant faire confiance, mûrs au plan émotionnel, sachant écouter et capables de réconciliation (cf. LCO 160, 180 §I, 215 et Bogota 2007 n.216). Lorsque c'est possible, un ou plusieurs frères coopérateurs doivent être assignés dans les communautés de formation initiale afin d'être un témoignage vivant de cette vocation auprès des frères en formation et un soutien pour les nouvelles vocations à cette belle vocation dans l'Ordre.

61. Pour la formation initiale, une communauté doit avoir une vie conventuelle suffisamment forte pour recevoir et former de nouveaux frères, des pères maîtres bien préparés, et un nombre suffisant de novices ou de frères étudiants. Si une province ou toute autre entité devait avoir des difficultés à subvenir aux besoins de ses propres communautés de formation, les provinces doivent collaborer entre elles, surtout au sein d'une même région.

62. Il est important, lorsque c'est possible, que les frères soient formés dans leur propre entité, mais il est aussi important qu'ils aient la meilleure formation possible. Quand une province a peu de vocations, elle doit considérer la possibilité d'envoyer de nouveaux frères dans des noviciats et des studentats où ils se retrouveront avec un plus grand nombre de frères de leur âge. C'est surtout le cas quand il existe dans une province un grand écart d'âge entre les frères plus âgés et les frères en formation. Une partie importante de la formation consiste dans un partage de vie avec des pairs dont l'influence formatrice s'avère souvent importante. N'avoir qu'un seul novice dans un noviciat, ou trop peu d'étudiants dans une province doit être évité.

63. Pendant la visite canonique annuelle du prieur provincial (cf. LCO 340), chaque communauté de formation initiale doit s'assurer que le travail de formation constitue bien une priorité du projet communautaire, et que les frères de la communauté collaborent pleinement à ce travail.

64. Après la visite annuelle des communautés de formation initiale, le provincial et son conseil doivent reconsidérer le contexte dans lequel la formation est offerte ainsi que la mise en place du programme de cette formation. Ils doivent s'assurer que les conditions requises pour une bonne communauté de formation sont satisfaites aussi bien au noviciat qu'au studentat. Là où il y a des difficultés, le conseil provincial de formation doit également être informé.

65. Le prieur provincial s'assurer que tout frère assigné à une communauté de formation initiale soit engagé à l'endroit de ce projet. Lorsqu'il doit confirmer l'élection du prieur d'un couvent de formation initiale, il s'enquerra de son intérêt et de son désir de participer à la formation des frères et à leur intégration dans la communauté. Il doit également s'assurer que le frère élu comprend bien la responsabilité du père maître et comment il doit collaborer avec lui.

66. Les frères assignés dans les communautés de formation initiale doivent collaborer avec les pères maîtres, mais ne pas se substituer à eux. S'ils ont des observations sur les frères en formation, ils devraient les soulever au chapitre conventuel ou en parler au maître. S'ils ont des critiques à formuler à l'égard du père maître, ils devraient les présenter au prieur conventuel ou au prieur provincial. Le prieur de la communauté de formation doit aborder ces questions au chapitre conventuel au moins deux fois par an.

### B. Frères en formation

67. Étant donné la nature de la vocation religieuse, chaque frère a, en premier lieu, la responsabilité de sa formation, c'est-à-dire de ses progrès pour suivre le Christ qui l'appelle selon le mode de vie voulu par saint Dominique. Il assume cette responsabilité en étant guidé par des pères maîtres et d'autres formateurs (LCO 156). Il ne s'agit pas simplement de partager une vision intellectuelle des choses, mais cela demande encore une participation active, une volonté d'apprendre et une promptitude à collaborer. Sans la confiance mutuelle, le processus de formation ne peut pas s'accomplir.

68. Le principe voulant que chaque frère ait la responsabilité première de sa propre formation ne doit pas être interprété par les pères maîtres ou par les frères en formation d'une manière qui empêche toute intervention et correction nécessaire. Si « subjectivement » le frère a la responsabilité première de sa formation, la communauté et les maîtres de formation ont « objectivement » le devoir de l'aider à assumer cette responsabilité.

69. En acquérant une meilleure connaissance de soi, chaque frère doit chercher à comprendre sa propre expérience à la lumière de l'histoire du salut, de telle manière que son histoire se fonde en quelque sorte dans celle du Christ, auquel il est incorporé par le baptême, et dans celle de l'Ordre, auquel il est incorporé par sa profession (LCO 265).

70. Les frères en formation initiale doivent accepter l'aide des pères maîtres particulièrement dans le discernement de leur vocation. Présumée être une vocation dominicaine, elle pourrait aussi ne pas l'être. D'où l'importance de bien examiner et vérifier cela, surtout durant la période de préparation au noviciat et pendant le noviciat lui-même.

71. Les frères en formation initiale doivent accepter volontiers la correction de la part du père maître, dans l'assurance qu'elle est destinée pour leur bien. Sans la capacité à donner et à recevoir la correction fraternelle, il n'y a pas de progrès dans la vie dominicaine. Les frères en formation initiale doivent être introduits à quelque méthode de correction fraternelle régulière et réciproque.

72. Pour favoriser la maturation humaine et spirituelle et pour progresser dans la vie dominicaine, il est très utile au frère en formation d'avoir un confesseur régulier et/ou un conseiller spirituel auquel il puisse ouvrir son cœur en toute confiance.

73. Si un malentendu ou un différend devait survenir entre un frère en formation et son père maître, l'un comme l'autre ont le droit et le devoir d'en référer au prieur conventuel. Si la situation devenait conflictuelle, au point d'apparaître sans solution, l'un comme l'autre ont le droit et le devoir d'en référer au prieur provincial.

## C. Responsables de la formation

74. Les pères maîtres doivent être des hommes de foi et de prière, droits dans leur mode de vie, capables de bien accueillir les autres, de les écouter attentivement, de comprendre et accompagner une expérience de maturation humaine et chrétienne (Bogota 2007 n. 200). Ils doivent être attachés à l'Ordre, ayant beaucoup d'expérience de vie et de travail apostolique, et avoir bien intégré dans leur propre vie les différentes composantes de la vie dominicaine.

75. Le père maître doit être auprès des frères en formation un enseignant et un témoin de notre mode de vie, en aidant les frères à cultiver la connaissance et l'appréciation réciproques, et en respectant la liberté et la dignité de chacun. Il doit être aussi respecté pour sa dignité personnelle et sa responsabilité dans la communauté.

76. Les pères maîtres ne doivent pas assumer d'autres responsabilités importantes, mais devraient se consacrer à la formation comme à leur ministère principal. Ils doivent consacrer le temps et l'attention nécessaires aux frères en formation, tant à chacun d'eux qu'à la communauté des novices et des étudiants. Le maître des novices ou des étudiants ne peut en aucun cas résider hors de la communauté de formation ni avoir d'autres responsabilités qui l'obligent à des absences trop fréquentes ou prolongées.

77. Le père maître doit toujours être présent lorsque le conseil ou le chapitre conventuel discute du progrès d'un frère dans sa fonction ou une question touchant son domaine de responsabilité. Il appartient aux pères maîtres en premier lieu de donner des informations à partir de ces discussions aux novices et aux étudiants dans le but d'identifier clairement les domaines qui sont source de préoccupations et ainsi aider les frères à répondre aux préoccupations qui ont été soulevées.

78. Selon la détermination du chapitre provincial, il faut laisser un temps nécessaire aux frères nommés pères maîtres des novices ou des étudiants, afin qu'ils se préparent à assumer leur responsabilité (cf. Trogir 2013 n. 133).

79. Les pères maîtres doivent être soutenus dans leur travail par toute la province. Ce soutien s'exercera par les supérieurs en appliquant ce qui est demandé par les constitutions (LCO 185; 192 §II; 209; 214 §III; 370 §II) et de toute autre manière utile.

80. La formation des formateurs s'est avérée une préoccupation constante des chapitres généraux récents. L'expérience montre que les réunions régionales des formateurs sont d'une grande utilité pour aider les formateurs dans leur travail. Ces réunions doivent être soutenues et facilitées par les provinciaux de chaque région.

81. Les formateurs doivent se montrer disponibles pour participer à des cours et à d'autres activités de formation organisées par les Églises locales, d'autres religieux ou d'autres branches de la famille dominicaine. Pour des questions qui exigent une compétence spéciale, ou qui sont particulièrement délicates,

ils ne doivent pas hésiter à demander l'aide ou la supervision de personnes qualifiées et participer à des sessions de formation organisées à cette fin.

82. Les pères maîtres doivent veiller à ce que les novices et les étudiants qui en font la demande ou qui en ont besoin puissent recevoir l'accompagnement spirituel ou psychologique requis par leur situation particulière. Dans ces cas, leur rôle de pères maîtres ne peut être remplacé par le directeur spirituel ou le psychologue. Au contraire, tout en respectant l'autonomie légitime et la confidentialité de ces modes d'accompagnement, il appartient au père maître de maintenir ensemble les différents aspects qui constituent l'expérience de la formation, recherchant le bien du frère en formation (cf. CIC 240 §§ 1-2).

83. Les formateurs ont besoin d'être bien informés au sujet des influences et des pressions que subissent les jeunes aujourd'hui et de bien comprendre les implications qu'elles comportent pour ceux qui se joignent à l'Ordre (Providence 2001 n. 348). Parfois leurs expériences antérieures n'ont pas favorisé, et peut-être même compromis l'apprentissage des vertus nécessaires à la vie religieuse. Leur compréhension de la foi et de la vocation religieuse peut s'avérer incomplète et immature.

84. Il importe de rappeler, lorsque vient le moment d'admettre au noviciat et à la profession, que toutes les lacunes ne peuvent pas être comblées au cours de la période de formation. Parmi ceux qui entreprennent la formation, il peut s'en trouver qui n'ont pas vraiment la vocation dominicaine. Il faut se montrer prudent dans les décisions à prendre pour leur bien et pour le bien de l'Ordre. Quand il existe des doutes sérieux, la décision doit être prise d'abord en faveur de l'Ordre. Il est essentiel qu'il y ait une bonne communication entre les différents pères maîtres chaque fois que les frères en formation passent d'une communauté à une autre.

85. Les pères maîtres doivent être attentifs aux besoins spécifiques des frères, qu'ils soient clercs ou coopérateurs, en vue de les préparer aux différents rôles qu'ils auront à exercer dans l'Église et dans la mission de prédication de l'Ordre, ainsi qu'à prendre leur part dans la vie et le gouvernement de nos communautés (Rome 2010 n. 198 ; *Etude des frères coopérateurs Dominicains*, 2013).

85a. Le socius pour la vie fraternelle et la formation (LCO 425 §II) aide le maître de l'Ordre et les provinces en ce qui concerne la formation initiale et continue (cf. Bologne 2016 nn. 306-07). LCO 427-bis : *Ad socium pro vita fraterna ac formatione in Ordine praecipue haec pertinent:*

115

*1° adiuvare Magistrum Ordinis in omnibus quae pertinent ad vitam fraternam et ad formationem religiosam fratrum, sive permanentem sive initialem;*

*2° omnes provincias adiuvare ut provideant ad formationem religiosam fratrum et ad florescentiam vitae fraternae;*

*3° quando oporteat, congregare simul magistros fratrum formationem initialem habentium sicut et promotores formationis permanentis unius vel plurium regionum.*

*4° facilius facere provinciis innovationem et formationem formatorum, sicut et augmentum et executionem pianificationum provincialium ad formationem permanentem spectantium.*

### D. Conseils de formation

86. Un conseil de formation doit être établi dans chaque communauté de formation initiale (cf. LCO 158). Quand il y a plus d'une communauté de formation dans une province, il doit aussi y avoir un conseil provincial de formation.

87. Le conseil local de formation doit évaluer régulièrement la façon dont les frères en formation s'intègrent dans la communauté et la manière dont la communauté les accueille. Il peut attirer l'attention des formateurs sur certains points. Il discute aussi, avec l'accord de la majorité des membres, toute question soulevée par un membre individuel du conseil (cf. Bogota 2007 n.209).

88. Le conseil local de formation doit toujours inclure le prieur, le père maître, le sous-maître s'il y en a un, et au moins un autre membre de la communauté. Dans une communauté de studentat, il doit inclure le responsable local des études et peut inclure un représentant des frères en formation. La façon de choisir le(s) membre(s) de la communauté et le représentant des étudiants sera incluse dans la *Ratio Formationis Particularis*.

89. Le maître des novices ou des frères étudiants est le président du conseil local de formation, et il le convoquera au moins trois fois au cours de l'année académique. Si le noviciat et le studentat sont dans la même communauté, la *Ratio Formationis Particularis* déterminera quel père maître présidera le conseil local de formation.

90. La composition et les tâches du conseil local de formation (LCO 158) doivent être incluses dans la *Ratio Formationis Particularis*.

91. Le conseil provincial de formation doit être convoqué et présidé par le prieur provincial ou par un autre frère, selon ce qui sera précisé dans la *Ratio Formationis Particularis*.

92. Les tâches du conseil provincial de formation sont d'intégrer et d'évaluer la vision provinciale de la formation dans le contexte plus large de la formation dominicaine ; de coordonner les activités des communautés de formation afin d'assurer la continuité à travers les différentes étapes de la formation ; d'affronter les questions et les difficultés qui se posent au sujet de la formation initiale ou permanente ; de réfléchir à la politique de formation dans la province ; de maintenir une bonne connexion avec les activités de formation de la famille dominicaine ; d'être disponible pour aider le prieur provincial et son conseil s'il en fait la demande. Il examinera également régulièrement la politique et les stratégies pour la promotion des vocations dans la province.

93. Le conseil provincial de formation doit être composé des frères suivants : le prieur provincial, les pères maîtres, le promoteur de vocations, le régent des études, les modérateurs des études et le promoteur provincial de la formation permanente. Il peut comprendre aussi les prieurs des communautés de formation, un frère coopérateur, d'autres frères et un représentant des frères étudiants. La *Ratio Formationis Particularis* précise la composition de ce conseil, elle dit à qui il revient de le convoquer et de le présider, et elle détermine le mode de désignation du représentant des frères étudiants.

94. Le conseil provincial de formation révisera régulièrement le programme de formation initiale et permanente pour assurer l'unité et la continuité essentielles au processus de formation.

95. Les conseils de formation, aussi bien local que provincial, doivent rester attentifs aux changements sociaux et culturels dans leur région et étudier les implications de ces derniers pour les vocations et la formation.

# III. ÉTAPES DE FORMATION INITIALE

## A. La promotion et la direction des vocations

96. Afin de favoriser les vocations, nous devons renforcer notre travail apostolique auprès des jeunes, encourager les jeunes frères à promouvoir les vocations, inviter toute la famille dominicaine à collaborer en sollicitant spécialement la prière des moniales, et encourager nos communautés à vivre visiblement la vie dominicaine dans toutes ses riches dimensions (Rome 2010 n. 188).

97. La promotion des vocations concerne tous les frères et toutes les communautés. Nous l'accomplissons en priant régulièrement pour les vocations, en étant fidèles à l'observance régulière et à la vie communautaire, en nous souciant du témoignage apostolique de nos communautés, en faisant connaître l'Ordre et sa mission à qui s'y intéresse, en nous montrant hospitaliers à l'égard de ceux qui cherchent à discerner leur vocation.

98. Chaque province et vice-province doit nommer un promoteur des vocations. Autant que possible elle devrait être la tâche principale du frère désigné. Il doit utiliser tous les moyens modernes de communication et d'information dans l'accomplissement de sa mission.

99. Le promoteur des vocations travaille à faire connaître l'Ordre et à diffuser l'information au sujet de sa mission. Il accompagne de manière plus étroite les hommes qui ont manifesté un intérêt pour se joindre à l'Ordre. Dans certaines provinces, ce type d'accompagnement tient lieu de postulat ou de pré-noviciat. La promotion des vocations et l'accompagnement vocationnel peuvent être sous la responsabilité d'un même frère ou la tâche peut être partagée. Quelle que soit la situation, les frères concernés doivent se voir accorder le temps et les ressources nécessaires pour accomplir leur travail.

100. Le promoteur et le directeur des vocations doivent s'assurer que les aspirants auront l'occasion de connaître un bon nombre de frères et qu'un bon nombre des frères aura l'occasion de les connaitre. Les frères évalueront leur degré de maturité humaine et spirituelle, les aideront à discerner leur vocation, et travailleront avec eux pour comprendre et approfondir leur motivation.

101. Afin de mieux comprendre comment la personnalité et la vocation chrétienne de l'aspirant se sont développées, il est important que les directeurs des vocations rencontrent des membres de sa famille.

102. Les frères coopérateurs doivent être impliqués dans la mise en œuvre de la promotion de leur propre vocation. S'il n'y a pas de frère coopérateur de la province en mesure de travailler à la promotion ou direction des vocations, des frères d'autres provinces peuvent être invités à participer à ce travail.

103. Les frères promoteurs des vocations doivent promouvoir toutes les vocations de la famille dominicaine : celles des frères, des moniales et des sœurs, des fraternités laïques et sacerdotales et des instituts séculiers (cf. Trogir 2013 n.148). En particulier, ils prendront soin de promouvoir explicitement les vocations des frères clercs et coopérateurs et d'aider les aspirants à discerner à laquelle ils sont appelés.

104. Les rencontres régionales des supérieurs et des formateurs fournissent l'occasion de partager des expériences de promotion et de direction des vocations, ainsi que les expériences préparant les frères à travailler dans la promotion et la direction des vocations.

105. Le temps d'attente pour un homme après son premier contact avec l'Ordre, et avant sa demande d'admission, peut varier selon sa situation particulière et les habitudes locales. Cela dépend aussi du moment où commence le noviciat, ainsi que du mode de préparation au noviciat qui est établi par chaque province.

## B. Préparation au noviciat

106. Le mode de préparation des candidats précédant l'admission au noviciat varie dans l'Ordre. Les objectifs de cette période sont de bien connaître le candidat, discerner sa motivation et juger quand il est prêt pour le noviciat. Dans certaines provinces, le directeur des vocations prépare les candidats pour le noviciat qui commence après une courte période de postulat. Dans d'autres, ce temps est institutionnalisé dans un pré-noviciat (LCO 167 §III) qui comprend une première expérience de la vie communautaire. Cela permet aux frères de l'Ordre qui vivent avec les aspirants d'évaluer les candidats sur la base de la vie quotidienne avec eux. Il est important que les candidats aient déjà fait l'expérience de la vie avec d'autres en dehors du contexte familial.

107. La *Ratio Formationis Particularis* doit spécifier clairement quels sont les objectifs de la province pour cette période de préparation. C'est le chapitre provincial ou le provincial et son conseil qui déterminent la modalité, la durée et le lieu de cette « préparation au noviciat » (LCO 167 §II).

108. Quelle qu'en soit la forme, le postulat ou le pré-noviciat ne doit pas se confondre avec le temps du noviciat, qui doit maintenir son caractère d'initiation à la vie religieuse dominicaine (Trogir 2013 n. 144).

109. Le temps de préparation au noviciat doit offrir une transition progressive en laissant du temps pour l'adaptation psychologique et spirituelle, et en aidant l'aspirant à comprendre les changements nécessaires qu'il doit faire en entrant dans la vie religieuse. Les aspirants sont aussi amenés à réfléchir sur la vocation du prêtre et du frère coopérateur dans l'Ordre afin d'en arriver à un discernement pour eux-mêmes.

110. Les candidats au noviciat doivent être encouragés à entrer en contact avec certaines communautés de la province.

111. Les critères pour l'admission dans l'Ordre sont mentionnés dans le LCO 155 et 216 §I. Les provinces d'une même région doivent collaborer pour assurer une uniformité dans l'application de ces critères.

112. Si l'on ne peut exiger, pour les admettre à la formation dans l'Ordre, que les postulants soient parvenus à des motivations parfaites, il faut par contre qu'ils fassent preuve d'un désir de se mettre à l'écoute de Dieu et au service du Corps du Christ dans la prédication (Trogir 2013 n.139, 149).

113. La *Ratio Formationis Particularis* déterminera la composition et le *modus operandi* du conseil des admissions (LCO 171-173).

114. La *Ratio Formationis Particularis* fournira des indications concernant l'opportunité et le rôle de l'évaluation psychologique dans le processus d'admission. C'est là une question délicate au sujet de laquelle les droits du postulant doivent être respectés (cf. Congrégation pour l'Education Catholique, *Orientations pour l'utilisation de la psychologie dans l'admission et la formation des candidats au sacerdoce*, 13 juin 2008). L'évaluation psychologique peut s'avérer très utile pour l'accompagnement des postulants dans leur cheminement humain et spirituel, et pour guider le conseil des admissions. Il doit être clair cependant que l'avis psychologique

recueilli ne remplace pas le travail d'évaluation du conseil d'admission. La province reste responsable de l'admission des postulants (LCO 171).

115. Le frère ou les frères responsables de la préparation des postulants au noviciat doivent fournir un rapport au conseil des admissions. Ce rapport doit être envoyé au prieur provincial en même temps que la recommandation du conseil d'admission.

116. En plus de l'envoi du rapport mentionné ci-dessus (n.115), les postulants doivent être interviewés par les membres du conseil des admissions au sujet notamment du contexte de leur vie jusqu'à présent, de leur formation générale et de leurs expériences de travail. Des lettres de recommandation doivent être fournies par des personnes qui les connaissent. Les exigences de la loi de l'Église et du droit civil en ce qui concerne la sauvegarde et la protection des enfants doivent également être satisfaites.

117. Quand un candidat a été accepté au noviciat, le maître des novices vérifiera que toutes les conditions requises par nos lois sont remplies et que la documentation nécessaire a été rassemblée. (CIC 642-645; LCO 168-170). Les exigences locales en matière de divulgation des informations personnelles doivent toujours être respectées. Le *Ratio Formationis Particularis* comprendra une politique de conservation des documents.

118. Si un postulant n'a pas été accepté au noviciat dans une province, il ne peut pas être valablement accepté dans une autre à moins que celle-ci n'obtienne un rapport écrit du provincial de la province qui l'a refusé. Ce rapport doit expliquer clairement les raisons de la décision de la province. Ce rapport doit être soumis au conseil des admissions de la province à laquelle il fait maintenant sa demande et être inclus dans le rapport du conseil au prieur provincial.

119. Dans les pays où les jeunes religieux ont l'obligation du service militaire ou civil, la *Ratio Formationis Particularis* doit spécifier les conditions dans lesquelles ce service sera accompli.

### C. Noviciat et profession simple

120. Le noviciat initie les frères à notre mode de vie qui est la suite de Christ à la manière de saint Dominique, et qui est caractérisé par la consécration religieuse, l'observance régulière, la pauvreté, la vie fraternelle commu-

nautaire, la liturgie et la prière, l'étude, et le ministère de la Parole (LCO 2-153).

121. Le noviciat devrait comporter une certaine « expérience du désert » avec de nombreuses occasions de solitude et de prière. C'est une période d'initiation au cours de laquelle l'entrée d'un frère dans un nouveau mode de vie doit être marquée visiblement par des rites de passage, et plus particulièrement celui de la prise d'habit. Le noviciat doit fournir au frère les conditions d'une expérience plus profonde de la rencontre avec Dieu et avec lui-même, tout en l'introduisant à la réalité de la vie fraternelle communautaire et à la mission apostolique de l'Ordre. Le noviciat est avant tout un temps privilégié pour la lecture de la Bible, cherchant à comprendre sa signification à travers la prière et l'étude, tout en apprenant à mieux connaître les conditions de vie et les besoins des hommes dans le monde.

122. Le maître des novices est responsable de la formation au noviciat. Il est aidé par le conseil local de formation et possiblement par un assistant. C'est lui qui établit le programme du noviciat à soumettre pour approbation au prieur provincial. Il doit aussi pouvoir compter sur le soutien de la communauté de formation dans la formation des novices (voir LCO 181 et Part II, Section A ci-dessus). Il rencontre fréquemment les novices, individuellement et en tant que groupe.

123. Bien que l'étude soit une partie essentielle du noviciat, et qu'un curriculum est proposé dans LCO 187, ces études ne doivent pas être abordées à ce stade-ci de manière académique. Les frères doivent se voir accorder beaucoup de temps pour la lecture et la réflexion en lien avec le programme du noviciat, et surtout pour lire la Bible. Toutes les autres études doivent être interrompues pendant cette année.

124. Le noviciat vise à aider le novice à un discernement mature en ce qui concerne sa vocation (LCO 186). C'est aussi le début de la formation à notre mode de vie, que les novices commencent à internaliser, en faisant l'expérience des valeurs et des attitudes du charisme apostolique de saint Dominique.

125. Ce temps d'apprentissage progressif des éléments fondamentaux de notre vie doit faire une place prioritaire à la vie spirituelle et communautaire, ainsi qu'au développement d'une pratique solide de la prière, aussi bien personnelle que liturgique.

126. Les novices doivent recevoir une initiation concrète à la liturgie et à la pratique sacramentelle de l'Église. Le maître des novices les instruira sur la prière personnelle et liturgique, et leur enseignera comment les intégrer dans leur vie quotidienne. Il s'efforcera d'amener ceux-ci à acquérir un amour de la vie liturgique de l'Ordre et à en apprécier l'importance cruciale dans la formation et la vie du prêcheur dominicain.

127. La liturgie dominicaine est celle d'une communauté fraternelle dont la vie et la mission sont centrées sur la Parole de Dieu. Le maître des novices aidera ceux-ci à voir comment la discipline personnelle de l'étude est soutenue par la vie liturgique de la communauté. Les novices seront introduits aux riches traditions des hymnes et des chants de l'Ordre, ainsi qu'à ses prières traditionnelles de dévotion, en particulier à Marie, la mère de Dieu (LCO 129).

128. Bien qu'il soit avant tout un temps de croissance spirituelle et de découverte de la vie communautaire, le noviciat doit comporter aussi une introduction aux défis de la vie apostolique. La formation du noviciat « ne doit pas être seulement théorique, mais aussi pratique, par une certaine participation aux activités apostoliques de l'Ordre » (LCO 188). Les priorités apostoliques et l'orientation tracées par les chapitres généraux doivent guider le choix de ces activités.

129. Des réunions régulières, intégrées au programme de formation et concernant ce dernier, permettront aux novices de parler de leur vie de noviciat et les initieront ainsi à la pratique des chapitres (cf. LCO 7 §III).

130. La communauté du noviciat et, plus généralement, la province dans son ensemble ont leur rôle à jouer dans l'intégration et la formation des novices, selon des modalités que détermineront et rappelleront le maître des novices et le prieur provincial. Cependant, le maître des novices reste plus particulièrement responsable de la tâche de discernement (cf. LCO 186).

131. Les frères doivent réaliser qu'en faisant leur profession simple, ils s'engagent déjà totalement envers le Christ et l'Ordre. Dans une culture qui favorise la liberté de choix et la fluctuation dans les orientations professionnelles, il peut être plus difficile de faire saisir à des jeunes le caractère définitif de la profession. Il faut les aider à comprendre que le Christ, qui les a appelés à le suivre sur ce chemin, les soutiendra dans leur profession.

132. Les critères pour l'admission à la profession sont la maturité psychologique, morale et religieuse du novice, le sérieux de sa vie de prière, son aptitude à l'étude, sa disposition au travail apostolique, son amour de l'Évangile, sa compassion pour les pauvres, les pécheurs et les personnes à évangéliser, ainsi que sa capacité à vivre la vie consacrée et la vie communautaire propres à l'Ordre. Ceux qui ont à lui faire passer l'examen en vue de la profession et qui ont à se prononcer par vote sur son admission doivent s'assurer qu'il comprend bien les obligations de la profession et qu'il s'y engage librement.

133. La profession est faite pour un, deux ou trois ans et peut être renouvelée selon les déterminations du statut de la province. Il doit y avoir au moins trois ans, et pas plus de six ans, de profession simple (cf. LCO 195 §II ; 201 §I).

134. Dans les provinces où le statut permet une première profession soit d'un an, soit de trois ans, ces deux possibilités doivent être considérées attentivement par le maître des novices et chacun des novices (cf. LCO 195 §II). L'éventualité de ne faire la profession que pour un an, et de renouveler ensuite chaque année, ne doit être prise en considération que dans des circonstances exceptionnelles.

135. Quand un novice demande à faire profession, le prieur provincial doit s'assurer que le novice est bien informé au sujet des vœux et suffisamment formé pour les vivre. Les frères qui font l'examen des novices pour la profession doivent aussi être satisfaits à ce sujet.

136. Un novice qui a déjà fait profession solennelle ou perpétuelle dans une autre congrégation ne fait pas de profession simple à la fin du noviciat, mais un vote décisif du chapitre conventuel et du conseil est encore nécessaire. À la suite de ce vote, le novice, avec la permission du provincial, prolongera la période d'essai, ou bien il regagnera son institut d'origine (cf. LCO 201 §II).

### D. Le studentat

137. Pendant les années qui séparent la profession simple de la profession solennelle, les études académiques occupent une place privilégiée, mais non exclusive dans la formation des frères. Cette période est un temps de maturation et d'intégration important dans la vie dominicaine, de même qu'un temps de croissance progressive dans la foi.

**138.** Bien qu'une grande importance soit accordée aux études au cours de cette période, les frères doivent être aidés à intégrer leur formation intellectuelle avec les autres dimensions de notre forme de vie religieuse avec lesquelles cette formation est intimement liée. Le développement religieux et spirituel reste la priorité au cours de ces années (LCO 213 §§I-II).

**139.** Le rôle du maître des étudiants est d'aider les frères étudiants à gérer de façon harmonieuse les différents défis qui leur sont adressés. Tout en respectant les étapes de la formation initiale et les priorités qu'elle comporte, il faudra veiller à ce que soit respecté le caractère intrinsèque de la vie dominicaine (l'équilibre entre ses diverses composantes et valeurs fondamentales). Par exemple, la vie d'étude ne doit pas présenter de tension par rapport à la vie de prière. Les tensions qui peuvent se manifester entre la vie communautaire et l'étude d'une part, et la vie apostolique de l'autre, ne doivent jamais être résolues en écartant l'une ou l'autre.

**140.** Si les frères effectuent leurs études en dehors d'une institution de l'Ordre, il est opportun que dans leur communauté, le caractère spécifique de l'étude dans l'Ordre leur soit présenté. Des cours complémentaires portant sur la philosophie et la théologie dominicaine, en particulier la contribution de Thomas d'Aquin, ainsi que sur l'enseignement dominicain sur la vie spirituelle, doivent être fournis comme le demande la *Ratio Studiorum Generalis*.

**141.** Le maître des étudiants doit donner une direction et une formation explicite à travers les réunions régulières avec les frères en formation, soit individuellement, soit avec l'ensemble du studentat. Il doit rappeler à ceux-ci l'importance d'avoir un confesseur attitré et les aider à trouver un guide spirituel, ou un soutien plus intensif si nécessaire. Il doit aussi se rappeler le rôle de la communauté de formation pour l'aider dans sa tâche (cf. Part II, Section A ci-dessus), les autres frères de la communauté respectant toujours sa responsabilité particulière en tant que maître des étudiants.

**142.** La *Ratio Formationis Particularis* indiquera si le maître des étudiants est aussi responsable de la formation pastorale et, lorsque cette tâche est confiée à un autre frère, elle devrait spécifier le mode de désignation de ce dernier. Le maître des étudiants doit aussi assurer l'accompagnement spirituel et la réflexion théologique nécessaire pour aider les frères étudiants à évaluer et à approfondir leurs expériences dans un souci d'intégration de la dimension apostolique de leur vie dominicaine.

143. Cette intégration progressive se fait à travers des engagements apostoliques pratiques et bien délimités pendant l'année académique, des stages plus intensifs pendant les vacances scolaires, incluant aussi la possibilité d'interrompre le cycle des études (cf. n.149 ci-dessous).

144. Ces expériences apostoliques doivent assurer aux frères étudiants un contact avec le monde des pauvres, des exploités et des marginalisés, les introduisant ainsi graduellement aux frontières spécifiques de la vie et de la mission dominicaine.

145. Le maître des étudiants doit être informé de la nature et des besoins de la formation pastorale, en particulier lorsque les engagements pastoraux doivent entraîner une absence des activités communautaires.

146. Il veillera aussi à ce que les frères bénéficient d'un temps de vacance et autres temps libres. Ceux-ci doivent être des moments de repos et d'enrichissement leur permettant par la suite de profiter pleinement du temps consacré à l'étude et à l'apostolat.

147. Les frères en formation seront encouragés à développer leurs talents, à faire du sport et d'autres activités physiques, à participer à des activités culturelles, à apprécier la littérature, la musique et l'art, à faire attention à leur santé par l'alimentation, le sommeil, etc.

148. Dans la mesure du possible, les frères étudiants doivent passer du temps dans des couvents de la province, autres que le couvent de formation, afin de faire l'expérience de la vie et du ministère des communautés. Cela doit aider le frère étudiant à intégrer les éléments de notre vie dans un autre contexte. Cela permet aussi de recueillir le point de vue des frères d'une autre communauté dans l'évaluation des progrès des frères en formation.

149. Il faudra encourager et soutenir les échanges entre les provinces, dans un but d'apprentissage de langues étrangères, d'engagement apostolique, de connaissance des couvents ou des maisons ayant un intérêt particulier, de participation à des réunions entre frères étudiants d'une même région, etc. Chaque frère en formation initiale doit avoir l'opportunité de vivre dans une autre culture et d'apprendre une autre langue. Si cela est jugé nécessaire pour la formation, les études peuvent être interrompues en raison d'une activité apostolique ou pour toute autre raison (cf. LCO 164; 225 §II). Ces échanges aident également les frères en formation à apprécier la mission universelle de l'Ordre.

150. Afin d'éviter tout conflit de juridiction, la *Ratio Formationis Particularis* doit définir clairement le rôle du maître des étudiants relativement aux questions de responsabilité, telles que les permissions et les dispenses, les vacances et les stages, etc.

151. La préparation aux ministères de lecteur et d'acolyte, ainsi qu'à l'ordination au diaconat et au presbytérat, doit comporter une initiation particulière, à la fois théorique et pratique, aux actions liturgiques impliquées dans ces ministères, à la spiritualité nécessaire pour ceux qui les exercent, et au type particulier d'engagement apostolique qu'elles représentent.

152. Les modalités concernant l'institution des frères comme lecteurs et acolytes devraient être spécifiées dans la *Ratio Formationis Particularis*. Cette institution survient entre la profession simple et la profession solennelle (LCO 215-bis).

*Formation des frères coopérateurs*

153. Les provinces doivent déterminer l'organisation de la formation postérieure au noviciat, aussi bien pour les frères coopérateurs que pour les frères clercs. En fonction des circonstances locales et des traditions de la province, il pourrait y avoir des studentats séparés pour les coopérateurs et les clercs. Cela devrait être spécifié dans la *Ratio Formationis Particularis*. Quelle que soit l'organisation, tous les frères doivent recevoir la même formation humaine et spirituelle jusqu'à la profession solennelle.

154. La *Ratio Studiorum Generalis* décrit les exigences de la formation intellectuelle du frère prêcheur. Cette formation est commune aux frères clercs et coopérateurs. Les étudiants clercs poursuivent aussi les études requises par l'Église pour l'ordination. Les frères coopérateurs peuvent soit suivre le même programme d'études, soit recevoir une autre formation théologique et professionnelle, en fonction du rôle envisagé pour eux dans la mission de la province. Il revient au régent des études et au maître des frères coopérateurs de proposer un programme d'études théologiques pour les frères coopérateurs en formation (LCO 217). Cela doit toujours inclure la formation des frères coopérateurs pour le ministère des laïcs dans l'Église.

155. Il faut s'occuper attentivement de la formation des frères coopérateurs afin qu'ils participent pleinement à la vie et à la mission de l'Ordre. Un frère coopérateur déjà profès et avec les qualités nécessaires pour cette tâche devrait être impliqué dans leur formation. Il doit les aider à connaître

l'histoire de cette vocation dans l'Ordre, ainsi qu'à suivre le Christ selon leur vocation propre, à la manière de saint Dominique.

156. Au cours des années de formation, les frères doivent être mis en garde contre la tentation du 'cléricalisme', à l'égard non seulement des personnes extérieures à l'Ordre, mais aussi des membres non ordonnés de l'Ordre.

157. En cas de relocalisation de la communauté du studentat dans un autre couvent, ou de la création d'une nouvelle communauté du studentat, le maître de l'Ordre doit être consulté et non seulement informé.

### E. Profession solennelle

158. Un frère peut être admis à la profession solennelle après trois ans de profession simple. Avec la profession solennelle, il acquiert le droit de voix active et de pleine participation au chapitre conventuel.

159. Le maître des étudiants doit rappeler aux frères qu'en cas de doute ou d'hésitation, ils ont la possibilité de prolonger leur temps de profession simple, mais pas au-delà de trois ans (cf. LCO 201 §I).

160. Les résultats de l'examen et du vote du chapitre et du conseil conventuel, ainsi que le rapport écrit du maître des étudiants, sont envoyés au prieur provincial qui doit, par lui-même ou par son délégué, procéder à un examen détaillé avec le frère qui demande à faire profession au sujet de cette étape qu'il veut franchir.

161. Les frères clercs restent sous l'autorité d'un maître des étudiants jusqu'à ce qu'ils soient parvenus à l'ordination presbytérale qui marque le terme de la formation initiale (cf. LCO 221). Toutefois, leur relation avec le père maître et le type de formation reçue de lui diffèrent en raison de leur statut dans la communauté à titre de frères profès solennels.

162. Les frères coopérateurs restent sous l'autorité d'un maître jusqu'à ce que leur formation soit complétée, soit par la profession solennelle soit par la fin de leurs études institutionnelles, ou de leur formation professionnelle, en fonction de celle qui se termine le plus tard. Quand leur formation initiale est terminée par la profession solennelle, ils seront accompagnés par le supérieur local ou par tout autre frère désigné par lui pendant les deux premières années suivant la profession solennelle.

163. Lors de la préparation à la profession solennelle, les frères seront à nouveau aidés à apprécier l'obligation de prier la liturgie des heures quotidiennement, même lorsqu'il leur est impossible de participer à l'office choral.

## F. Diaconat et sacerdoce

164. Le ministère de la prédication est la mission spéciale confiée à l'Ordre par l'Église. Notre profession « nous voue à l'Église universelle d'une façon nouvelle, en nous députant totalement à l'évangélisation de la Parole de Dieu en son intégrité » (LCO 1, III).

165. Le ministère de la Parole est intimement lié aux sacrements et trouve en eux son accomplissement (cf. LCO 105). Il y a donc un lien naturel entre la mission de prédication de l'Ordre et le ministère diaconal et sacerdotal dans l'Église.

166. Lorsque l'on présente des frères pour l'ordination au diaconat ou au presbytérat, il faut observer soigneusement les conditions posées par nos constitutions et par le droit de l'Église (CIC 1031 §I; 1032; 1035-1036; LCO 246-248).

167. L'aptitude à la prédication dans le contexte de la liturgie est l'un des éléments essentiels à prendre en considération lors de la présentation d'un frère à l'ordination.

168. À sa demande ou par la décision du prieur provincial, et pour des raisons sérieuses et bien fondées (CIC 1030), un frère peut demeurer diacre pendant un certain temps au terme de ses études institutionnelles.

169. Il faut offrir aux frères diacres de nombreuses occasions d'exercer leur ministère.

170. Bien qu'on puisse éprouver tout naturellement le sentiment d'un processus achevé au terme des études institutionnelles, plus particulièrement quand ce terme coïncide avec l'ordination au sacerdoce, notre formation se poursuit, non seulement pendant les années qui suivent la profession solennelle, ou l'ordination, mais pendant toute notre vie.

# IV. FORMATION PERMANENTE

## A. Principes généraux : communauté en / de formation, 'maîtres' de formation permanente, les frères eux-mêmes

171. l'Ordre est appelé à proclamer la Parole de Dieu, à prêcher partout le nom de notre Seigneur Jésus Christ (LCO 1, I). Par notre profession nous sommes consacrés à vivre la *sacra praedicatio* dans sa totalité, ce qui se manifeste particulièrement lorsque la vie régulière des frères et les différents apostolats forment une synthèse dynamique enracinée dans l'abondance de la contemplation (cf. LCO 1, IV).

172. Être un prêcheur signifie être en dialogue constant avec la Parole de Dieu à travers la contemplation et l'étude, la prière et la vie fraternelle, en adaptation constante à l'évolution des temps et des circonstances. Les Écritures témoignent de la rencontre avec Dieu de personnes interpellées par la Parole, qui sont appelées à l'amitié avec Dieu et envoyées en mission. Cette rencontre exige une ouverture à la conversion et au renouvellement constant. C'est pourquoi le prêcheur est appelé à s'engager sérieusement dans la formation permanente.

173. Cette dernière représente pour les frères une forme particulière de maturation et de renouvellement constant selon les différentes étapes de leur vie, en cherchant à harmoniser celle-ci avec ce qu'ils prêchent en parole et actes. À travers la formation permanente, nous demeurons attentifs et nous cherchons à comprendre les évolutions et les préoccupations du monde, à interpréter la réalité politique et sociale de notre temps. En gardant l'espoir et en partageant notre foi, nous progressons dans notre intégration humaine et émotionnelle, et nous construisons une communauté de prédication au service du peuple de Dieu (Trogir 2013 n.124). C'est en nous renouvelant constamment, grâce à la formation permanente entendue en son sens le plus large et le plus profond, que, marqués à la fois par la vie divine (2 Pierre 1,4) et par les expériences humaines auxquelles nous participons, nous pouvons tenter de trouver des solutions aux questions auxquelles nous sommes confrontés, tant au niveau de la vie personnelle que collective.

174. La formation permanente concerne ainsi toute la personne du religieux en ses dimensions humaine, spirituelle, intellectuelle et apostolique. Alors que la *Ratio Studiorum Generalis* trace les lignes directrices d'une formation

permanente au niveau intellectuel, la *Ratio Formationis Generalis* la considère davantage du point de vue humain, spirituel et apostolique. Il est essentiel que ces quatre dimensions majeures de la formation permanente trouvent entre elles un équilibre. Ainsi, la formation permanente a comme finalité première l'intégration des grâces de conversion et de transformation spirituelle offertes par Dieu et qui concernent le bien-être et la sainteté de toute la personne. La dimension plus intellectuelle, consistant dans l'acquisition de connaissances nouvelles et dans la mise à jour en vue de la prédication ou de la vie pastorale, est subordonnée à cette fin.

175. Comme dans le cas de la formation initiale, le frère est le premier responsable de sa propre formation permanente, l'une et l'autre s'effectuent sous la responsabilité d'un maître. Par analogie, nous pouvons dire qu'un premier « maître » dans la formation permanente est la communauté elle-même dans laquelle le frère vit.

176. Traditionnellement, chaque couvent dominicain est une école de la *sacra praedicatio*. Le « maître » de cette école est la communion entre les frères unis en un seul cœur et un seul esprit tournés vers Dieu (Règle de saint Augustin). La qualité de la formation permanente dans une communauté reflètera la force de la communion parmi les frères et les sacrifices qu'ils font pour s'engager de façon holistique avec cette formation. La compréhension mutuelle et la communion fraternelle (cf. LCO 5) sont enracinées dans la vie commune et le partage de la Parole de Dieu. Cela exige une maturité spirituelle et humaine qui devrait caractériser le témoignage de la *sacra praedicatio*. En participant pleinement à la vie du couvent (chapitres réguliers, échanges en communauté, prédication conventuelle, retraites communautaires, vie fraternelle, récréations, etc.) les frères font cette expérience de « recevoir plus de l'Ordre que ce que l'on a à lui donner », selon les termes de Réginald d'Orléans.

177. Dans la communauté locale, une responsabilité particulière pour la formation permanente des frères revient au prieur, assisté du lecteur conventuel (LCO 88; 326-bis) et du chapitre conventuel (LCO 311).

178. Outre ce qui est mentionné dans le LCO, le lecteur conventuel doit
- présenter à la communauté un plan annuel pour la formation permanente,
- promouvoir la réflexion théologique concernant l'expérience apostolique concrète de la communauté,

- encourager les frères à prendre part aux réunions et aux cours de formation permanente offerts tant dans leur propre communauté que dans la province, les diocèses et autres centres.

179. Le programme de formation permanente doit chaque année être inclus dans le projet communautaire. Il doit faire l'objet d'une évaluation dans les rapports transmis par le prieur au prieur provincial ou au chapitre provincial, notamment dans le rapport à la fin de son mandat (LCO 306).

180. Pour l'ensemble d'une province, la responsabilité de la formation permanente appartient au prieur provincial, assisté du promoteur de la formation permanente (LCO 89 §I, 89 §III, 251-ter) et du régent s'il s'agit d'études académiques. Ils s'occuperont de soutenir les efforts des communautés locales et d'organiser des activités au niveau de toute la province.

181. La *Ratio Formationis Particularis* établira le cadre général, les objectifs spécifiques et les modalités concrètes de la formation permanente dans la province, en tenant compte de sa vie et de sa mission.

182. Les provinces d'une même région sont encouragées à collaborer en offrant des ateliers dans les diverses langues et cultures de l'Ordre.

183. Le sagesse pour la vie fraternelle et la formation favorisera la communication entre les provinces pour l'échange des expériences et des ressources en ce domaine. Le chapitre général proposera des thèmes de réflexion qui serviront de cadre de référence pour tout l'Ordre.

### B. Transition, première assignation

184. L'expérience montre que la première assignation à la fin de sa formation initiale est l'une des transitions les plus importantes qu'un frère doit faire. La lettre du frère Damian Byrne sur les « Premières Assignations » (mai 1990) est souvent citée dans l'Ordre comme un document très important. Les supérieurs, après avoir consulté les formateurs, auront le souci d'assigner les frères après leur formation initiale dans des communautés et missions qui les soutiendront dans leur vocation. Les supérieurs des communautés auxquelles les frères sont assignés seront aidés par le prieur provincial afin d'assurer que ces frères soient accompagnés, par un frère approprié ou une autre personne qualifiée, au moins durant les deux premières années suivant leur formation initiale. Il est important d'éviter les situations extrêmes consistant à laisser

un frère complètement seul ou à l'inverse à mettre en place un système de tutorat trop contraignant.

185. Il doit y avoir une réunion annuelle pour les frères de la province qui ont terminé leur formation initiale au cours des six années précédentes. Cette réunion sera pour eux l'occasion de réfléchir sur l'expérience d'intégration aux communautés après leur formation initiale, sur les défis du ministère apostolique et sur toute autre question jugée importante. Lorsqu'une province ne dispose que d'un petit nombre de ces frères, ils devraient organiser des réunions communes en coopération avec les provinces voisines.

186. Les frères ne doivent pas entreprendre des ministères apostoliques ou pastoraux requérant une formation spécialisée sans avoir pu suivre celle-ci. Les frères doivent être bien préparés pour répondre aux exigences spécifiques des responsabilités pastorales, paroissiales et autres.

187. L'une des tâches d'un frère dominicain nouvellement ordonné est d'intégrer son sacerdoce à sa vie et à sa spiritualité. Les frères plus expérimentés doivent être disposés à partager leurs expériences dans ce domaine. De la même façon, les frères coopérateurs plus jeunes doivent être accompagnés par des frères plus expérimentés durant les deux premières années qui suivent la fin de leur formation initiale.

188. Les frères plus âgés doivent rester attentifs non seulement aux exigences rencontrées par les frères plus jeunes dans leur ministère, mais encore à l'expérience de solitude, aux différences de générations et à la perte du soutien que peuvent caractériser les premières années loin de la communauté de formation (Providence 2001, n.362).

189. La première assignation n'est pas le seul moment important de transition dans la vie d'un frère. D'autres facteurs en font aussi partie, comme les changements d'assignation, les conditions de santé, les circonstances de vie familiale, le vieillissement. La communauté doit être attentive à ces transitions et, à travers son programme de formation permanente, offrir des moments pour en discuter et y réfléchir. Nous pouvons donc dire qu'il existe aussi des étapes dans la formation permanente.

## C. Questions pour la formation permanente

190. La formation permanente doit être plus particulièrement centrée sur la prédication. Elle devrait, par exemple, aider les frères à bien utiliser les moyens modernes de communication (Oakland 1989 n.56, 59-60).

191. Des sessions régulières de formation permanente sur le vœu de chasteté doivent avoir lieu. Elles doivent prendre en considération les lignes directrices de la province sur le ministère et les contacts auprès des jeunes et des personnes vulnérables. La question des contraintes ministérielles et professionnelles, ainsi que les autres aspects d'un comportement éthique approprié, doivent aussi être considérée (Rome 2010, n.199).

192. La liturgie constitue la ligne directrice de nos vies spirituelles qui sont enracinées dans la Parole de Dieu. Les communautés devraient donc réfléchir régulièrement sur les questions liées à la liturgie : sa théologie et son histoire, sa pratique courante, et plus spécialement sa place dans la spiritualité du prêcheur dominicain.

193. Le soutien fraternel, à l'intérieur de la vie communautaire, doit normalement fournir à chaque frère les encouragements dont il a besoin et l'appeler aux ajustements nécessaires. Des moments pourront se présenter où un frère aura besoin, explicitement et concrètement, de la miséricorde qu'il a demandée en entrant dans l'Ordre. Tout frère doit être assez humble pour demander de l'aide quand cela est nécessaire et la communauté devrait être assez attentive et sage pour la lui fournir. Invités à « confesser nos péchés les uns aux autres » (Jacques 5,16), nous devrions à tout le moins être à l'écoute les uns des autres et nous soutenir dans nos faiblesses et nos vulnérabilités, et faire un usage fréquent du sacrement de pénitence et réconciliation.

194. Les frères plus âgés doivent être dans une communauté une source de sagesse pour les autres. Aussi la communauté doit-elle être soucieuse de leurs besoins et leur assurer les moyens de continuer à participer de façon significative à sa vie.

195. Il faut encourager des rencontres de frères plus âgés qui leur permettent de réfléchir théologiquement sur la spiritualité du vieillissement et sur les questions particulières qui se posent à eux. Ces rencontres doivent aussi inclure des rencontres avec des frères plus jeunes pour une réflexion commune sur les défis et les apports d'une expérience intergénérationnelle.

196. Les fruits de ces rencontres entre frères plus âgés, dont la riche expérience fournit une perspective intéressante à la prédication dominicaine, peuvent s'avérer intéressants pour l'ensemble de la province et faire l'objet d'une réflexion dans les communautés locales.

## D. Identité et mission

197. Des tensions peuvent exister entre la vie religieuse conventuelle et l'engagement apostolique. Les frères peuvent parfois préférer les gratifications de l'une aux exigences de l'autre. La formation permanente doit donc souvent revenir sur le rapport dynamique qui doit exister entre notre vie fraternelle en communauté et notre mission de prédication.

198. Nous devons être prêts et aidés à réfléchir aux tensions générées par la vie moderne et à ses implications sur les modes de vie traditionnels. Ces tensions n'existent pas seulement chez les autres, individus et communautés, elles existent aussi en nous-mêmes. Il nous faut également les comprendre pour trouver des solutions. Les questions sur lesquelles nous avons à réfléchir ne sont pas seulement celles que la science et la philosophie posent à la foi, mais encore celles qui concernent nos façons de vivre et de pratiquer celle-ci.

199. Notre forme de gouvernement ne peut pas fonctionner à moins que nous continuions d'apprendre et de pratiquer l'art du dialogue, d'écouter les autres, d'accepter d'autres points de vue, d'aider les autres, et de consentir à prendre des initiatives. Comme l'affirmait le chapitre général de Bologne, « notre apprentissage de l'art du dialogue n'est jamais terminé ; chacun doit le perfectionner et le réapprendre constamment » (Bologne 1998 123, 3).

200. La formation permanente doit nous aider à avoir confiance en Dieu et à respecter les autres. Son but final est d'apporter la guérison, l'espoir et le renouveau dans nos vies et dans la vie de tous ceux qui sont confiés à nos soins.

# ANNEXES

## A. *Objectif de la Ratio Formationis Particularis*

i.    Chaque province doit rédiger une nouvelle *Ratio Formationis Particularis*, en adaptant les principes généraux et en complétant les structures de base fournies dans cette *Ratio Formationis Generalis*.

ii.    La *Ratio Formationis Particularis* rend concrètes les normes données dans la *Ratio Formationis Generalis* selon les besoins spécifiques et les situations précises de chaque province.

## B. *Préparation de la Ratio Formationis Particularis*

iii.    Le prieur provincial et son conseil établiront la façon dont la *Ratio Formationis Particularis* devrait être rédigée et révisée.

iv.    Chaque *Ratio Formationis Particularis* doit être soumise au maître de l'Ordre pour son approbation finale.

v.    Le socius pour la vie fraternelle et la formation aidera les provinces dans la préparation de la *Ratio Formationis Particularis*.

## C. *Contenu de la Ratio Formationis Particularis*

vi.    La *Ratio Formationis Particularis* doit :
1. envisager une limite d'âge pour l'admission des candidats ainsi que les adaptations qui pourraient être nécessaires pour recevoir des hommes plus âgés ainsi que les hommes qui sont déjà ordonnés ;
2. inclure la composition et les tâches du conseil local de formation comme déterminées par le chapitre provincial ou par le provincial et son conseil (LCO 158) ;
3. établir si le conseil local de formation comprendra plus d'un représentant de la communauté et un représentant des frères étudiants, et si oui, comment ils seront choisis ;
4. décider qui convoquera et présidera le conseil local de formation si le noviciat et le studentat sont dans la même communauté ;
5. identifier la composition des membres du conseil provincial de formation ;
6. si un représentant des frères étudiants est un membre du conseil provincial de formation, déterminer comment ce frère est choisi ;
7. déterminer qui convoquera et présidera le conseil provincial de formation ;

8. identifier clairement quels sont les objectifs de la province pour la période de préparation au noviciat ;
9. identifier les membres et le *modus operandi* du conseil d'admission ;
10. fournir des indications concernant l'opportunité et le rôle de l'évaluation psychologique dans le processus d'admission ;
11. inclure une politique de conservation des documents ;
12. dans les pays où les jeunes religieux sont obligés de faire leur service militaire ou civil, spécifier les conditions à remplir pour cette obligation ;
13. définir le rôle du maître des étudiants dans les questions de responsabilité (autorisations, vacances, stages pastoraux, dispenses, etc.) ;
14. indiquer si le maître des étudiants sera aussi le directeur de la formation pastorale, et dans le cas contraire, établir comment ce directeur sera nommé ;
15. déterminer les modalités pour l'institution des frères comme lecteurs et acolytes ;
16. spécifier si nécessaire s'il y aura des studentats séparés pour les frères coopérateurs et pour les frères clercs ;
17. établir le cadre général, les objectifs spécifiques et les modalités concrètes pour la formation permanente dans la province.

### D. Notes pour un contrat lorsque les novices ou les étudiants sont formés dans une autre province

vii.
1. Nom de la province d'affiliation (cf. LCO 267-268).
2. Nom de la province d'accueil.
3. Nom du frère.
4. Date de naissance.
5. Date de sa profession.
6. Copies des documents d'identité du frère ainsi que de son groupe sanguin et toute autre information médicale à signaler.
7. Parent à contacter en cas d'urgence.
8. Un rapport du conseil d'admission/maître des novices/maître des étudiants décrivant le caractère et les progrès du frère, et indiquant les points problématiques.
9. Durée de la période où le frère fera partie d'un programme de formation de la province d'accueil.
10. Confirmation que le régent des études de la province du frère est responsable de la supervision de son programme d'étude. Si cette supervision est effectuée par un frère délégué par le régent, il faudra donner le nom de ce délégué. Ce que la province désire que le frère étudie doit être communiqué clairement aux responsables de la formation intellectuelle dans la province d'accueil.
11. Un novice n'a qu'un seul maître des novices et un étudiant n'a qu'un maître des étudiants. Quand un frère est confié à une autre province, pour une partie ou pour toute sa formation, cela signifie que la province du frère a confiance

dans le programme de formation et le personnel de la province d'accueil (cf. LCO 162, 191-192, 196-198, 202, 206).

12. Indiquer combien de fois par an son provincial ou son régent des études rendra visite au frère (cf. LCO 340).

13. Indiquer à quel moment son provincial recevra de la part du maître des novices les deux rapports sur les progrès du novice (cf. LCO 185).

14. Indiquer à quel moment son provincial recevra de la part du maître des étudiants le rapport annuel sur les progrès du frère étudiant (cf. LCO 209, 214 §III).

15. Indiquer à quel moment son provincial recevra de la part du modérateur local des études le rapport annuel sur les progrès académiques du frère (cf. LCO 209).

16. Clarifier les droits et obligations qui vont de pair avec le type d'assignation que le frère a reçu (cf. LCO 208, 270 §§III-V, 271 §§III-V, 391.6, Appendice 16).

17. Indiquer où le frère va passer les vacances entre les trimestres académiques, surtout les fêtes de Noël et de Pâques, ainsi que la pause estivale.

18. Indiquer comment les placements pastoraux du frère doivent être organisés et qui en sera le directeur.

19. Indiquer quels sont les arrangements pour l'argent de poche *ad honesta* du frère et ses autres besoins financiers personnels.

20. Dire qui sera le responsable qui l'autorisera à avoir des dépenses extraordinaires.

21. Clarifier ce qui se passe quand le frère gagne de l'argent (cf. LCO 548.5, 600).

22. Clarifier la situation en ce qui concerne l'assurance maladie.

23. Indiquer combien de fois par an le frère rentrera dans sa province.

24. Ce contrat accompagne l'assignation du frère et ne la remplace pas.

# *RATIO STUDIORUM GENERALIS*

# *RATIO STUDIORUM GENERALIS* – 2017
## ENGLISH

**FRATRES ORDINIS PRÆDICATORUM**
CURIA GENERALITIA

Rome, 07 march 2017

*Prot. 50/17/123 Promulgation of the Ratio Studiorum Generalis*

**Letter of promulgation of the *Ratio Studiorum Generalis***

Dear brothers,

Study, preach and found convents! Just after the celebration of the Jubilee of the confirmation of the Order, it is in the dynamism of this renewed joy to be sent to preach the Gospel that I promulgate this new *Ratio Studiorum Generalis*.

We are sent, as disciples and seekers of God, to proclaim the Good News of the Kingdom of God which is near. Disciples, founding their lives on listening to the Word, finding their joy in the wonder of the mystery of a God who hears his people, and going to him to reveal in fullness the promise of the covenant and to fulfil it. Disciples who, day after day, based on a contemplative study of the Word and the tradition of the Church, seek tirelessly to discern the signs of the times beginning from the friendship that is offered to them by the One who is the way, the truth and the life. Seekers of God who, placing themselves in the school of their Lord, go to meet all those who seek the truth, entering into dialogue with them and studying with them, like the first brothers Dominic sent to the universities. « Thus our spirit ought to be open both to the Spirit of God and to the hearts of those to whom the word of God is being preached, so that it may obtain a communication of the light, the love and the strength of the Paraclete. Consequently, the brothers should learn to recognize the Spirit working in the midst of God's people, and to discern the treasures hidden in the various forms of human culture, by which human nature is more fully manifested and new paths to truth are opened » (LCO 99, § II). Yes, it is true, an Order may have been instituted for the purpose of study, because it is totally dedicated to the evangelization of the Word of God (LCO 1, § III).

This *Ratio*, of which the original and approved text is in English, replaces the one approved by brother Timothy Radcliffe in 1993. It is the fruit of an intense dialogue within the entire Order, and I would like to express here a deep gratitude for all those who have contributed to its development. Because it wants to support the Preachers in their vocation of

Convento Santa Sabina (Aventino)   Piazza Pietro d'Illiria, 1 – 00153 ROMA
☎ +39 06 57940 555 - FAX +39 06 5750675 - e-mail secretarius@curia.op.org

143

learning how to become servants of the mystery of Truth in this world, it places, at the heart of study, the Word of God. Guided by the long and fine tradition of study in the Order, from the great masters Albert and Thomas down to our contemporaries, it proposes a method which indicates both the demands of contemplative study and the way in which this study is essential to the full realization of the vocation of the preacher. Proposing fundamental principles common to all, it underlines both the importance that each particular province should translate these into its own cultural context and adapt them to the specific vocations of the clerical brothers and of the co-operator brothers, both united in the same dynamic at the service of evangelization. In this way the dialogue initiated in the development of this *Ratio* will continue, taking into account the intercultural reality of the Order today, as well as the complementarity of vocations within the Order, seeking always to establish a stronger « culture of study » which carries the preaching project. A culture that is both rooted in fidelity to the tradition of the Church, and gives courage for encounter and for dialogue with contemporary forms of knowledge, while learning how to deploy, in contemporary contexts, the proclamation of the Gospel in the friendship of fraternity.

Study, preach and found communities. In promulgating this *Ratio Studiorum*, I express once again the hope that it will help each of us, and each of our communities, to deepen and to express their joy in being preachers in the contemplative study of Truth.

**fr. Bruno Cadoré, O.P.**
Master of the Order

144

# FIRST PART

# THE INTELLECTUAL FORMATION OF THE BROTHERS

## Chapter I

### GENERAL PRINCIPLES

1. In our time, because of the many changes in the world and in the Church, as well as the complexity of new cultural situations, the Order of Preachers takes most seriously "the prophetic office by which the Gospel of Jesus Christ is proclaimed everywhere both by word and example" (Fund.Const. § V). In a comparable period of social change and intellectual ferment, Saint Dominic founded his Order of Preachers with the mission to study the Word of God unceasingly and to preach it with grace and joy. He intimately linked study to the ministry of salvation (LCO 76), and sent his brothers to the universities so that they could place themselves at the service of the Church by making this Word known and understood. Thus our Order, by virtue of its very title, shares in the apostolic task of penetrating more deeply into the Gospel and preaching it "with due consideration for the conditions of persons, times and places" (Fund. Const., ibid.).

2. The tradition of the Order stresses the need of the Preachers "to cultivate the inclination of human beings toward the truth" (LCO 77, § II). From the moment that he enters the Order, a Dominican embarks upon the search for truth. He is introduced to this quest when he arrives at the novitiate, proceeds with it through his years as a student, and remains committed to it during his years of active ministry and beyond. In this undertaking he comes to a deeper understanding of the world, of those around him, and of himself. In fact, he gradually recognizes that this pursuit of truth is no other than a longing for God, as St. Augustine said so well in the first lines of his *Confessions*. In seeking a truth that is objective, knowable, and real, with the help of God's grace he discovers the Trinitarian God who is Truth himself. He is able to seek God and attain him because he is able to seek and attain the truth. It can be said that the human being is *capax Dei* because he is also *capax veritatis*.

3. The truth is not a reality that one can possess or can claim as one's own. It is the goal or *telos* that draws one ever forward and leads one more deeply into its mystery. It would therefore be a mistake to define the truth too precisely or to limit the scope of the search too narrowly. A Dominican seeks the truth everywhere. Most likely it is in his personal prayer and in his

meditation upon the Sacred Scriptures that he first encounters the truth in all of its power and beauty; for it is in the silence of contemplation that he becomes aware of the One who is the source of all that is real. He comes to a deeper grasp of it in the celebration of the liturgy and in the life that he shares with his brothers, in his conversations at table, in his times of leisure, and in moments when he has the privilege to accompany another brother in illness, suffering, or personal crisis. He is transformed by the truth in his preaching, his teaching, and his service to the people of God. In the fidelity of the men and women whom he serves, in the integrity that he sees in their lives, in their weaknesses and failures, as well as in their questions, their struggles, and the challenges that they offer to him, he is made vulnerable to a richer and fuller experience of the truth. Illuminated and strengthened by the gift of faith, over time he comes to believe and understand more fully that the Truth which he has sought is no other than Our Lord Jesus Christ, who shares with the Father and the Holy Spirit the same divine life.

4. The search for truth leads directly to the study of *Sacra Doctrina*. It begins with the contemplation of the Word of God, it is nourished and sustained by the Word, and it culminates in our loving union with the Word. This Word, in which God shares himself in Sacred Scripture and in the Tradition of the Church, must always be the wellspring of a Dominican search for truth. In what God has revealed, and perhaps more importantly in whom God has revealed himself to be, a Dominican finds the certainty, the confidence, and the commitment to proceed with his quest. A brother learns to seek the knowledge of the natural and the social sciences, the wisdom of philosophy, and the lessons of history, especially the history of the Church and its reflection upon the Word of God over the centuries. He explores the truth through his study of dogmatic and moral theology. He encounters it through his reflection upon the sacraments and pastoral practice. In a particular way, he pursues the truth in the lives and thought of the great figures of our Dominican tradition, and most excellently, in St. Thomas Aquinas. By reading the signs of the times in the light of faith, he learns to understand and to share this life-giving word of Truth through the theology and practice of the art of preaching.

5. This encounter with the Word of God that deepens and grows over the course of his life invites the Dominican brother to use his reason, his understanding, and his ability to evaluate, to analyze, and to synthesize. When these gifts of human intelligence are elevated and brought to perfection by grace, they assist him more surely and more swiftly in his search for truth. This liberating and creative activity enables him to better grasp the current

crisis, where study is too often understood in terms that are functional and geared to specialization, without the time required for careful reading, serious reflection, and patient investigation of the sources. In many disciplines, including theology, there can be a facile appeal to authority or recourse to quick and simple answers. A sense of nuance is lost as rational discourse gives way to slogans, polemics, and ideology. The result can be a pluralism that tends toward relativism or a unity that becomes uniform.

6. In this situation, we are invited to propose a different model of study, another way to search for truth. The Order has as its patrimony a rich intellectual tradition that understands study as contemplative, synthetic, grounded in the real, and reliant upon reason informed by faith. It forever asks the questions "Is this true?", "Why is this true?", and "How is this true?" Ours is a philosophical, theological, and spiritual heritage that can offer clarifying perspectives and responses to perennial human questions as well as to the critical issues of our time. We must therefore maintain, promote, and continually develop this Dominican understanding of study, the fruit of which is expressed in our theology and philosophy as one of the Church's great "schools."

7. In the Order, there is a profound unity between our study and the other elements of our life. Our study as Dominicans cannot be separated from the fraternal life that we share, from the prayer we offer in our liturgical celebrations or in the silence of our hearts, from the mission of preaching and care of those who have been entrusted to us by the Church. All of this is related in the vocation of each brother, "in dulcedine societatis quaerens veritatem" (St Albert). This is why this *Ratio* must be understood in the broader framework of the *Ratio Formationis Generalis*, which gives the principles for all of Dominican formation. It is thanks to this vision of the *Ratio Formationis Generalis* that we can see how our religious life offers a suitable environment for our study, and how our study contributes to the actualization of our Dominican vocation.

8. Such study does not end with the completion of a Dominican brother's initial formation. The search for truth and the love of study will animate the life of a brother for the rest of his life. The truth will challenge him, will require his attentive listening to others, and will demand his own ongoing conversion so that he may witness to Jesus Christ, the Word made flesh, with deeper conviction, greater freedom, and fuller humanity. For some this will involve a commitment to higher or complementary studies. For every Dominican it will demand that he acquire the *habitus* of study, in which its

practice becomes constitutive of his life as a contemplative. It will be his responsibility to cultivate this *habitus* with the help of his community. But, as with all good things, his life-long formation in study and his desire to pursue the truth is a gift from God, part of the grace of his vocation.

9. And since "before all else, our study should aim principally and ardently at this time that we might be able to be useful to the souls of our neighbors" (Prologue, Primitive Constitutions), the brothers should remember that their life, dedicated to the search for truth, has a character which is truly apostolic. To apply oneself to assiduous study, as the purpose of the Order requires, is indispensable for our mission in the Church to preach the Gospel of Jesus Christ. A Dominican studies then in order that he may come to know the truth, that in knowing it he may love it, and that in loving it he may share it joyfully with those to whom he has been sent.

10. Every province, even one without students, must prepare a *Ratio Studiorum Particularis* (LCO 89-95, 226-244) that determines the specific program for organizing the intellectual life of the province, with the necessary guidelines for promoting the life of study of the brothers. The *Ratio Particularis* should be faithful to LCO, the General Chapters, this *Ratio Generalis,* and the directives of the local Church, taking into account the concrete cultural context that it must also address (cf. Appendix I).

Chapter II

THE PROGRESSIVE STRUCTURE OF STUDIES

### Section A
### Institutional Formation

11. It is for each province to determine the precise program of institutional studies for all brothers who are called to the preaching mission of the Order, whether as cooperator brothers or as deacons and priests. For brothers who will be ordained, the *Ratio Studiorum Particularis* must take into account the program of studies that the Church requires for them, including the content of studies, the duration of studies, the level of knowledge and academic competence to be attained, and the pastoral preparation that is needed. It will be especially important for the *Ratio Particularis* to make clear how these requirements of the Church will be satisfied within the framework of our

Dominican intellectual formation, which is the object of this *Ratio Generalis*. Likewise, for brothers who will contribute to the preaching mission of the Order as cooperator brothers, the *Ratio Particularis* must determine how they will receive their intellectual formation in philosophy and theology, based upon the same principles but responding to the specific needs of their distinct vocation. In this way the *Ratio Particularis* is to make sure that every brother in institutional studies will be able to participate fully in the life and mission of the Order and have a clear understanding of our intellectual tradition, as this is set forth below.

*Art. I. Goals, Principles, and Objectives*

12. Even as it nourishes contemplation and fosters the living of the evangelical counsels, our study is directed to the preaching of the Word of God and has this as its goal. During institutional formation every brother should develop a lifelong love of study that will assist him in assuming a clear identity as a Dominican preacher. Moreover, in the program of institutional formation preaching should be the principle that defines and unifies the curriculum.

13. To attain this goal institutional studies in the Order must clearly reflect the centrality of the Word of God, taking into account principally:
   1) Divine revelation, its transmission in Sacred Scripture and Tradition, and its relationship to theology, according to the Magisterium of the Church, particularly the teaching of the Second Vatican Council;
   2) Sacred Scripture, the methods for its interpretation, and its study, which should be "the soul" of our theology (*Dei Verbum*, 24);
   3) The sources of theology in the texts and monuments of the Tradition;
   4) The fundamental Importance of philosophy, especially in our Dominican tradition;
   5) A clear and accurate comprehension of Catholic doctrine;
   6) The teaching and method of St. Thomas Aquinas, including the significance of the Word of God in his theology, the reception of his work and its influence over the centuries, and the critical appropriation of his ideas;
   7) The liturgy of the Church and of the Order, which makes the Lord present in Word and in Sacrament;
   8) The value of human experience and the questions that it poses for a deeper understanding of the Word of God;
   9) The significance and practice of dialogue in Dominican theology.

14. The objectives of this institutional formation, which should be adapted to the specific vocation of those preparing either for ordained ministry or for service to the Order and Church as cooperator brothers, include the following:
1) To exhibit a clear grasp of the content and methodologies of the different theological disciplines;
2) To read and interpret texts comprehensively and critically;
3) To ask questions, to identify problems, to analyze them with appropriate tools, and to offer solutions;
4) To form critical judgments reliably;
5) To make connections within a discipline and across disciplines;
6) To acquire the competences necessary for evangelization, including those relating to public speaking or identified with modern methods of teaching and homiletics;
7) To develop skills for listening, for dialogue, and for working with others, including the proficiencies needed for forming and building up communities;
8) To acquire the ability to use digital technologies in research, preaching, and pastoral activity;
9) To attain a good level of oral fluency in a foreign language, especially one of the official languages of the Order, in order to foster its international character;
10) To construct a personal synthesis and to create an intellectual framework where different theological and philosophic perspectives, social, economic and political realities, and pastoral experiences, can continue to be integrated throughout a brother's life.

*Art. II. Methodology*

15. These goals and objectives are attained through:
1) At least a six-year cycle of studies, which should be adapted to the specific vocation of the brother, his previous studies, and his need for an integrated and full institutional formation as a Dominican preacher:
   - 2 years of philosophy,
   - 4 years of theology;
2) A clear, accurate, and engaging presentation of the different disciplines:
   - With the study and use of primary sources, in preference to textbooks and manuals,
   - With teaching materials that are regularly revised in light of current scholarship,
   - With bibliographies and course syllabi,

- With digital media and other new forms of technology, where this is possible,
- With the opportunity to engage in inter-disciplinary studies,
- With reference to other academic fields, various pastoral situations, and current cultural realities;

3) A pedagogy that is student-centered, reflecting the spirit of inquiry found in the medieval *disputatio*:

- With a dynamic classroom environment,
- With awareness of the local culture and global context from which the questions of students emerge today and with a desire to engage these perspectives meaningfully,
- With opportunities for the students to assist one another in their mastery of the material,
- With professors who are available to students both in the classroom and outside of it,
- With academic requirements that demand critical thinking and research, and not mere memorization;

4) The promotion of common study and research:

- With professors establishing collegial relationships with one another through the sharing of research and ideas,
- With students studying together and working together on research projects,
- With professors and students forming a community of study and mutual learning,
- With the creation of academic networks that extend beyond the center of studies;

5) The use of appropriate instruments of assessment:

- With a view to authentic intellectual formation and not merely the completion of course credits or academic requirements,
- With methods of evaluation that seek to determine whether a synthetic understanding of the material has been acquired,
- With a comprehensive examination at the end of institutional studies, which is proper to the Order, that will evaluate the student's global understanding, personal integration, and synthesis of the different fields of theology, while allowing for necessary adjustment when students study in a center outside of the Order in which such an examination is already required.

## Art. III. Dominican Intellectual Tradition: Areas of Competence

16. In addition to his knowledge and understanding of theology generally, every brother must be familiar with the contents of the intellectual tradition of the Order. This includes not only brothers who are studying for ordained or lay ministry in centers of institutional studies of the Order but also those who are pursuing their studies in academic centers outside of the Order. The *Ratio Studiorum Particularis* must make clear how the intellectual tradition of the Order is to be transmitted to all brothers in institutional formation in each of the following areas:

17. *The Word of God.* As preachers of the Word of God, our brothers must have a firm foundation in Sacred Scripture. Their formation must include the rigorous study of the human word of the sacred author in its historical, cultural, linguistic, and literary context, as well as the theological meaning that is derived from the text, in keeping with the interpretation and teaching of the Church, so that it is the very Word of God which nourishes our brothers and is proclaimed by them as the authentic and living Gospel.

18. *Philosophy.* The Order has always valued the study of philosophy and recognized its proper autonomy from theology, even as the latter helps to make philosophy more fruitful. Not only does philosophy offer an explanation of reality through the use of reason, it gives principles for understanding and organizing our knowledge of reality, as well as the grammar for rational discourse with others. In addition to providing an intellectual framework for the understanding of the Catholic faith, as expressed in *Fides et Ratio* and the Acts of the General Chapter of Providence (ACG Providence 2001, 118 and 119), philosophy serves as a vehicle for dialogue by engaging other cultures, religious beliefs, and intellectual positions. For this reason there should be at least two years of study in this discipline, preferably more, with the attainment of a baccalaureate or license. Along with this study of philosophy, our brothers should acquire knowledge of the content and methodologies of the social sciences, such as history, psychology, sociology, and cultural anthropology.

19. *The History of Theology.* Not only must our brothers study Church history, they must be acquainted with the important texts from the tradition, patristic, medieval, and post-reformation, which have shaped the history of theology. In a special way, our students should be familiar with the history of Dominican theology and the contribution of the doctors, St. Albert the Great, St. Catherine of Siena, and St. Thomas Aquinas, the last of whom they

must study critically, making the necessary distinctions between his time and ours, so that they might understand his method and significance for Catholic theology.

20. *The History of the Order.* Our brothers must learn about the history of the Order, not simply its intellectual history, but also the religious and spiritual history that has helped to make the theological tradition of the Order so rich. This study should consider the great figures of our past, including brothers and sisters who have witnessed in recent times to a living and robust Dominican theology.

21. *A Dominican Theological Vision.* Arising from the insight of St. Dominic that study should be linked to the ministry of salvation (LCO 76) and developed by those in the Order who have followed him, especially St. Thomas Aquinas, our "best teacher and model" (LCO 82), there is a Dominican vision of theology with its own dogmatic, moral, spiritual, and pastoral emphases. Placed within a framework of wisdom, this philosophical and theological perspective considers God in himself and all things in relationship to Him as their beginning and end. For those who learn and experience the divine (*discens et patiens divina*), all things become worthy of theological inquiry and are made suitable for preaching. By its wish to engage all that is real, a Dominican approach can be said to interpret the signs of the times. It insists upon the fundamental unity, intelligibility, and meaning of creation, the dignity of the individual in his concrete and historical situation, and the goodness of the world, which, despite its suffering from the effects of sin, is sustained by a provident God who is infinitely knowable and infinitely loveable. It recognizes that human beings, who have been made in God's image and likeness and who have been restored by his grace, have the capacity to know God and to love him, the one who is Truth and Goodness himself. It emphasizes the centrality of Our Lord Jesus Christ in this process, whose saving life, death, and resurrection enables humanity to attain God through Christ's continuing presence in his Church. It affirms a vision of the moral life, where, by the practice of the virtues, especially those that have been informed by grace, humanity can arrive at true happiness and participate in God's own divine life, the shared life of the Trinity.

22. *The Dynamics of Dialogue.* In the intellectual tradition of the Order, dialogue with one another, with other people, and with other communities has a significant place. Students must learn the skills necessary for dialogue with other Christian churches, with the great religious traditions of the world, with contemporary culture, and with modern science. They must have

opportunities for interdisciplinary studies and for exploring other academic fields and systems of knowledge. Within this dynamic of dialogue our brothers must develop the ability to make connections between theology and actual pastoral situations and to recognize the reciprocal relationship between them.

23. *Preaching.* Our preaching should be informed by our study of the Word of God, our knowledge of theology, and our attentiveness to the world in which we live. Dominican preaching, therefore, should be the culmination of all that has preceded it. Our brothers must study the theology of preaching and homiletics and receive guidance in its practice so as to become compelling preachers of the Gospel.

## Section B
## Additional Studies and Complementary Studies

24. Additional studies are valuable to the brothers and to their provinces, providing greater expertise for their apostolic work, useful credentials, and more flexibility for the mission. For this reason all brothers are to pursue two additional years of study after institutional formation has been completed. These studies are intended to help brothers to broaden their knowledge of a given field or to develop greater competence in the pastoral or administrative realm. Some brothers may satisfy this expectation of the *Ratio* by following a formal program of complementary studies, resulting in a master's degree, a license, or a doctorate.

25. Although the desire, personal initiative, and capacity of a brother to follow a particular course of additional studies or a program of complementary studies should always be considered, it must be remembered that such studies are to promote the common good of the province and the Order. The province therefore will determine the future requirements of its centers of study, its other academic commitments, and its administrative and apostolic needs according to a provincial plan (LCO 107). Likewise, it is the province, rather than the brother himself, that will assess these needs; and it is the province that will call him to a particular program of additional or complementary studies. With the commission for the intellectual life, the regent of studies will identify brothers for different kinds of future study. In consultation with the prior provincial, the regent will meet with the brothers and present them with a program of studies, after which the provincial will give his final approval. With regard to complementary studies, the provincial, together with the regent, will take into account a brother's age, maturity, and

ability for engaging in such studies, as well as the length of time needed to complete them. A brother called to such studies will make a commitment to his province to complete the program by obtaining the degree requested of him within an agreed period of time.

26. A brother may prepare for complementary studies while he is engaged in institutional formation, but he should not generally begin such studies formally until institutional formation has been completed (LCO 244 §II). Although it is always necessary to take into account pastoral formation for our brothers, and the immediate needs of the province, it is advisable not to delay the commencement of complementary studies by more than two years, especially when the conferral of the doctorate is envisaged.

27. As in all things, complementary studies are for the mission. A brother must be prepared to use his academic degree for the intellectual apostolate in which he has been formed. Major superiors should therefore take care to maintain, as much as possible, coherence between a brother's studies and the mission that he has been asked to undertake (cf. n° 75, 1). Nevertheless, even a brother with a doctorate is to remain available for other service to the province, when the mission requires this of him.

### Section C
### The Place of Study in Permanent Formation

28. Just as the human, spiritual, and pastoral growth of a brother does not end with the completion of his initial formation, so his intellectual formation does not conclude with institutional studies (cf *Ratio Formationis Generalis* 2016, Part IV, nn. 171-200). Since the *habitus* of study is integral to the vocation of a Dominican, every brother must cultivate it throughout his lifetime, in light of the specificity of his vocation.

29. The responsibility for developing the *habitus* of study belongs first to the brother, then to his local community, and finally to the province.

I. On the part of the individual brother, it requires both the time for serious study, which is free from other ministerial responsibilities, and the will to pursue this form of contemplation, which has an ascetical and graced character. Like the other elements of our vocation, the desire to study is a free gift from God and an essential aspect of our life (LCO 83).

II. The local community should also seek to deepen its commitment to study. In this effort the prior of the convent, assisted by the conventual lector, should provide opportunities for shared study, which the lector will organize (LCO 88 §§ I and II).

III. At the level of the province, the prior provincial, assisted by the promoter of permanent formation, has the responsibility for the permanent formation of the brothers (LCO 89 §§ I and III; 251-ter). To the extent that it concerns study, this responsibility is shared with the regent of studies and the commission for the intellectual life (LCO 93 §I.3). In consultation with the regent, the promoter should decide what shall be proposed to the provincial with regard to the promotion of study in the province.

# SECOND PART

# THE ORGANIZATION OF STUDIES

## Chapter I

### LAWS GOVERNING STUDIES IN THE ORDER

30. In the Order studies are governed by:
   1) the laws and decrees of the Church as these pertain to study;
   2) the particular laws of the Order, as these are found in LCO, the Acts of General Chapters, the ordinations of the Master of the Order, the *Ratio Studiorum Generalis* (RSG), and the *Rationes Studiorum Particulares* (RSP).

31. The *Ratio Generalis* provides the fundamental principles for doctrinal unity and the organization of studies throughout the Order. It assists the centers of higher studies in their intellectual mission and guides the preparation of the *Rationes Particulares* of the provinces.

32. The RSP specifies in detail the broad provisions of the RSG, taking into account the unique needs of the province, the requirements of the local Church, and the questions arising from the social, economic, cultural, and intellectual milieu in which the brothers carry out the mission of the Order. Therefore each RSP will give its own emphasis to such topics as ecumenism, inter-religious dialogue, the sociology of religions, and the phenomena of secularization, fundamentalism, and globalization.

33. The RSP is binding upon the province in the same way that the RSG is binding upon the Order. Specific elements of the RSG that the RSP must address are contained in Appendix I, LCO 91 §IV, 92-bis §III, and 237 §I. The RSP is prepared as follows:

I. The commission for the intellectual life proposes a draft of the RSP to the council of professors of the center of institutional studies for its review, as well as to other centers of study in the province if this is deemed advisable. The RSP is then revised and presented to the prior provincial and his council for their consideration of the text.

II. Having received the opinion of the commission for the intellectual life and the opinion of the council of professors, the prior provincial, with the vote of his council, presents the RSP to the Master of the Order (LCO 89 § II.2, 231.5). After approval by the Master, the commission for the intellectual life is responsible for the implementation of the RSP.

34. It is recommended that provinces in the same region, especially those with cultural affinities, work together in the preparation of either their individual *Rationes Studiorum Particulares* or a common *Ratio Studiorum Particularis.*

35. In provinces where the brothers follow all or part of their institutional studies in a center outside of the Order, the RSP should include the academic program of this center and should delineate clearly the following:
   1) the statutes of the center of institutional studies of the province, so long as the requirements of LCO 91 § II can be satisfied;
   2) the courses, conferences, and other means used to present the intellectual tradition of the Order to brothers who are studying outside of it (nn° 16-23);
   3) the manner in which the intellectual tradition of the Order will be integrated into the actual program of studies of the students.

Chapter II

THE ORGANIZATION OF STUDIES IN THE ORDER

**Section A**
**Those Responsible for Study in the Order**

36. Keeping in mind the provisions of LCO and common law, the Master of the Order is responsible for the organization of studies in the whole Order so that its mission of preaching may respond to the needs of the Church and people of our time (LCO 90 § I and 230).

37. In fulfilling this charge of promoting study in the Order, the Master of the Order is assisted by the socius for the intellectual life who works to strengthen the Order's commitment to study. In addition to the responsibilities outlined in LCO 427 §I, the socius for the intellectual life is:

1) To develop a vision of study for the Order that keeps in mind the needs of individual provinces, as well as the good of the whole Order;
2) To provide guidance to the centers of institutional studies;
3) To improve communications among provinces by building networks among regents of studies, professors, and students, as well as the various centers of studies in the Order, through informational technology and social communications media;
4) To advise the Master of the Order when doctrinal controversies are presented to him (Appendix III).

38. The Master of the Order is also assisted in this task by the permanent commission for the promotion of studies in the Order (LCO 90 § II). Under the presidency of the socius for the intellectual life, the permanent commission for the promotion of studies has among its responsibilities:
1) To advise the Master of the Order on important questions that concern the intellectual life of the Order;
2) To develop strategies that will respond to the future intellectual needs of the Order;
3) To seek ways to better allocate the resources of the Order as these pertain to the intellectual life;
4) To work with priors provincial, regents of studies, and moderators of centers of studies to strengthen provincial centers of study;
5) To assist the Master of the Order in renewing the institutions under his immediate jurisdiction, especially by working with the priors provincial and regents of studies to prepare brothers for positions on these faculties;
6) To foster regional collaboration among the provincial centers of study in the Order;
7) To reflect upon the *quaestiones disputatae* of our time and to recommend the study of such issues to brothers who are experts in the field, so that their research can serve the preaching of the Order;
8) To assist in the preparation of the *Ratio Studiorum Generalis*.

39. Because of their competence in the sacred sciences, the masters in sacred theology also contribute to the mission of study in the Order through their teaching and the theological expertise that they possess (LCO 96). Not only does the Order recognize the great value of their scholarly achievements, it sees the masters in sacred theology as compelling witnesses to the pursuit of truth and to the importance of contemplative study for our mission of preaching. By their commitment to the highest level of theological discourse,

exchange, and research, they place themselves at the service of the Order, which may request the masters in sacred theology:

1) To offer guidance to the Master of the Order on theological or philosophical questions that touch the intellectual life of the Order and the Church;

2) To participate on commissions established by the Master of the Order for strengthening the intellectual life of the Order;

3) To provide an expert opinion on candidates who have been presented to the Master of the Order for promotion to master in sacred theology;

4) To serve on commissions organized by the Master of the Order or by their prior provincial in order to address controversial statements that have been made by one of the brothers (Appendix III);

5) To offer counsel to the prior provincial or to the regent of studies on matters that concern the intellectual life of the province;

6) To give advice to the commission for the intellectual life.

## Section B
## The Different Centers of Study

40. In the Order there are centers of studies, which are communities of brothers who devote themselves full-time to the discipline of study. A center of studies must have at least three brothers with the necessary academic qualifications, an adequate library and other educational resources, as well as sufficient financial support to fulfill its mission (LCO 91 § II). According to LCO 92, the principal centers of study are:

1) A center of institutional studies, which is a community of professors and students of the Order, in which others may also participate, where basic studies (the first cycle) in philosophy and/or theology follow the plan of institutional formation for the Order (cf. LCO 92.1°) and where the lectorate of the Order may be conferred;

2) A center of higher studies, which is a community of professors and students of the Order, in which others may also participate, where academic programs, leading at least to the degree of the license (*licentia docendi*), the degree for the second cycle, are provided (LCO 92.2°);

3) A center of specialized studies, which is a community of brothers committed to research, writing, and to particular academic projects, but not necessarily to teaching (LCO 92.3°);

4)  A center of permanent formation, which is a community of brothers dedicated to research, writing, and the preparation of programs directed permanent formation (LCO 92.4°).

41. The process for appointing the moderator of a provincial center of studies is determined by provincial statute. Other major officials of the center may be appointed as specified in the statute of the center.

42. The moderators of centers of institutional studies and of higher studies should strive to obtain both ecclesiastical and civil recognition for the academic degrees conferred by their centers, where this is possible.

Chapter III

THE ORGANIZATION OF STUDIES IN THE PROVINCE

**Section A**
**Those Responsible for Study in the Province**

43. Just as every brother has the responsibility to undertake his own formation in the tradition of the Order, so every brother has the duty to apply himself to study, especially to a deeper understanding of the Word of God. In this effort he is assisted by the brothers of the province, including the prior provincial, the regent of studies, and the commission for the intellectual life. At the conventual level, the prior and the conventual lector share this responsibility.

44. Among his principal responsibilities, the prior provincial is to foster the spirit and practice of study among the brothers. In addition to the tasks listed in LCO 89 § I, it is for the provincial:
   1)  To instill, by his own example, a love of study among the brothers;
   2)  To oversee the planning of the future intellectual needs of the province, including the preparation of brothers for the apostolate of teaching;
   3)  To provide oversight and adequate resources, including a sufficient number of professors, for the maintenance and future development of the center of institutional studies and other centers of studies in the province;

4) To appoint an academic advisor or team of advisors for the students in the center of institutional studies so that their institutional formation may be integrated and complete;
5) To see that communal study occurs regularly in the convents of the province;
6) To take care that the pastoral plan of the province does not prevent the brothers from finding time for study;
7) To participate in efforts, together with the regent of studies, the socius for the intellectual life, and the Master of the Order to provide for the intellectual needs of the whole Order, especially the institutions under the immediate jurisdiction of the Master.

45. In this work, the prior provincial is assisted by the regent of studies, whose task it is to promote and coordinate the life of study in the province. In addition to the responsibilities outlined in LCO 93 § I, the regent seeks:
1) To plan, in close connection with the prior provincial, the intellectual life of the province;
2) To work with the regents of his region in developing strategies for sharing professors, facilities, and academic resources in order to strengthen the intellectual life of the region;
3) To identify students for programs of additional studies and for complementary studies and to assist them in the application process for such studies, including possible scholarships and other funding;
4) To oversee the progress of students in complementary studies, to see that they have adequate resources for their studies, and to conduct fraternal visitations when this is necessary;
5) To see that there are regular external evaluations by the state or by an accrediting body for the center of institutional studies.

46. The prior provincial is also assisted in this task by the commission for the intellectual life, which provides guidance on questions pertaining to the life of study in the province. Under the presidency of the regent of studies, the commission has various responsibilities (LCO 89 §II), as well as the following:
1) To offer a vision for the intellectual life of the province;
2) To assist the prior provincial and the regent of studies in planning the intellectual life of the province according to its apostolic priorities;
3) To recommend those brothers who should pursue programs of additional or complementary studies;

4) To work with priors and conventual lectors in developing programs for study, including those that will strengthen the quality of communal study in the convents of the province;

5) To give advice to the promoter of permanent formation, especially on issues that concern study.

47. At the level of the convent, the prior seeks to encourage the brothers in their commitment to study (LCO 88 § I and II). With the assistance of the conventual lector he organizes regular meetings on topics related to study, including theological questions with direct relevance to pastoral practice and ministry. Similarly, with the assistance of the conventual librarian and the conventual lector, he makes sure that the budget of the library is adequate for acquiring up-to-date reference materials, especially on preaching, evangelization, and the study of the Word of God.

48. In the convent, there is a conventual lector. Just as the prior receives guidance from the promoter of permanent formation with regard to the overall permanent formation of the brothers in the convent, so the conventual lector looks to the regent of studies on matters that touch directly the life of study in the convent. The responsibilities of the conventual lector include the following (LCO 326-bis):

1) To assist the prior in the permanent formation of the brothers (LCO 251-bis);

2) To promote communal reflection on contemporary questions relating to theology, Church teaching, and pastoral concerns, including those presented by the provincial chapter;

3) To encourage the brothers in the convent to attend workshops and courses offered by the diocese, local universities, and other centers that will enable them to serve the mission better;

4) To implement in the convent the recommendations of the commission for the intellectual life that have been confirmed by the prior provincial;

5) To foster a spirit of common and individual study among the brothers so that the convent becomes a true center for religious, pastoral, and theological reflection.

## Section B
## Institutional Formation within the Order

*Art. I. Centers of Institutional Studies*

49. The Order recognizes the value of forming our brothers in the Dominican intellectual tradition where they teach and learn from one another in a true community of study. For this reason, the institutional formation of our brothers in a center of studies of the Order is to be preferred. Such formation may take place either in a center of studies of the province or in a center of another province. In either case, the first concern must always be the quality of the formation that our brothers receive, including its human, spiritual, religious, and apostolic dimensions.

50. When institutional formation occurs within the Order, it will be in a center of institutional studies where the brothers pursue their basic studies as part of their initial formation.

51. In the event that a center of institutional studies must be divided, for example with different disciplines or cycles taught in separate locations, recourse should be made to the Master of the Order (LCO 230.1°). The organization and structure for such a center will be outlined in the RSP or in the statute of the center of institutional studies.

52. A center for institutional studies must be viable academically, materially, and financially. There must be an adequate number of students and professors, with at least three brothers having the necessary academic quali-fications, sufficient space for classrooms, a good library, and the necessary financial resources (cf. LCO 91 §II).

53. Just as the establishment of a center for institutional studies must have the approval of the Master of the Order, so also must its transfer or suppression have the approval of the Master.

54. Although every province should have a center of institutional studies (LCO 233 §I), it may happen that a province is not able to satisfy the requirements for such a center (LCO 91 §II) or that it makes the decision to send its students to a center of studies that is not connected to the Order. In such cases, the province should provide courses or seek to establish an institute where professors of the Order might offer part of the curriculum in philosophy and theology according to our Dominican intellectual tradition

(nn° 16-23), engage in research, serve as role models for the students, and stimulate the intellectual life of the province.

*Art. II. Governance of Centers of Institutional Studies*

55. Apart from the authority of the Master of the Order, the responsibility for the governance of a center of institutional studies belongs to the prior provincial and his council. The manner in which this responsibility is exercised shall be outlined in the RSP or in the statute of the center of institutional studies, taking into account LCO 237. It may be carried out in different ways through governance structures appropriate to academic institutions in the region, including a board of directors composed of Dominican brothers and lay experts, who together assume the ordinary powers of governance.

56. The administration of the center of institutional studies is entrusted to a moderator, who is appointed according to the process outlined in the provincial statute or the RSP, taking into account LCO 92 bis §I and LCO 236. He has the charge of implementing the decisions that he receives from a higher authority, especially the governing body of the center. At the same time, he possesses the necessary executive authority to direct the center and to promote its mission, with the responsibility for its strategic, administrative, academic, and financial management, as these are set forth in the RSP, the provincial statute, or the statute of the center of institutional studies. The moderator is:
1) To address questions of strategic planning;
2) To make sure that there are adequate facilities, resources, and staff for the good management of the center;
3) To support and assist the professors in their teaching and in their professional development;
4) To review the academic performance of the professors, including the quality of their research, through an annual meeting with each of them;
5) To observe the standards of academic accreditation required by the country or region where the center is located;
6) To prepare an annual budget and financial reports for approval by the prior provincial;
7) To promote the mission of the center of studies through frequent communications, recruitment of new students, and fund-raising.

57. Because the responsibilities of the regent of studies and the moderator of the center of institutional studies can sometimes converge, the RSP should clarify the relationship between these two officials of the province. The RSP may also wish to determine how the obligations of the master of students for the formation of brothers in institutional studies are to be understood in relation to those of the regent and moderator (see also *Ratio Formationis Generalis* 2016, n. 142).

58. In fulfilling the responsibilities outlined in n° 56, the moderator is assisted by the major officials of the center of studies, who with him form the *moderatorium* (LCO 92-bis § II). Ordinarily, these major officials include a vice-president or vice director of the center, a general-secretary or registrar, and a financial officer or administrator.

59. The academic oversight of the center of institutional studies is shared with a council of professors, of which the moderator is the president. The council of professors assists the moderator by offering advice and providing counsel, especially on academic matters. This council should promote everything that pertains to study, keeping in mind always the integral formation of the brothers (LCO 237 §I). The council is:
   1) To maintain and foster the Dominican intellectual tradition in the center;
   2) To organize the cycle of institutional studies and to approve the curriculum;
   3) To assess the diligence and progress of the students in their studies;
   4) To help each student discover his talents and to determine how these may be developed through additional or complementary studies, which it may recommend to the prior provincial and to the regent of studies;
   5) To review the RSP that is proposed by the commission for the intellectual life and to make observations and suggestions with regard to it.

60. The council of professors may be co-extensive with the council of the faculty or it may be a separate academic body. Membership on the council of professors, including the participation of those who are not Dominican brothers, shall be determined by the RSP.

*Art. III. The Library for the Center of Institutional Studies*

61. Although new networks of communication have arisen and there are many possibilities today for the storage and retrieval of data, the library nevertheless remains an indispensable resource for research and study. The library must contain the reference materials, periodicals, and monographs required for serious academic endeavors. At the same time it must make available to professors and students up-to-date information technologies that will enhance this research.

62. The librarian of the center of institutional studies should be appointed according to the procedures found in the RSP, the provincial statute, or the statute of the center. In fulfilling his charge, the librarian should be assisted by others who form a library committee, the membership and responsibilities of which should be set out in one of the preceding documents.

63. Taking into account the financial circumstances of the center of studies as a whole, the moderator and the librarian for the center must see that the library has an adequate budget for maintaining the kind of reference materials necessary for research today.

64. In order to use the resources of the library to their greatest advantage and to promote a culture of research, the librarian should look for concrete ways to collaborate with other libraries, including those that are not connected to the Order. By establishing networks, there can be great mutual benefit through the shared use of limited and costly resources.

*Art. IV. Institutional Formation within the Order but Outside the Province*

65. When a province sends brothers to the center of studies of another province, their institutional formation is to be directed by the moderator of their province's center of studies or by the regent of studies of their province as determined by the RSP, taking into account (LCO 233 §I). In cases where there is no center of institutional studies, this responsibility falls directly to the regent. (See *Ratio Formationis Generalis* 2016, Appendix D, "Notes for a contract when novices or students are formed in another province.")

## Section C
## Institutional Formation outside the Order

66. In some provinces and vicariates, brothers are sent for their institutional formation to a center of studies that does not have a formal connection to the Order. When considering this possibility, the prior provincial with his council should consult the Master of the Order and should take into account he following:
   1) the needs of the province, especially those that are intellectual, ministerial and economic;
   2) the ability of the province to establish a center of institutional studies with a strong academic program;
   3) the geographic and cultural affinity of the center of studies to which the students would be sent;
   4) the kind of intellectual formation and the quality of the programs that such a center would offer;
   5) the value of collaboration with a university, a diocese, or other religious communities in a center outside the Order;
   6) the necessity of insuring that the brothers are formed in the intellectual tradition of the Order.

67. If a decision has been reached to send students to a center of studies that does not belong to the Order, the prior provincial and the regent of studies must make certain that the Dominican intellectual tradition, as found in this *Ratio Generalis* (nn° 16-23), is fully presented to the brothers as part of their institutional formation. The RSP should include the plan of studies of the center to which the students are sent and should also indicate clearly the manner in which the intellectual tradition of the Order will be passed down to our students (n. 54). Moreover, the regent should see if it is possible for qualified Dominican professors to assume positions on the faculty of the center, especially in the fundamental disciplines.

68. If students study outside of the Order, the prior provincial and the regent of studies should take care that they are assigned to a convent where there is access to a good library and other resources needed for academic research.

69. When a center of institutional studies exists in the province, but brothers are sent for at least part of their institutional formation outside of the Order, either the moderator of the center of institutional studies or the regent of studies has the responsibility for their academic program, as determined by the RSP, but taking into account LCO 233 § I. When a center of institutional

studies does not exist in the province, this responsibility belongs to the regent or to a brother designated by the prior provincial according to the RSP.

## Section D
## Professors and Students

*Art. I. Professors*

70. Professors in centers of study of the Order should be models of the Order's commitment to the intellectual life. They should adhere to the highest professional and academic standards that are expected of their colleagues elsewhere. They should be experts in their disciplines, committed to research and publication, and informed about new forms of pedagogy. They should also exemplify the dynamic relationship between scholarship and pastoral practice by engaging in some ministerial activities outside of the center (LCO 239).

71. Professors in centers of institutional studies should hold the doctorate.
   1) In instances where professors of philosophy and theology in such centers do not hold the doctorate, they must at least possess the canonical license or its equivalent.
   2) For the teaching of such courses as biblical languages, homiletics, and liturgical or pastoral *practica*, an appropriate qualification and expertise in the discipline is needed.

72. Professors must be committed to their own professional development through research and publication in peer-reviewed journals, through membership of academic societies, and through active participation in conferences where they regularly present papers. Professors must also acquaint themselves with and utilize the new information technologies, like electronic publishing, that are transforming academic life.

73. Professors should seek opportunities to work with brothers of their own province and other provinces, to share research with them, and to participate together in academic conferences and symposia.

74. Professors should contribute to the intellectual growth of their students by teaching and learning from them in a spirit of mutuality, by encouraging critical thinking among them, by providing them with both a coherent and dynamic vision of philosophy and theology, and by sharing with them their own love of study.

75. Priors provincial and moderators of centers of studies, especially centers of institutional studies, must recognize the unique character of a professor's intellectual formation.

   1) Provincials must proceed carefully before they relieve a professor of his charge of teaching at a center of studies for the sake of some other ministry or responsibility, including one of administration or government (cf. n° 27).

   2) Moderators must recognize the importance of specialization and the need for original research on the part of professors. They should therefore not transfer professors from teaching in one discipline to another without a serious reason.

   3) Moderators must provide professors with sufficient free time in the academic year for research, for revising their courses, and for improving their teaching.

   4) Moderators should also make available sabbatical time for professors to undertake defined writing projects, with adequate funding for such research.

76. Professors should engage in periodic self-reviews of their teaching and research, as well as in evaluations made by the moderator of the center of studies, according to the provisions of the RSP or the statute of the center of studies. Strengths and weaknesses in teaching and research, as well as the professor's overall contribution to the center, should be identified as part of this process. Where there is a serious need for improvement, this should be duly noted, with the understanding that the professor's continued presence as a member of the center will require that these concerns be appropriately addressed by him.

*Art. II. Students*

77. Because a center of institutional studies is a community of professors and students, students should contribute to the common good of the center through their active participation in its academic life. In particular they should commit themselves to study and to mastering the material that is presented. To make clear what is expected of them, it may be helpful to prepare a student handbook that addresses such questions as personal responsibility, academic honesty, and ethical standards that are proper to students.

78. As integral members of the center of institutional studies, the Dominican brothers who study there should be consulted as part of the process for selecting a moderator for the center of studies.

79. When a student is sent to a university for special courses during the period of his institutional studies, those responsible for his formation, especially the regent of studies, the moderator of the center of studies, and the master of students, should make certain that such a university program does not interfere with the institutional formation of the student and his overall formation as a Dominican brother (see LCO 243).

Chapter IV

INTER-PROVINCIAL COOPERATION

80. Because the Order is international, indeed world-wide, provinces should seek creative ways to collaborate with one another in the promotion of the intellectual life. Not only does such cooperation enrich the quality of research and the level of teaching, it strengthens the fraternal bonds among provinces, institutions, and individual brothers. Moreover, it broadens the intellectual horizons of those who participate and provides an experience of the vigor and diversity of the Order. For this cooperation to be fruitful, however, priors provincial, regents of studies, moderators of centers of studies, and professors will have to commit themselves to this vision and work together for its realization.

81. The regents of studies in the different regions of the Order should meet regularly with the socius for the intellectual life to propose programs and activities that promote mutual exchange among the provinces. The regents should review regularly the quality and effectiveness of this academic collaboration. Forms of inter-provincial cooperation include the following:
   1) Joint research projects that are undertaken by Dominican scholars from different provinces;
   2) Academic conferences and symposia that are sponsored by more than one province;
   3) Seminars and summer sessions that rotate from province to province;
   4) Regional workshops on permanent formation for the brothers, in consultation with the respective promoters of permanent formation.

82. Cooperation among the centers of institutional studies in the Order should be encouraged. The moderators of these centers should aim:
1)   To establish projects in common, such as academic conferences, lecture series, and research networks;
2)   To exchange professors and students, as well as library materials, information technology and practical expertise;
3)   To provide courses or programs in Dominican studies that would benefit students from a number of centers;
4)   To offer workshops on permanent formation for brothers of the same region;
5)   To give students from different centers the opportunity to obtain canonical degrees;
6)   To develop distance-learning or web-based programs where students in centers outside of the Order could study in a center of institutional studies.

83. With the support of the priors provincial and regents of studies of their respective provinces, the centers of institutional studies in a given region should seek to develop one-semester or one-year programs in Dominican studies for their brothers in institutional formation. In developing such programs, preferably in one of the official languages of the Order (cf. n° 14.9), care should be taken that the courses may be incorporated into the *curricula* of the participating centers. The program could include the following:
•   The contribution of the Dominican doctors of the Church,
•   Modern Dominican theologians,
•   Dominican spirituality,
•   The history of the Order,
•   The importance of the liturgy for Dominican life and preaching,
•   Theology of preaching and homiletics.

84. In regions where it is not possible for provinces to maintain centers of institutional studies, the provinces may wish to establish collaborative structures to provide for the Dominican intellectual formation of the brothers (nn° 16-23). Over a period of several years, various elements of our Dominican tradition could be offered in different provinces, especially in the time between formal academic sessions.

85. Priors provincial, regents of studies, and formators should help the brothers in institutional formation to broaden their understanding of Dominican life and study. When it is feasible, provinces should arrange for

brothers to study for a year at a center of institutional studies of another province. In order to facilitate this movement of students among the provinces, centers of institutional studies should seek to establish agreements for mutual recognition of courses. Where possible, this should include civil recognition of courses taken by a student outside of his province.

86. In order to improve the fluency of our students in foreign languages, to provide them with a different theological perspective, and to deepen the cooperation among provinces, the centers of institutional studies may wish to invite professors from different regions to offer courses to the students in a language of the Order other than their own (cf. n° 14.9).

87. At the request of the respective priors provincial, the Master of the Order may establish an interprovincial center for institutional studies under the authority of a single moderator. The rights and obligations of the different provinces in the governance of the center should be set forth in the RSP of the province to which the center belongs or in a separate agreement approved by the Master (LCO 391.4°).

88. In order to form our brothers in the Dominican tradition of study, collaboration should be encouraged with the institutions under the immediate jurisdiction of the Master of the Order, especially the University of St. Thomas Aquinas in Rome, the *École biblique et archéologique française* in Jerusalem, and the faculty of theology at the University of Fribourg, of which the Master is the Grand Chancellor.

Chapter V

EXAMINATIONS

### Section A
### Examinations in General

89. The RSP should make clear how the center of institutional studies evaluates the academic performance of the students, including their ability to integrate what they have learned over the course of their institutional formation. The instruments of assessment should take into account not only the student's mastery of the material presented but also his ability to engage in critical analysis and synthetic thinking. Formal research papers, reviews of books, written and oral examinations, and active participation in seminars are

appropriate ways for a center of studies to determine a student's academic progress.

## Section B
## Examination for the Lectorate

90. In order for a province to grant the lectorate of the Order (LCO 94), and in addition to other requirements found in the RSP, it is necessary for a brother:
   1) to complete the cycle of institutional studies prior to the examination;
   2) to receive approval from the council of professors for pursuing the lectorate;
   3) to submit a formal research paper for approval;
   4) to receive a favorable judgment in the presence of three professors of the center of institutional studies who shall examine the student for at least two hours on various themes in either philosophy or theology.

## Section C
## Examination for Faculties to Hear Confessions

91. The examination for faculties to hear confessions shall take place in the presence of at least two examiners, at least one of whom should be a professor of theology. The examiners shall assess the candidate's understanding of pastoral and moral theology from a Dominican perspective, as well as his knowledge of the canonical discipline of the Church, with special attention given to his maturity of judgment for the exercise of this ministry. The exam shall last for at least one hour, after which the examiners will vote by secret ballot. An absolute majority is required for successful completion of the exam (cf. LCO 251). Further specificity with regard to the exam should be included in the RSP.

92. The prior provincial has the responsibility to determine the examiners for hearing confessions. He may delegate this to the regent of studies, to the moderator of the center of institutional studies, or to the prior of the studentate community.

93. If the candidate has successfully completed the examination, the examiners will make note of this in a signed document. As soon as the candidate is ordained to the presbyterate, he will enjoy the faculties to hear confessions, as these are outlined in LCO 138.

# APPENDICES

## Appendix I

### INSTRUCTIONS FOR PRODUCING *RATIONES STUDIORUM PARTICULARES*

(All references are to the *Ratio Studiorum Generalis* (RSG) unless otherwise noted)

**A) Creation and Approval**

In every province the prior provincial and his council shall present to the Master of the Order for his approval the *Ratio Studiorum Particularis* (RSP) that was proposed by the commission for the intellectual life of the province and reviewed by the council of professors of the center of institutional studies (n° 32 and LCO 89 §II and 231.5).

**B) Relative Authority**

The RSP is an essential part of the organization of the studies of a province (n° 30.2) or a region (n° 34). Recognizing the higher authority of LCO, General Chapters and the RSG, it is binding upon the province (n° 33).

**C) General Orientations**

The RSP shall take into consideration the specific cultural context, the circumstances of time and place, the maturity of the students, the customs of universities in the region, and the directives of the local church. It shall make clear the importance that doctrinal synthesis has in the Order, even as it delineates the various disciplines to be taught and the appropriate methodologies for presenting them.

**D) Specific Provisions**

With regard to *institutional formation*, the RSP must provide for both cooperator brothers and brothers preparing for ordination (n° 11):
- the goals and objectives of the program of study (nn° 12-14),
- the methodology for achieving these goals (n° 15),
- the manner of teaching philosophy and theology, whether they are to be studied simultaneously or not,

- a general description of the disciplines in which the students should have competence.

The RSP should also make clear:
- where the full curriculum for institutional studies is published,
- where actual course descriptions are to be found, including the methodology for teaching and the number of hours assigned to each course,
- where the academic calendar is listed each year.

For a*dditional and complementary studies* the RSP must describe the process for approving candidates for such study.

For the *center of institutional studies*, the RSP must provide:
- The legal name and location of the center of institutional studies,
- A copy of the statutes or by-laws of the center of institutional studies,
- A description of the governing structure of the center of institutional studies, unless this is set out in the statute of the center of institutional studies (n° 55),
- The structure of governance for a center that operates in two distinct locations, unless this is set out in the statute of the center of institutional studies (n° 51),
- The process for the appointment of the moderator of the center of studies, unless this is set out in the statutes of the province (n° 56),
- The specific responsibilities of the moderator of the center of studies, unless these are set out in the statutes of the province or the statute of the center of institutional studies (n° 56),
- The membership of the council of professors (n° 60),
- A clarification of the roles of the regent of studies and the moderator of the center of institutional studies (n° 57), including their respective responsibilities with regard to:
  o professors who teach in the center of institutional studies,
  o planning for the needs of the center, including the preparation of future professors,
- The obligations of the master of students for the formation of brothers in institutional studies in relation to those of the regent and moderator, if this is viewed as desirable (n° 57),
- The procedure for appointing the librarian of the center of institutional studies, unless this is set forth in the statutes of the province or the statute of the center (n° 62),
- The procedures for selecting members of the library committee, as well as the responsibilities of this committee, unless this is set forth in the statutes of the province or the statute of the center of institutional studies (n° 62),

- The determination of whether it is the regent of studies or the moderator of the center of institutional studies who oversees the studies of brothers who pursue their institutional formation in another province (n° 65).

In provinces where students pursue their institutional studies in *non-Dominican institutions*, the RSP must:
- Provide the program of the center of studies where the brothers receive their academic formation (nn° 35 and 67);
- Determine whether it is the regent of studies or the moderator of the center of institutional studies who oversees the academic program of brothers who study in academic centers outside the Order (n° 69);
- Decide whether it is the regent of studies or a brother designated by the prior provincial who has the responsibility for the academic program of brothers who study outside of the Order, when there is no center of institutional studies in the province (n° 69);
- Present the program of courses, conferences, and workshops to form students in the doctrinal tradition of the Order (n° 35.2);
- Make clear how the intellectual tradition of the Order is to be integrated into the academic program of the students (nn° 35.3 and 67).

Regarding *professors and students*, the RSP must provide:
- The process of evaluation for professors, unless provided in the statute of the center of studies (n° 76),
- The manner in which student brothers will be accompanied or supervised by those responsible for studies in the province (n°44.4),
- The process for consulting Dominican students when a moderator of the center of studies is to be appointed (n° 78).

With regard to *inter-provincial centers of study*, the RSP must define the rights and obligations of the provinces, if these are not included in a separate agreement (n° 87).

For *examinations* the RSP will determine:
- The form of evaluation and examination in general (n° 89),
- the requirements for the lectorate (n° 90), in provinces where this degree is conferred,
- the manner of conducting the examination for faculties to hear confessions (nn° 91-93).

Appendix II

# BIBLIOGRAPHY OF ECCLESIAL, PONTIFICAL, AND DOMINICAN DOCUMENTS ON STUDY

## CONCILIAR DOCUMENTS

Dogmatic Constitution on the Church. *Lumen Gentium.* 21 November 1964.

Decree on the Up-to-Date Renewal of Religious Life. *Perfectae caritatis.* 28 October 1965.

Decree on the Ministry and Life of Priests. *Presbyterorum ordinis.* 07 December 1965.

Decree on the Training of Priests. *Optatam totius.* 28 October 1965, nn° 13-22.

## PONTIFICAL DOCUMENTS *(found on the internet)*

Francis. *Evangelii Gaudium.* 24 November 2013. Papal Archive. The Holy See.

Benedict XVI. *Deus Caritas Est.* 25 December 2005. Papal Archive. The Holy See.

Benedict XVI. *Verbum Domini* . 30 September 2010. Papal Archive. The Holy See.

John Paul II. *Fides et Ratio.* 14 September 1998. Papal Archive. The Holy See.

John Paul II. *Vita Consecrata.* 25 March 1996. Papal Archive. The Holy See.

John Paul II. *Pastores Dabo Vobis.* 25 March 1992. Papal Archive. The Holy See.

John Paul II. *Sapientia Christiana.* 15 April 1979. Papal Archive. The Holy See.

Paul VI. *Evangelii Nuntiandi.* 08 December 1975. Papal Archive. The Holy See.

## OTHER ECCLESIAL DOCUMENTS *(found on the internet)*

Congregation for the Clergy. *The Gift of the Priestly Vocation: Ratio Fundamentalis Institutionis Sacerdotalis.* 08 December 2016. Papal Archive. The Holy See, nn° 153-187.

Congregation for Divine Worship and the Discipline of the Sacraments. *Homiletic Directory.* 29 June 2014. Papal Archive. The Holy See.

Congregation for Catholic Education. *Decree on the Reform of Ecclesiastical Studies of Philosophy*. 28 January 2011. Papal Archive. The Holy See.

## TEXTS FROM GENERAL CHAPTERS OF THE ORDER

ACG Bologna 2016, nn° 171-173, 185.

ACG Trogir 2013, nn° 83-96.

ACG Rome 2010, nn° 83-94, 120-123, 125.

ACG Bogota 2007, nn° 99-115, 122-128.

ACG Krakow 2004, nn° 124-131.

ACG Providence 2001, nn° 104-135.

ACG Bologna 1998, nn° 62, 76.

ACG Caleruega 1995, nn° 98.1-99.4.

ACG Mexico City 1992, "Secularization and the Spiritual Quest."

For texts on study from earlier general chapters, see the *Ratio Studiorum Generalis* (1993).

## TEXTS FROM THE MASTERS OF THE ORDER (*found on the website of the Order*)

fr. Bruno Cadoré, O.P. *Mary: Contemplation and the Preaching of the Word*. February, 2013.

fr. Carlos Azpiroz Costa, O.P. *Let Us Walk in Joy and Think of Our Savior: Some Views on Dominican Itinerancy*. 24 May 2003.

fr. Timothy Radcliffe, O.P. *The Wellspring of Hope. Study and the Annunciation of the Good News*. October, 1996.

Appendix III

## PROCEDURE FOR CONTROVERSIES ARISING FROM PUBLIC STATEMENTS OF THE BROTHERS

### Guiding Principles

I. The manner in which people communicate today through digital media, social networks, and other information technologies provides opportunities for presenting the Gospel and our Catholic faith that would have been difficult to imagine not long ago. Like the first friars, we enjoy the mobility to reach new audiences, to speak in different ways, and to make our views known, now in the public square of the digital world.

II. Of course, with these opportunities and with this freedom, the brothers must also exercise the virtue of prudence so that their statements are guided by a concern for truth and the common good. With his profession of vows every Dominican brother ceases to be a private individual who speaks and writes for himself. He becomes a public person who represents the Order and the Church in all that he does and says. Therefore with an almost unlimited access to a worldwide audience, he assumes an extraordinary responsibility for using the media carefully and wisely in service to the faith.

### Statements to the News Media

III. Apart from this prudent use of digital technologies, there will be occasions when the opinion of a brother is solicited by the news media, either in an interview by telephone or on television. If the matter concerns the affairs of the province, it should be referred to the prior provincial. If it concerns the convent or parish, it should be referred to the prior or pastor, respectively. It is always preferable for a brother to offer a prepared statement than to speak extemporaneously. His local superior should review the statement and approve it before it is submitted to the reporter who has requested the interview.

IV. When it is not possible for a brother to prepare such a statement, he should at least speak to his local superior and review with him what he plans to say before he speaks to the media. In such a case he should be guided by the counsel that he receives from his superior.

### Use of the Internet

V. Websites, blogs, and social networks all serve as legitimate channels for communicating the Word of God and for sharing political, social, and religious opinions. By means of these media there is the possibility of establishing a regular constituency of followers who return to these sites for information and virtual conversation. Unfortunately, popular sites are often controversial ones. Brothers with websites and blogs must be prudent. The statements that they make must be judicious and reflect the teaching of the Church. They should also promote the common good of the Order.

VI. Regrettably, it may happen that a brother may make a statement on the internet that fails to be prudent, to reflect the teaching of the Church, or to promote the common good of the Order. In such a case, the local superior or the prior provincial may proceed in a number of ways, including the following. He may:
1) Notify the brother and make clear that the controversial or erroneous statement is unacceptable and must not be repeated;
2) Insist that the brother retract or provide the necessary nuance that would make such a controversial or erroneous statement acceptable to the Order;
3) Require that future statements on the internet site be monitored by brothers whom the prior provincial will choose;
4) Inform the brother that he must close the website.

## Controversial Public Statements

VII. Occasions may arise when a public and controversial statement has been made orally or in writing that has not received the previous approval of the brother's superior. In such a case, we strongly urge the brothers, in the spirit of LCO 139, to address their concerns first to the brother himself and, if necessary, to his provincial. Only after this, may brothers present their objections directly to the Master of the Order. Moreover, they should not notify the local bishop or the Holy See without first following all of these steps. Neither the prior provincial nor the Master of the Order should acknowledge anonymous denunciations.

VIII. The prior provincial, by virtue of his office, has the duty to examine doubtful points concerning doctrine that have been expressed in public statements of the brothers, even if he has not received any complaints about them. In such a case, the provincial must speak with the brother in an effort to clarify and resolve the matter. In cases where the provincial has received a complaint, he should seek to meet with the brother and with those who have made the denunciation, in the hope that a favorable outcome can be reached through respectful discussion. Depending on the amount of negative publicity that the statement has generated or has the potential to generate, the provincial may wish to inform the local Ordinary and the Master of the Order.

IX. In cases where it has not been possible for the prior provincial alone to resolve the issue, he must decide with his council whether to address the matter at the provincial level or to refer it directly to the Master of the Order. Ordinarily, it is preferable to try to settle such questions within the province before seeking the intervention of the Master.

## The Procedure in the Province

X. If the prior provincial decides to address the matter through a provincial investigation, he and his council will establish a committee to examine the public statement and the theological objections that have been raised with regard to it. This committee may request the assistance of experts.

XI. As part of its review of the public statement, the members of the committee will invite the brother to meet with them and, if advisable, with those who have made a formal complaint about the statement. The committee must give the brother adequate notice so that he may prepare himself for answering questions. He may choose an expert to accompany him. If the brother refuses to meet with the committee or does not make himself available after a reasonable effort to accommodate him, the commission may proceed with its deliberations without him. The committee will give its opinion as to whether the statement was imprudent and dangerous to faith and morals. It will communicate its opinion in writing to the prior provincial.

XII. After the prior provincial has received the opinion of the committee, he will make his decision after consulting with his council. If the provincial judges that the statement is imprudent and dangerous to faith and morals, the provincial will inform the brother and require that he make amends. The provincial must do this in writing unless he informs the brother in the presence of at least two witnesses. The prior provincial may then proceed in a number of ways, including the following. He may:
1) Require a formal apology;
2) Insist upon a public retraction of the controversial statement;
3) Order an immediate halt to the publication of the censured opinion;
4) Remove the brother from any administrative or teaching position;
5) Deprive the brother of his ecclesiastical faculties, if the brother is ordained.

XIII. If the prior provincial decides that there is insufficient foundation for the claim that the public statement is imprudent and dangerous to faith and morals, he will inform in writing those who have made the complaint. In the event that those bringing the complaint are Dominican brothers, the provincial will state in writing that they make amends by putting an end to their accusations and by making restitution through a public retraction of their damaging opinions.

XIV. If the matter has come to the attention of the Master of the Order or the ecclesiastical authorities, the prior provincial will inform them of the results of the inquiry and of the measures that he has taken to address the issue and to repair any damage that has been caused.

XV. The brother who has made a controversial public statement may always appeal to the Master of the Order against the findings of this process.

*Procedure of the Master of the Order*

XVI. The Master of the Order may be asked to examine a controversial public statement, in these and other circumstances:
1) A denunciation is made to the Master of the Order by a Dominican friar or by another;
2) A denunciation is made directly by an ecclesiastical authority;
3) A request is made by the prior provincial who, after consulting his council, decides that it would be inopportune for the province to address the matter;
4) A request is made by the prior provincial who, after receiving the findings of the provincial commission and consulting with his council, decides that he is unable to make a judgment about the imprudence and danger of the public statement or is unable to provide a suitable means to repair the damage;
5) An appeal is made by the author of the controversial public statement against the judgment of the prior provincial that his statement was imprudent and dangerous to faith and morals or against the remedies that the provincial has imposed upon him.

XVII. In such situations it is advised that the Master of the Order proceed as follows:
1) Refer the matter directly to the province (XVI, nn° 1-2);
2) Accept the judgment of the prior provincial or of the provincial committee, after his review of the dossier (n° XVI, n° 5);
3) Provide his own remedies, after his review of the dossier (XVI, n°5);
4) Proceed with his own investigation by accepting the request of the prior provincial (XVI, nn° 3-4) or the appeal of the author of the controversial public statement (XVI, n° 5).

XVIII. Whenever the Master of the Order believes it prudent to do so, he may conduct his own investigation of a public, controversial statement. The Master may adopt the process outlined below or may devise another:
1) The Master appoints a commission of theological experts to examine the public, controversial statement.
2) The commission examines the public statement and presents its findings to the Master.
3) The Master sends these findings to the brother's provincial, who forwards them to the author of the controversial public statement.
4) The author of the statement reviews the findings of the commission:
   a. If he accepts the findings of the commission, the matter is deemed to be closed. The Master will then provide his own remedies to repair the damage that has been done.
   b. If he rejects the findings, he will be given adequate time to prepare his own written response, as well as be given adequate notice so that he

       may meet with the commission in person. He may bring an expert of his own choice.

5)    The socius for the intellectual life will convene and preside at this meeting of the commission with the author of the controversial statement. The socius for the intellectual life, who is a nonvoting member of the commission, will forward to the Master the opinion of the commission as to whether or not the public statement was deemed to be imprudent and dangerous to faith and morals.

6)    The Master shall make his decision about the imprudence and danger of the statement.

      a.  If the Master decides that the public statement is imprudent and dangerous to faith and morals, he may confirm a previous decision of the prior provincial and the remedies imposed by him; or the Master may provide his own remedies, including any disciplinary measures that he believes to be appropriate.

      b.  If the Master determines that there is insufficient foundation for the charge that the public statement is imprudent and dangerous to faith and morals, he can annul any previous adverse decision made by the province. Moreover, he shall ask the prior provincial to repair any damage that has been done to the author's good name and to his rights.

XIX. Once the Master of the Order has examined a controversial public statement and made a definitive decision, from the point of view of the Order, the matter will be regarded as closed.

# RATIO STUDIORUM GENERALIS – 2017
## ESPAÑOL

**FRATRES ORDINIS PRÆDICATORUM**
CURIA GENERALITIA

Roma, 7 de marzo de 2017

*Prot. 50/17/123 Promulgation of the Ratio Studiorum Generalis*

**Carta de promulgación de la Ratio Studiorum Generalis**

Queridos hermanos:

¡Estudiar, predicar y fundar conventos! Promulgo esta nueva *Ratio Studiorum Generalis* cuando está recién terminada la celebración del Jubileo de la confirmación de la Orden, precisamente dentro del dinamismo de esta alegría renovada de ser enviados a predicar el Evangelio.

Somos enviados a proclamar la buena noticia del Reino de Dios ya próximo, como discípulos y buscadores de Dios. Discípulos que enraízan su vida en la escucha de la Palabra, que encuentran su gozo en la admiración del misterio de un Dios que oye a su pueblo y viene hasta él para revelar en plenitud la promesa de la alianza y cumplirla. Discípulos que, día tras día, apoyándose en un estudio contemplativo de la Palabra y de la Tradición de la Iglesia, tratan de discernir incansablemente los signos de los tiempos a partir de la amistad que viene a ofrecerles Aquel que es el camino, la verdad y la vida. Buscadores de Dios que, formándose en la escuela del Señor, salen al encuentro de todos aquellos que buscan la verdad, entran en diálogo con ellos y estudian con ellos, como los primeros frailes que Domingo envió a las Universidades. "De tal modo esté abierta a un tiempo nuestra mente al Espíritu de Dios y a los corazones de aquellos a quienes se propone la palabra, que obtenga la comunicación de la luz, del amor y de la fuerza del Paráclito. Por lo cual, los frailes han de saber reconocer al Espíritu actuando en el Pueblo de Dios y discernir los tesoros escondidos en las diversas formas de la cultura humana, con los cuales se manifiesta de manera más completa la naturaleza del mismo hombre y se abren nuevos caminos a la búsqueda de la verdad" (LCO 99, § II). En efecto, si ha sido posible instituir una Orden en vistas al estudio, es porque está totalmente dedicada a la evangelización de la Palabra de Dios (LCO 1, § III).

La presente Ratio, cuyo texto original y aprobado está en inglés, reemplaza a la que aprobó fray Timothy Radcliffe en 1993. Es fruto de un intenso diálogo dentro de toda la Orden,

Convento Santa Sabina (Aventino) – Piazza Pietro d'Illiria, 1 – 00153 ROMA
☎ +39 06 57940 555 - FAX +39 06 5750675 – e-mail secretarius@curia.op.org

187

y quiero expresar aquí mi profunda gratitud a todos aquellos que contribuyeron a su elaboración. Pretende sostener a los Predicadores en su vocación de aprender a ser servidores del misterio de la Verdad en este mundo, por eso pone como centro del estudio la Palabra de Dios. Guiada por la larga y bella tradición del estudio en la Orden, desde los grandes maestros como Alberto y Tomás hasta los contemporáneos, propone un método que indica la exigencia de un estudio contemplativo y a la vez el camino por el cual ese estudio es esencial a la plena realización de la vocación del predicador. Al proponer principios fundamentales comunes a todos, subraya la importancia de que cada provincia particular los traduzca en su contexto cultural propio y, al mismo tiempo, los adapte a la vocación específica de los frailes clérigos y a la de los frailes cooperadores, unidas ambas en un mismo impulso al servicio de la evangelización. De esta manera, el diálogo iniciado para la elaboración de esta Ratio podrá continuar, teniendo en cuenta la realidad intercultural de la Orden hoy y la complementariedad de las vocaciones en el seno de la Orden, y tratando de establecer cada vez mejor una "cultura del estudio" que sostenga el propósito de la predicación. Una cultura que se enraíce en la fidelidad a la tradición de la Iglesia, anime al encuentro y al diálogo con los saberes contemporáneos y enseñe a desplegar en los contextos contemporáneos la proclamación del Evangelio en la amistad y la fraternidad.

Estudiar, predicar y fundar comunidades. Al promulgar esta Ratio Studiorum, formulo de nuevo el deseo de que nos ayude a cada uno de nosotros, y a cada una de nuestras comunidades, a enraizar y desplegar en el estudio contemplativo de la Verdad la alegría de ser predicadores.

**fr. Bruno Cadoré, O.P.**
Maestro de la Orden

# PRIMERA PARTE

## LA FORMACION INTELECTUAL DE LOS FRAILES

Capítulo I

PRINCIPIOS GENERALES

1. Debido a los múltiples cambios en el mundo y en la Iglesia y a la complejidad de las nuevas situaciones culturales de nuestro tiempo, la Orden de Predicadores toma muy seriamente "el oficio profético por el cual el Evangelio de Jesucristo es proclamado en todas partes por medio de la palabra y del ejemplo" (Const. Fund. § V). En un periodo similar de cambios sociales y fermento intelectual, santo Domingo fundó su Orden de Predicadores con la misión de estudiar incesantemente la Palabra de Dios y de predicarla con gracia y alegría. Domingo unió estrechamente el estudio con el ministerio de la salvación (LCO 76) y envió a sus hermanos a las universidades para que se pusieran al servicio de la Iglesia haciendo que la Palabra fuera conocida y entendible. Por eso nuestra Orden, en razón de su mismo nombre, participa en la tarea apostólica de penetrar con mayor profundidad en el Evangelio y de predicarlo "teniendo debida cuenta de las condiciones de las personas, los tiempos y los lugares" (Const. Fund., ibid).

2. La tradición de la Orden subraya la necesidad de que los predicadores "cultiven la inclinación de los seres humanos hacia la verdad" (LCO 77 § II). Desde el momento en que entra en la Orden, el dominico se embarca en la búsqueda de la verdad, es iniciado en dicha búsqueda cuando entra al noviciado, avanza en ella durante sus años de estudiante y continúa comprometido con ella durante su ministerio activo y aún mucho después. Por medio de esta tarea el dominico adquiere una comprensión más profunda del mundo, de aquellos que lo rodean y de sí mismo; de hecho, reconoce gradualmente que esta búsqueda de la verdad no es otra cosa que el anhelo de encontrar a Dios, tal y como lo dice san Agustín en las primeras líneas de sus *Confesiones*. El dominico, buscando una verdad que es objetiva, conocible y real, descubre con ayuda de la Gracia de Dios al Dios Uno y Trino, quien es la Verdad misma. El dominico es capaz de buscar a Dios y de encontrarlo porque es capaz de buscar y alcanzar la verdad. Se puede decir que el ser humano es *capax Dei* porque es también *capax veritatis*.

3. La verdad no es una realidad que se pueda poseer o declarar como propia; es el fin o *telos* que nos impulsa siempre hacia delante y que nos guía más profundamente hacia su propio misterio. Por eso, sería un error darle una definición demasiado precisa o limitar su búsqueda a un campo demasiado estrecho. Un dominico busca la verdad en todo lugar. Muy probablemente es en su oración personal y en su meditación de las Sagradas Escrituras que el dominico encuentra primeramente la verdad en todo su poder y en toda su belleza porque es en el silencio de la contemplación que el dominico toma consciencia de Aquel que es la fuente de todo lo que es real. El dominico adquiere una percepción más profunda de la verdad en la celebración de la liturgia y en la vida que comparte con los hermanos, en las conversaciones durante la comida, en los espacios de descanso y en aquellos momentos cuando tiene el privilegio de acompañar a otro hermano en la enfermedad, el sufrimiento o la crisis personal. El dominico es transformado por la verdad mediante su predicación, su enseñanza y su servicio al pueblo de Dios. El dominico se hace vulnerable a una experiencia más rica y más plena de la verdad por medio de su fidelidad a los hombres y mujeres a los que sirve, por medio de la integridad que ve en sus vidas, en sus debilidades y faltas, así como en las preguntas, luchas y desafíos que le presentan. El dominico, iluminado y fortalecido por el don de la fe, poco a poco llega a creer y a entender más plenamente que la Verdad que ha buscado no es otra que Nuestro Señor Jesucristo, Aquel que comparte con el Padre y con el Espíritu la misma vida divina.

4. La búsqueda de la verdad nos conduce directamente al estudio de la *Sacra Doctrina*. Esta búsqueda comienza con la contemplación de la Palabra de Dios, se nutre y se sustenta de la Palabra y culmina en nuestra unión amorosa con la Palabra. Esta Palabra, por la que Dios se da a sí mismo en las Sagradas Escrituras y en la Tradición de la Iglesia, debe ser siempre la fuente de la búsqueda dominicana de la verdad. Es en aquello que Dios ha revelado o, quizás más importante aún, en Aquel en quien Dios se ha revelado a sí mismo, que un dominico encuentra la certeza, la confianza y el compromiso para continuar con su búsqueda. Un fraile dominico aprende a buscar el conocimiento de las ciencias naturales y sociales, la sabiduría de la filosofía y las lecciones de la historia, especialmente de la historia de la Iglesia y su reflexión acerca de la Palabra de Dios, a través de los siglos. El dominico explora la verdad a través de su estudio de la teología dogmática y moral y la encuentra por medio de su reflexión sobre los sacramentos y la práctica pastoral. De modo particular, un dominico busca la verdad en la vida y el pensamiento de las grandes figuras de nuestra tradición dominicana y de modo más excelente en santo Tomás de Aquino. El dominico, por medio de

la lectura de los signos de los tiempos a la luz de la fe, aprende a entender y a compartir la Palabra de verdad que vivifica por medio de la teología y de la práctica del arte de la predicación.

5. Este encuentro con la Palabra de Dios que crece y se profundiza a lo largo de su vida, lo invita a emplear su razón, su entendimiento y su capacidad de evaluar, analizar y sintetizar. Cuando estos dones de la inteligencia humana son elevados y llevados a perfección por la gracia, ellos ayudan al dominico con mayor seguridad y prontitud en su búsqueda de la verdad. Esta actividad liberadora y creativa le permite captar mejor la presente crisis en donde el estudio es muy frecuentemente visto en términos de funcionalidad y de especialización, sin el tiempo requerido para una lectura serena, una reflexión seria y una paciente investigación de las fuentes. En muchas disciplinas, incluida la teología, puede existir un fácil recurso a la autoridad o un llamado a usar respuestas rápidas y simplistas. Se pierde el sentido de los matices cuando el discurso racional da paso a las consignas, polémicas e ideologías. El resultado puede ser un pluralismo que tiende hacia el relativismo o hacia una unidad que se convierte en uniformidad.

6. Ante esta situación, estamos invitados a proponer un modelo diferente de estudio, una manera distinta de buscar la verdad. La Orden tiene como patrimonio una rica y variada tradición intelectual que entiende el estudio como contemplación sintética, enraizada en la realidad y dependiente de la razón iluminada por la fe. Nuestra tradición siempre hace estas preguntas: "¿es esto verdadero?", "¿por qué es verdadero?" y "¿cómo es verdadero? Nuestro patrimonio filosófico, teológico y espiritual puede ofrecer perspectivas clarificadoras y respuestas tanto a las perenes preguntas del ser humano como a los temas críticos de nuestro tiempo. Debemos entonces mantener, promover y desarrollar continuamente este entendimiento dominico del estudio, cuyo fruto es expresado en nuestra teología y filosofía, consideradas como una de las mejores escuelas de la Iglesia.

7. En la Orden existe una unidad profunda entre nuestro estudio y los otros elementos de nuestra vida. Como dominicos, nuestro estudio no puede estar separado de la vida fraterna que compartimos ni de la oración que elevamos en nuestras celebraciones litúrgicas o en el silencio de nuestro corazón, ni de la misión de la predicación y del cuidado de aquellos que la Iglesia nos ha confiado. Todos estos elementos están unidos, en la vocación de cada hermano, *"in dulcedine societatis quaerens veritatem"* (san Alberto). Por esta razón, esta *Ratio* debe ser entendida en el marco más amplio de la *Ratio Formationis Generalis,* que ofrece los principios para toda la formación

dominicana. Es gracias a la visión de la *Ratio Formationis Generalis* que podemos ver cómo nuestra vida religiosa ofrece un ámbito propicio para el estudio y cómo nuestro estudio contribuye a la actualización de nuestra vocación dominicana.

8. Dicho estudio no concluye con el término de la formación inicial de un fraile dominico. La búsqueda de la verdad y el amor por el estudio animarán la vida del fraile por el resto de su vida. La verdad lo desafiará, requerirá que escuche atentamente a los otros y exigirá su propia y sostenida conversión para que pueda testimoniar a Jesucristo, la Palabra hecha carne, con una convicción cada vez más profunda, una mayor libertad y una humanidad más plena. Para algunos, esto implicará realizar estudios superiores o complementarios. Para todos, se exigirá que cada fraile adquiera el *habitus* del estudio, cuya práctica deberá convertirse en un elemento constitutivo de su vida como contemplativo. El cultivo de este *habitus* será responsabilidad de cada uno, pero con ayuda de la comunidad. Sin embargo, como todo lo que hay de bueno en este mundo, la formación en el estudio durante toda la vida y el deseo de buscar la verdad son un don de Dios, y esto es parte de la gracia de su vocación.

9. Y ya que "ante todo, nuestro estudio debe dirigirse principal y ardientemente en este momento a que podamos ser útiles a las almas de nuestros prójimos" (Prólogo de las Constituciones Primitivas), los hermanos deberán recordar que su vida, consagrada a la búsqueda de la verdad, tiene un carácter verdaderamente apostólico. Para nuestra misión eclesial de predicación del Evangelio de Jesucristo, según la finalidad de la Orden, es indispensable aplicarse asiduamente al estudio. Un dominico estudia para poder llegar a conocer la verdad, de modo que conociéndola llegue a amarla y, amándola pueda compartirla alegremente con aquellos a quienes que ha sido enviado.

10. Cada provincia, incluso aquellas que no tengan estudiantes, deberá elaborar una *Ratio Studiorum Particularis* (LCO 89-95, 226-244) que determine el programa específico para organizar la vida intelectual de la provincia, con las orientaciones necesarias para promover la vida de estudio de los hermanos. La *Ratio Particularis* debe ser fiel al LCO, a los Capítulos Generales, a esta *Ratio Generalis* y a las indicaciones de la Iglesia local, tomando en consideración el contexto cultural concreto al que se dirige (cf. Apéndice I)

## Capítulo II

## LA ESTRUCTURA PROGRESIVA DE LOS ESTUDIOS

### Sección A
### La formación institucional

11. Corresponde a cada provincia el determinar el programa exacto de estudios institucionales para todos los frailes que están llamados a la misión de la predicación de la Orden, ya sea como hermanos cooperadores, diáconos o sacerdotes. Para los frailes que serán ordenados, la *Ratio Studiorum Particularis* debe tener en cuenta el programa de estudios que la Iglesia requiere para ellos, incluyendo el contenido de los estudios, su duración, el nivel de conocimientos, las competencias académicas a obtenerse y la preparación pastoral necesaria. Será especialmente importante que la *Ratio Particularis* especifique cómo estos requerimientos de la Iglesia serán cumplidos dentro del marco de nuestra formación intelectual dominicana, la cual es el objeto de esta *Ratio Generalis*. De la misma manera, para los hermanos que contribuirán a la misión de la predicación de la Orden como hermanos cooperadores, la *Ratio Particularis* deberá especificar cómo recibirán su formación intelectual en filosofía y teología, basada en los mismos principios pero respondiendo a las necesidades específicas de su distintiva vocación. De esta forma, la *Ratio Particularis* debe asegurar que cada fraile en formación institucional sea capaz de participar plenamente en la vida y en la misión de la Orden y tenga una clara comprensión de nuestra tradición intelectual, como se expone a continuación.

*Art. I. Metas, principios y objetivos*

12. Además de nutrir nuestra contemplación y fomentar la vivencia de los consejos evangélicos, nuestro estudio está orientado a la predicación de la Palabra de Dios y tiene ésta como su meta. Durante la formación institucional, cada fraile deberá desarrollar un amor al estudio que dure toda su vida, el cual le ayudará a asumir una clara identidad como predicador dominico. Además, en el programa de formación institucional, la predicación deberá ser el principio que defina y unifique al currículum.

13. Para lograr este objetivo se requiere que los estudios institucionales en la Orden reflejen claramente la centralidad de la Palabra de Dios, considerando principalmente:

1) La Revelación Divina, su transmisión en la Tradición y en las Sagradas Escrituras y su relación con la teología de acuerdo al Magisterio de la Iglesia, especialmente las enseñanzas del Concilio Vaticano II;
2) Las Sagradas Escrituras, los métodos para su interpretación y su estudio, las cuales deben ser "el alma" de nuestra Teología (*Dei Verbum*, 24);
3) Las fuentes de la teología en los textos y monumentos de la Tradición;
4) La importancia fundamental de la filosofía, especialmente en nuestra tradición dominicana;
5) Una comprensión clara y precisa de la doctrina católica;
6) Las enseñanzas y el método de santo Tomás de Aquino, incluyendo la importancia de la Palabra de Dios en su teología, la recepción de su obra y su influencia a lo largo de los siglos y la apropiación crítica de sus ideas.
7) La liturgia de la Iglesia y de la Orden que hace presente al Señor en la Palabra y en los sacramentos;
8) El valor de la experiencia humana y las preguntas que ésta ofrece para un entendimiento más profundo de la Palabra de Dios;
9) La importancia y la práctica del diálogo en la teología dominicana.

14. Los objetivos de esta formación institucional, que deberán ser adaptados a la vocación específica de aquellos que se preparan, ya sea para el ministerio ordenado o para servir a la Orden y a la Iglesia como hermanos cooperadores, son:
1) Mostrar un claro dominio del contenido y de las metodologías de las diversas disciplinas teológicas;
2) Leer e interpretar textos de forma exhaustiva y crítica;
3) Formular preguntas, identificar problemas y analizarlos con las herramientas adecuadas y proponer soluciones;
4) Formar juicios críticos de manera confiable;
5) Establecer conexiones tanto al interior de una disciplina como en relación con las demás disciplinas;
6) Adquirir las competencias necesarias para la evangelización, incluyendo aquellas relativas al hablar en público o relacionadas con los métodos modernos de enseñanza y de homilética;
7) Desarrollar habilidades para la escucha, el diálogo y el trabajo con otros, incluyendo las capacidades necesarias para formar y fortalecer comunidades;

8) Adquirir la habilidad de usar tecnologías digitales en la investigación, la predicación y el trabajo pastoral;

9) Obtener un buen nivel en el dominio de una lengua extranjera, especialmente una de las lenguas oficiales de la Orden, para poder así promover su carácter internacional;

10)  Construir una síntesis personal y crear un marco intelectual donde las diferentes perspectivas teológicas y filosóficas, las realidades económicas, sociales y políticas y las experiencias pastorales puedan continuar siendo integradas a lo largo de toda la vida del fraile.

*Art. II. Metodología*

15. Estas metas y objetivos se obtienen a través de:

1) Al menos un ciclo de estudio de seis años, el cual deberá ser adaptado a la vocación específica de cada hermano, a sus estudios previos y a su necesidad de una formación institucional completa e integral como fraile predicador
 * 2 años de filosofía;
 * 4 años de teología;

2) Una presentación clara, precisa y atractiva de las diferentes disciplinas
 * Por medio del estudio y el uso de fuentes primarias, en vez de libros de texto y manuales;
 * Por medio de materiales didácticos que sean periódicamente actualizados en base a investigación actualizada;
 * Por medio de bibliografías y programas de cursos;
 * Por medio de medios digitales y otras nuevas formas de tecnología (donde sea posible);
 * Por medio de oportunidades de participar en estudios interdisciplinarios;
 * Por medio de referencia a otros campos académicos, a las distintas situaciones pastorales y a las realidades culturales actuales;

3) Una pedagogía que esté centrada en el estudiante y que refleje el espíritu de investigación propio de la *disputatio* medieval
 * Por medio de un ambiente dinámico en el salón de clases;
 * Por medio de una concientización de la cultura local y del contexto global desde los cuales las preguntas de los estudiantes surgen hoy y con un deseo de involucrarse en estas perspectivas de manera significativa;

- Por medio de oportunidades para que los estudiantes se ayuden unos a otros a dominar el material de estudio;
- Por medio de profesores que estén dispuestos a ayudar a los estudiantes tanto dentro como fuera del aula,
- Por medio de requerimientos académicos que exijan pensamiento e investigación críticos y no simple memorización;

4) La promoción del estudio común y la investigación:
- Por medio de profesores que establezcan relaciones colegiales entre ellos a través de una puesta en común de la investigación y el intercambio de ideas;
- Por medio de estudiantes que estudien y trabajen juntos en proyectos de investigación;
- Por medio de profesores y estudiantes que construyan una comunidad de estudio y de aprendizaje mutuo;
- Por medio de la creación de redes académicas que se extiendan más allá de los límites del centro de estudios;

5) El uso de instrumentos adecuados para la evaluación
- Con miras a una auténtica formación intelectual y no simplemente a completar los créditos o los requisitos académicos requeridos;
- Por medio de métodos de evaluación que busquen determinar si una comprensión sintética de la materia ha sido adquirida;
- Por medio de un examen exhaustivo al final de los estudios institucionales (el cual es propio de la Orden) que evaluará la comprensión global del estudiante, la integración personal y la síntesis de las diversas áreas de la teología - al mismo tiempo deberá permitirse un ajuste necesario cuando los estudiantes cursen sus estudios en un centro fuera de la Orden en el que este tipo de examen ya sea requerido.

*Art. III. La tradición intelectual dominicana: áreas de competencia*

16. Además de su conocimientos y comprensión de la teología en general, cada fraile debe familiarizarse con los contenidos de la tradición intelectual de la Orden. Esto incluye no sólo a los frailes que están estudiando para el ministerio ordenado o laical en centros de estudios institucionales de la Orden, sino también a aquellos que se encuentran realizando estudios en centros académicos que no pertenecen a la Orden. La *Ratio Studiorum Particularis* deberá explicitar claramente cómo debe ser transmitida la

tradición intelectual de la Orden a todos los frailes en formación institucional en cada una de las siguientes áreas:

17. *La Palabra de Dios.* Como predicadores de la Palabra de Dios, nuestros hermanos deben tener un firme fundamento en la Sagrada Escritura. Su formación debe incluir un estudio riguroso de la palabra humana del autor sagrado en su contexto histórico, cultural, lingüístico y literario, así como el significado teológico que se deriva del texto, de acuerdo con la interpretación y las enseñanzas de la Iglesia; de modo que sea la misma Palabra de Dios la que nutra a nuestros hermanos y la que sea proclamada por ellos como el Evangelio auténtico y vivo.

18. *Filosofía.* La Orden siempre ha valorado el estudio de la filosofía y ha reconocido su propia autonomía en relación a la teología, aún cuando esta última ayude a que la filosofía sea más fructífera. La filosofía no solamente ofrece una explicación de la realidad a través del uso de la razón, sino que nos da los principios para entender y organizar nuestro conocimiento de la realidad, así como la gramática para tener un discurso racional con otros. Además de proveer un marco intelectual para la comprensión de la fe católica, como queda expresado en *Fides et Ratio* y en las Actas del capítulo general de Providence (ACG Providence 2001, 118 y 119), ella sirve como un vehículo para dialogar por medio del encuentro con otras culturas, creencias religiosas y posturas intelectuales. Por esta razón, deberá haber al menos dos años de estudio en esta disciplina, preferentemente con miras a obtener un bachillerato o licenciatura en filosofía. Además del estudio de la filosofía, los frailes deberán adquirir un conocimiento del contenido y de las metodologías de las ciencias sociales, tales como la historia, la psicología, la sociología y la antropología cultural.

19. *La Historia de la teología.* Nuestros frailes no sólo deben estudiar la historia de la Iglesia, ellos deben también familiarizarse con los textos importantes de la tradición (patrística, medieval y posterior a la reforma) que han configurado la historia de la teología. De modo particular, nuestros estudiantes deben familiarizarse con la historia de la teología dominicana y con la contribución de los doctores san Alberto Magno, santa Catalina de Siena y santo Tomás de Aquino. Este último debe ser estudiado críticamente, haciendo la distinción necesaria entre su tiempo y el nuestro para que los estudiantes puedan entender su método y su relevancia para la teología católica.

20. *La historia de la Orden.* Nuestros frailes deben conocer la historia de la Orden, no simplemente su historia intelectual, sino también su historia religiosa y espiritual, la cual ha enriquecido la tradición teológica de la Orden. Este estudio debe considerar a las grandes figuras de nuestro pasado, incluyendo los hermanos y hermanas que han sido testimonios recientes de una viva y robusta teología dominicana.

21. *Una visión teológica dominicana.* A partir de la visión de santo Domingo en la que el estudio debe estar ligado al ministerio de la salvación (LCO 76) y desarrollado por aquellos que lo sucedieron en la Orden, especialmente santo Tomás de Aquino, nuestro "óptimo maestro y modelo" (LCO 82), existe una visión dominicana de la teología que tiene sus propios énfasis dogmáticos, morales, espirituales y pastores. Ubicada dentro de un marco sapiencial, esta perspectiva filosófica y teológica considera a Dios en sí mismo y a todas las cosas en relación con Él como su principio y su fin. Para aquellos que aprenden y experimentan lo divino (*dicens et patiens divina*), todas las cosas se manifiestan como dignas de investigación teológica y en sujeto propio de ser predicado. Gracias a su deseo de conectarse con todo lo que es real, puede decirse que un enfoque dominicano interpreta los signos de los tiempos. Este enfoque insiste en la unidad fundamental, la inteligibilidad y el significado de la creación, la dignidad del individuo en su situación concreta e histórica y la bondad del mundo que, a pesar de su sufrimiento debido a los efectos del pecado, es sostenido por un Dios providente que es capaz de ser conocido y amado infinitamente. Este enfoque reconoce que los seres humanos, que han sido creados por Dios a su imagen y semejanza y que han sido restaurados por su gracia, poseen la capacidad de conocer a Dios y de amar a Aquel que es la Verdad y la Bondad mismas. Este enfoque enfatiza la centralidad de nuestro Señor Jesucristo en este proceso, cuya vida redentora, muerte y resurrección, permiten a la humanidad alcanzar a Dios a través de la presencia continua de Cristo en su Iglesia. Este enfoque afirma una visión de la vida moral donde, por medio de la práctica de las virtudes, especialmente de aquellas que han sido informadas por la gracia, la humanidad puede alcanzar la verdadera felicidad y participar en la misma vida divina de Dios, la vida compartida de la Trinidad.

22. *La dinámica del diálogo.* En la tradición intelectual de la Orden, el diálogo entre nosotros, con otras gentes y con otras comunidades ocupa un lugar preponderante. Los estudiantes deben aprender las habilidades necesarias para dialogar con otras iglesias cristianas, con las grandes tradiciones religiosas del mundo, con la cultura contemporánea y con la ciencia moderna. Ellos deben tener oportunidades de realizar estudios

interdisciplinarios y de explorar otros campos académicos y sistemas de conocimiento. Dentro de esta dinámica de diálogo, nuestros frailes deben desarrollar la capacidad de establecer conexiones entre la teología y las situaciones pastorales actuales y de reconocer la relación recíproca entre ellas.

23. *La predicación.* Nuestra predicación debe estar informada por nuestro estudio de la Palabra de Dios, por nuestros conocimientos teológicos y por nuestra atención al mundo en que vivimos. Por lo tanto, la predicación dominicana debe ser la culminación de todo lo que la ha precedido. Nuestros frailes deben estudiar la teología de la predicación y la homilética y recibir instrucción respecto a su práctica para que lleguen a ser predicadores convincentes del Evangelio.

## Sección B
## Los estudios adicionales y los estudios complementarios

24. Los estudios adicionales son valiosos para los frailes y para sus provincias, ya que proveen mayor especialización para su trabajo apostólico, útiles titulaciones y una mayor flexibilidad para la misión. Por esta razón, todos los frailes deben realizar dos años adicionales de estudio, una vez que hayan completado la formación institucional. Estos estudios tienen como función ayudar a los hermanos a ampliar sus conocimientos en un determinado campo, o bien, a desarrollar mayores competencias en los campos pastorales y administrativos. Algunos hermanos podrán satisfacer esta expectativa de la *Ratio* siguiendo un programa de estudios complementarios formal, obteniendo una licenciatura, una maestría o un doctorado.

25. Si bien siempre deberán tenerse en cuenta el deseo, la iniciativa personal y la capacidad de un hermano de seguir un curso de estudios adicionales o un programa de estudios complementarios, debe recordarse que dichos estudios deben promover el bien común de la provincia y de la Orden. La provincia, por tanto, determinará las necesidades futuras de sus centros de estudio, sus otros compromisos académicos y sus necesidades administrativas y apostólicas de acuerdo a un plan provincial (LCO 107). De la misma manera, es la provincia, más que el propio fraile, la que evaluará dichas necesidades y es la provincia la que lo llamará a un programa particular de estudios adicionales o complementarios. El regente de estudios, junto con la comisión para la vida intelectual, identificará hermanos para diferentes tipos de estudios para el futuro. El regente, tras haber consultado al prior provincial, se reunirá con dichos hermanos y les presentará un programa de estudios,

después de lo cual el provincial dará su aprobación final. Respecto a los estudios complementarios, el provincial junto con el regente tomarán en cuenta la edad, la madurez y la capacidad del fraile para realizar dichos estudios, así como el tiempo necesario para finalizarlos. Un fraile llamado a realizar dichos estudios se comprometerá con su provincia a completar el programa y a obtener el grado requerido dentro del periodo de tiempo acordado.

26. Un fraile puede preparase para los estudios complementarios a lo largo de su formación institucional, pero, por norma general, no deberá comenzar formalmente dichos estudios hasta que la formación institucional haya sido completada (LCO 244 § II). Aunque es siempre necesario tener en consideración la formación pastoral de los hermanos y las necesidades urgentes de la provincia, es aconsejable no retrasar el inicio de los estudios complementarios por más de dos años, especialmente cuando se prevea la obtención del doctorado.

27. Como todo lo demás, los estudios complementarios son para la misión. Un fraile debe estar preparado para usar su grado académico para el apostolado intelectual en el que ha sido formado. Por tanto, los superiores mayores deben tratar, hasta donde sea posible, de mantener la coherencia entre los estudios de un fraile y la misión a la que se le ha enviado (cf. n° 75,1). Sin embargo, aún un hermano con un doctorado debe permanecer abierto a prestar otro tipo de servicio a la provincia, cuando la misión se lo requiera.

### Sección C
### El lugar del estudio en la formación permanente

28. De la misma manera que el crecimiento humano, espiritual y pastoral de un fraile no finaliza con su formación inicial, su formación intelectual no concluye con los estudios institucionales (cf. *Ratio Formationis Generalis* 2016, IV parte, nos. 171-200). Ya que el *habitus* del estudio es integral a la vocación de un dominico, cada fraile debe cultivarlo a lo largo de toda su vida, en consonancia con la especificidad de su vocación.

29. La responsabilidad de desarrollar el *habitus* del estudio recae primero en el fraile, luego en su comunidad local y, por último, en la provincia:

I. En lo que respecta a cada fraile, el *habitus* requiere tanto de un tiempo de estudio serio, libre de otras responsabilidades ministeriales, así como de la voluntad de buscar esta forma de contemplación, la cual tiene un carácter ascético y de gracia. Al igual que los demás elementos de nuestra vocación, el deseo de estudiar es un don gratuito de Dios y un aspecto esencial de nuestra vida (LCO 83).

II. Por su parte, la comunidad local deberá buscar como profundizar su compromiso con el estudio. En este esfuerzo, el prior conventual, asistido por el lector conventual, deberá proveer oportunidades para hacer un estudio compartido, las cuales serán organizadas por el lector (LCO 88 §§ I y II).

III. A nivel provincial, el prior provincial, asistido por el promotor de la formación permanente, es responsable de la formación permanente de los frailes (LCO 89 §§ I y III; 251-ter). En la medida en que se trate del estudio, esta responsabilidad es compartida con el regente de estudios y con la comisión para la vida intelectual. (LCO 93 §I.3). El promotor de la formación permanente, después de haber consultado al regente, deberá decidir lo que deberá ser propuesto al provincial con respecto a la promoción del estudio en la provincia.

# SEGUNDA PARTE

## LA ORGANIZACIÓN DE LOS ESTUDIOS

### Capítulo I

### LAS LEYES QUE RIGEN LOS ESTUDIOS EN LA ORDEN

30. En la Orden los estudios se rigen por:
    1) Las leyes y decretos de la Iglesia que atañen al estudio;
    2) Las leyes particulares de la Orden como se encuentran expresadas en el LCO, las Actas de los Capítulos Generales, las ordenaciones del Maestro de la Orden, la *Ratio Studiorum Generalis* (RSG) y las *Rationes Studiorum Particulares* (RSP).

31. La *Ratio Generalis* provee los principios fundamentales para la unidad doctrinal y la organización de los estudios en toda la Orden. Ella asiste a los centros de estudios superiores en su misión intelectual y guía la elaboración de las *Rationes Particulares* de las provincias.

32. La RSP específica detalladamente las disposiciones generales de la RSG, teniendo en cuenta las necesidades únicas de la provincia, las exigencias de la iglesia local y las cuestiones emergentes del medio social, económico, cultural e intelectual en el que los frailes llevan a cabo la misión de la Orden. Por lo tanto, cada RSP dará su propio énfasis a temas tales como el ecumenismo, el diálogo interreligioso, la sociología de las religiones y los fenómenos de la secularización, el fundamentalismo y la globalización.

33. La RSP tiene peso de ley en la provincia de la misma manera que la RSG tiene peso de ley en la Orden. Los elementos específicos de la RSG que la RSP debe abordar están contenidos en el Apéndice I, LCO 91 §IV, 92-bis §III y 237§ I. La RSP se elaborará de la siguiente manera:

I. La comisión para la vida intelectual presentará un borrador de la RSP al consejo de profesores del centro de estudios institucionales para su revisión, así como a los otros centros de estudio de la provincia, si se considera pertinente. A continuación, la RSP es revisada y presentada al prior provincial y a su consejo para su consideración.

II. Habiendo recibido la opinión de la comisión para la vida intelectual y la opinión del consejo de profesores, el prior provincial, con el voto de su consejo, presenta la RSP al Maestro de la Orden (LCO 89 § II.2, 231.5). Después de la aprobación por parte del Maestro, la comisión para la vida intelectual es responsable de la implementación de la RSP.

34. Se recomienda que las provincias de una misma región, especialmente aquellas con afinidades culturales, trabajen juntas en la preparación, ya sea de sus *Rationes Studiorum Particulares* individuales o de una *Ratio Studiorum Particularis* común.

35. En las provincias donde los frailes cursen la totalidad o parte de sus estudios institucionales en un centro fuera de la Orden, la RSP deberá incluir el programa académico de ese centro y deberá mencionar claramente:
1) Los estatutos del centro de estudios institucionales de la provincia, siempre que los requisitos del LCO 91 § II puedan ser satisfechos;
2) Los cursos, conferencias y otros medios usados para dar a conocer la tradición intelectual de la Orden a los frailes que cursan sus estudios fuera de ella (nos. 15-22);
3) La manera en la que la tradición intelectual de la Orden será integrada en el actual programa de estudios de los estudiantes.

Capítulo II

LA ORGANIZACIÓN DE LOS ESTUDIOS EN LA ORDEN

Sección A
Los responsables del estudio en la Orden

36. Teniendo en cuenta lo dispuesto por el LCO y por el derecho común, el Maestro de la Orden tiene la responsabilidad de organizar los estudios en toda la Orden para que su misión de predicación pueda responder a las necesidades de la Iglesia y de los pueblos de nuestro tiempo. (LCO 90 § I y 230).

37. En su labor de dar cumplimiento a la responsabilidad de promover el estudio en la Orden, el Maestro de la Orden es asistido por el Socio para la vida intelectual, quien trabaja para fortalecer el compromiso de la Orden con el estudio. Además de las responsabilidades esbozadas en el LCO 427 §I, el Socio para la vida intelectual debe:

    1) Desarrollar una visión del estudio para la Orden que tenga en cuenta las necesidades de cada una de las provincias, así como el bien de toda la Orden;

    2) Brindar orientación a los centros de estudios institucionales;

    3) Mejorar la comunicación entre las provincias mediante la creación de redes entre los regentes de estudios, profesores y estudiantes, así como entre los diversos centros de estudio de la Orden, valiéndose de las tecnologías informáticas y de los medios de comunicación social;

    4) Asesorar al Maestro de la Orden cuando le sean presentadas controversias doctrinales (Apéndice III).

38. El Maestro de la Orden también es asistido en esta tarea por la comisión permanente para la promoción de los estudios en la Orden (LCO 90 § II). Bajo la presidencia del socio para la vida intelectual, la comisión permanente para la promoción de los estudios tiene entre sus responsabilidades:

    1) Asesorar al Maestro de la Orden sobre cuestiones importantes que conciernan a la vida intelectual de la Orden;

    2) Desarrollar estrategias que respondan a las futuras necesidades intelectuales de la Orden;

    3) Buscar formas de distribuir de una mejor manera los recursos de la Orden concernientes a la vida intelectual;

    4) Trabajar con los priores provinciales, regentes de estudios y moderadores de los centros de estudios a fin de fortalecer los centros de estudio provinciales;

    5) Asistir al Maestro de la Orden en la renovación de las instituciones bajo su jurisdicción inmediata, especialmente trabajando con los priores provinciales y los regentes de estudios a fin de preparar frailes para cubrir cargos en esas facultades;

    6) Fomentar la colaboración regional entre los centros de estudio provinciales de la Orden;

    7) Reflexionar sobre las *quaestiones disputatae* de nuestro tiempo, así como recomendar el estudio de dichos temas a los frailes que son expertos en la materia, de manera que su investigación pueda servir a la predicación de la Orden;

    8) Asistir en la preparación de la *Ratio Studiorum Generalis*.

39. Debido a su competencia en las ciencias sagradas los Maestros en Sagrada Teología también contribuyen a la misión del estudio en la Orden por medio de su enseñanza y de la pericia teológica que poseen (LCO 96). La Orden no sólo reconoce el gran valor de sus logros académicos, sino que ve a los Maestros en Sagrada Teología como testigos fehacientes de la búsqueda de la verdad y de la importancia del estudio contemplativo para nuestra misión de la predicación. Por medio de su compromiso con el más alto nivel de discurso teológico, intercambio e investigación, ellos se ponen al servicio de la Orden, la cual puede requerir que los Maestros en Sagrada Teología:

1) Ofrezcan orientación al Maestro de la Orden en cuestiones teológicas o filosóficas que competen a la vida intelectual de la Orden y de la Iglesia;

2) Participen en comisiones establecidas por el Maestro de la Orden para fortalecer la vida intelectual de la Orden;

3) Den una opinión experta sobre los candidatos que han sido presentados al Maestro de la Orden para ser promovidos a Maestros en Sagrada Teología;

4) Sirvan en comisiones organizadas por el Maestro de la Orden o por su prior provincial con el fin de analizar declaraciones polémicas que hayan sido hechas por algunos de los frailes (Apéndice III);

5) Aconsejen al prior provincial o al regente de estudios en materias concernientes a la vida intelectual de la provincia;

6) Asesoren a la comisión para la vida intelectual.

## Sección B
### Los diversos centros de estudios

40. La Orden cuenta con centros de estudio que son comunidades de frailes que se dedican a tiempo completo a la disciplina del estudio. Un centro de estudios debe contar al menos con tres frailes que posean las credenciales académicas necesarias, una adecuada biblioteca y otros recursos educativos, así como el apoyo económico suficiente para llevar a cabo su misión (LCO 91 § II). Según LCO 92, los principales centros de estudio son:

1) Un centro de estudios institucionales: es una comunidad de profesores y estudiantes de la Orden en la que también otros pueden participar, en donde los estudios básicos (el primer ciclo) en filosofía y/o teología siguen el plan de formación institucional de la Orden (cf. LCO 92.1°) y en donde el lectorado de la Orden puede ser conferido;

2) Un centro de estudios superiores: es una comunidad de profesores y estudiantes de la Orden en la que también otros pueden participar, en donde los programas académicos ofrecidos permiten al menos obtener

el título de licenciatura (*licentia docendi*), i.e., el grado
correspondiente al segundo ciclo (LCO 92.2°);

3) Un centro de estudios especializados: es una comunidad de frailes
dedicados a la investigación, a la publicación y a ciertos proyectos
académicos particulares, pero no necesariamente a la actividad
docente (LCO 92.3°);

4) Un centro de formación permanente: es una comunidad de frailes
dedicados a la investigación, a la publicación y a la preparación de
programas dirigidos a la formación permanente (LCO 92.4°).

41. El proceso para nombrar al moderador de un centro de estudios provincial
es determinado por los estatutos provinciales. Otras autoridades del centro
pueden ser nombradas de acuerdo a lo previsto en los estatutos del centro.

42. Los moderadores de los centros de estudios institucionales y de estudios
superiores deben tratar, en la medida de lo posible, de obtener reconocimiento
tanto eclesiástico como civil para los títulos académicos conferidos por sus
centros.

Capítulo III

LA ORGANIZACIÓN DE LOS ESTUDIOS EN LA PROVINCIA

### Sección A
### Los responsables del estudio en la provincia

43. Así como cada fraile es responsable de su propia formación, según la
tradición de la Orden, de igual modo cada fraile tiene el deber de aplicarse al
estudio, sobre todo a la comprensión más profunda de la Palabra de Dios. El
fraile es ayudado en este esfuerzo por los frailes de la provincia, incluyendo
el prior provincial, el regente de estudios y la comisión para la vida
intelectual. A nivel conventual, el prior y el lector conventual comparten esta
responsabilidad.

44. Entre sus principales responsabilidades, el prior provincial deberá
fomentar el espíritu y la práctica del estudio entre los frailes. Además de las
tareas enumeradas en el LCO 89§ I, compete al provincial:

1) Inculcar en los frailes, por medio de su proprio ejemplo, el amor al
estudio;

2) Supervisar la planeación de las futuras necesidades intelectuales de la provincia, incluyendo la preparación de frailes para el apostolado de la enseñanza;

3) Proporcionar supervisión y recursos adecuados, incluyendo un número suficiente de profesores, para el mantenimiento y el futuro desarrollo del centro de estudios institucionales y de otros centros de estudios en la provincia;

4) Designar a un asesor académico o a un equipo de asesores académicos para los estudiantes del centro de estudios institucionales, con el fin de asegurar que su formación institucional sea integral y completa;

5) Asegurarse de que el estudio común se lleve regularmente a cabo en los conventos de la provincia;

6) Cuidar que el plan pastoral de la provincial no impida que los hermanos tengan tiempo para el estudio;

7) Colaborar, junto con el regente de estudios, el socio para la vida intelectual y el Maestro de la Orden, en el esfuerzo por responder a las necesidades de la vida intelectual de toda la Orden, especialmente de las instituciones bajo la inmediata jurisdicción del Maestro.

45. En esta tarea, el prior provincial es asistido por el regente de estudios, cuya labor es promover y coordinar la vida de estudio de la provincia. Además de las responsabilidades enumeradas en el LCO 93 §I, el regente se ocupa de:

1) Planificar, en estrecha colaboración con el prior provincial, la vida intelectual de la provincia.

2) Trabajar con los regentes de su región para desarrollar estrategias que promuevan el intercambio de profesores, instalaciones y recursos académicos a fin de fortalecer la vida intelectual de la región;

3) Seleccionar estudiantes para programas de estudios adicionales y complementarios y ayudarlos en el proceso de inscripción a los mismos, incluyendo la obtención de posibles becas de estudio y de otros medios de financiamiento;

4) Supervisar el progreso de los estudiantes que cursan estudios complementarios, asegurándose de que dispongan de los medios adecuados para su estudio y, cuando se considere necesario, realizando visitas fraternas;

5) Asegurarse de que haya periódicas evaluaciones externas del centro de estudios institucionales, realizadas por el Estado o por un organismo acreditado.

46. El prior provincial también es asistido en esta tarea por la comisión para la vida intelectual, la cual provee orientación acerca de temas pertinentes a la vida de estudio en la provincia. Bajo la presidencia del regente de estudios, la comisión tiene varias responsabilidades (LCO 89 §II), tales como:
1) Ofrecer una visión para la vida intelectual de la provincia;
2) Asistir al prior provincial y al regente de estudios en la planificación de la vida intelectual de la provincia de acuerdo a sus prioridades apostólicas.
3) Recomendar a aquellos frailes que deberán seguir programas de estudio adicionales o complementarios;
4) Trabajar con los priores y lectores conventuales en el desarrollo de programas de estudio, incluyendo aquellos que fortalecerán la calidad del estudio comunitario en los conventos de la provincia;
5) Aconsejar al promotor para la formación permanente, especialmente en temas relacionados con el estudio.

47. A nivel conventual, el prior busca animar a los frailes en su compromiso con el estudio (LCO 88 § I y II). Con la ayuda del lector conventual, el prior organiza reuniones regulares sobre temas relacionados con el estudio, incluyendo cuestiones teológicas de relevancia directa para la práctica pastoral y ministerial. Del mismo modo, con la ayuda del bibliotecario y del lector conventual, el prior se asegura de que el presupuesto de la biblioteca sea adecuado para la adquisición de materiales de referencia actualizados, especialmente los referidos a la predicación, la evangelización y el estudio de la Palabra de Dios.

48. En el convento hay un lector conventual. Así como el prior recibe consejo del promotor para la formación permanente en lo que respecta a la formación permanente de los frailes en el convento, el lector conventual consulta al regente de estudios en materias que tocan directamente a la vida de estudio del convento. Las responsabilidades del lector conventual incluyen las siguientes (LCO 326-bis):
1) Asistir al prior en la formación permanente de los frailes (LCO 251-bis);
2) Promover la reflexión comunitaria sobre cuestiones de actualidad relativas a la teología, las enseñanzas de la Iglesia y los problemas pastorales, incluyendo los presentados por el capítulo provincial;
3) Animar a los frailes del convento a participar en talleres y cursos ofrecidos por la diócesis, las universidades locales y otros centros, los cuales les permitirán servir de una mejor manera a la misión;

4) Implementar en el convento las recomendaciones de la comisión para la vida intelectual que han sido confirmadas por el prior provincial;

5) Promover un espíritu de estudio individual y comunitario entre los frailes para que el convento se convierta en un verdadero centro de reflexión religiosa, pastoral y teológica.

## Sección B
## La formación institucional dentro de la Orden

*Art. I. Los centros de estudios institucionales*

49. La Orden reconoce el valor de formar a nuestros frailes en la tradición intelectual de la Orden, donde frailes enseñan y aprenden unos de otros en una verdadera comunidad de estudio. Por ello es preferible que la formación institucional de nuestros frailes se lleve a cabo en un centro de estudios de la Orden. Dicha formación puede llevarse a cabo, ya sea en un centro de estudios de la provincia o en un centro de otra provincia. En cualquier caso, la primera preocupación debe ser siempre la calidad de la formación que nuestros hermanos reciben, incluyendo sus dimensiones humana, espiritual, religiosa y apostólica.

50. Cuando la formación institucional se realice dentro de la Orden, ella se llevará a cabo en un centro de estudios institucionales donde los frailes cursen sus estudios básicos como parte de su formación inicial.

51. En caso de que un centro de estudios institucionales deba ser dividido, por ejemplo en diferentes disciplinas o ciclos impartidos en lugares diversos, se deberá pedir la aprobación del Maestro de la Orden (LCO 230.1°). La organización y la estructura de dicho centro será delineada en la RSP o en los estatutos del centro de estudios institucionales.

52. Un centro de estudios institucionales debe ser viable a nivel académico, material y económico. Debe contar con un número adecuado de estudiantes y profesores, con al menos tres frailes que tengan las credenciales académicas requiridas, instalaciones apropiadas, una buena biblioteca y los recursos financieros necesarios (cf. LCO 91 §II).

53. De la misma forma que el establecimiento de un centro de estudios institucionales debe contar con la aprobación del Maestro de la Orden, su traslado o supresión deberá también contar con ella.

54. Aunque cada provincia debiera tener un centro de estudios institucionales (LCO 233 §I), puede darse el caso de que una provincia no sea capaz de satisfacer los requisitos necesarios para dicho centro (LCO 91 §II) o que tome la decisión de enviar sus estudiantes a un centro de estudios que no está relacionado con la Orden. En esos casos, la provincia deberá proveer cursos o intentar establecer un instituto donde profesores de la Orden puedan ofrecer parte del currículum de filosofía y teología de acuerdo a nuestra tradición intelectual dominicana (n. os 16-23), dedicarse a la investigación, servir de modelo a los estudiantes y estimular la vida intelectual de la provincia.

*Art. II. El gobierno de los centros de estudios institucionales*

55. Además de la autoridad del Maestro de la Orden, la responsabilidad de gobernar un centro de estudios institucionales recae sobre el prior provincial y su consejo. La forma de ejercer esta responsabilidad debe estar delineada en la RSP o en los estatutos del centro de estudios institucionales, teniendo en cuenta el LCO 237. Dicha responsabilidad puede llevarse a cabo bajo diferentes modalidades, por medio de estructuras de gobierno adecuadas a las instituciones académicas de la región, incluyendo una mesa directiva compuesta por frailes dominicos y laicos expertos, quienes asumen juntos los poderes ordinarios de gobierno.

56. La administración del centro de estudios institucionales es confiada al moderador, el cual es nombrado siguiendo el proceso descrito en el estatuto provincial o en la RSP, teniendo en cuenta el LCO 92 bis §I y el LCO 236. El moderador es el encargado de implementar las decisiones que reciba de una autoridad superior, especialmente del órgano de gobierno del centro. Así mismo, el moderador posee la autoridad ejecutiva necesaria para dirigir el centro y promover su misión y la responsabilidad de su gestión estratégica, administrativa, académica y financiera, según lo establecido en la RSP, el estatuto provincial o el estatuto del centro de estudios institucionales. Es responsabilidad del moderador:
   1) Abordar cuestiones de la planificación estratégica;
   2) Asegurarse de que existan las adecuadas instalaciones, recursos y personal para la correcta gestión del centro;
   3) Apoyar y asistir a los profesores en su labor docente y en su desarrollo profesional;
   4) Evaluar el rendimiento académico de los profesores, incluyendo la calidad de su investigación, mediante una reunión anual con cada uno de ellos;
   5) Seguir los estándares de acreditación académica requeridos por el país o la región donde se sitúa el centro;

6) Elaborar el presupuesto anual y los informes económicos para su aprobación por el prior provincial;

7) Promover la misión del centro de estudios a través de comunicaciones frecuentes, inscripción de nuevos estudiantes y recaudación de fondos.

57. Dado que, en algunos casos, las responsabilidades del regente de estudios y del moderador del centro de estudios institucionales pueden converger, la RSP deberá aclarar la relación entre estos dos oficiales de la provincia. La RSP quizás deba también determinar cómo deben ser comprendidas las obligaciones del maestro de estudiantes en la formación de los frailes cursando estudios institucionales, en relación con las obligaciones del regente y del moderador (Ver *Ratio Formationis Generalis* 2016, no. 142).

58. El moderador es asistido en el cumplimiento de las responsabilidades señaladas en el no. 56 por los oficiales mayores, responsables del centro de estudios, quienes, junto con él, componen el *moderatorium* (LCO 92-bis § II). Ordinariamente, estos oficiales mayores incluyen al vicepresidente o vicedirector del centro, un secretario general o un encargado de admisiones y un oficial financiero o administrativo.

59. La supervisión académica del centro de estudios institucionales es una tarea compartida con el consejo de profesores, del cual el moderador es el presidente. El consejo de profesores asiste al moderador ofreciendo sus sugerencias y asesoría, especialmente en cuestiones de tipo académico. Este consejo debe promover todo aquello que esté relacionado con el estudio, teniendo siempre en cuenta la formación integral de los frailes (LCO 237 §I). Compete al consejo:

1) Mantener y fomentar la tradición intelectual dominicana en el centro;

2) Organizar el ciclo de estudios institucionales y aprobar el plan de estudios;

3) Evaluar la dedicación y el desempeño de los alumnos en sus estudios;

4) Ayudar a cada estudiante a descubrir sus talentos y a determinar cómo éstos pueden ser desarrollados a través de estudios adicionales o complementarios. Esto será recomendado al prior provincial y al regente de estudios.

5) Revisar la RSP propuesta por la comisión para la vida intelectual y hacer observaciones y sugerencias sobre la misma.

60. El consejo de profesores puede coincidir con el consejo de facultad o puede ser un órgano académico distinto. La pertenencia al consejo de

profesores, incluyendo la participación de aquellos que no son frailes dominicos, debe ser determinada por la RSP.

*Art. III. La biblioteca del centro de estudios institucionales*

61. A pesar del desarrollo de las nuevas redes de comunicación y de la existencia actual de numerosas posibilidades de almacenamiento y búsqueda de datos, la biblioteca, sin embargo, sigue constituyendo un recurso indispensable para la investigación y el estudio. La biblioteca debe albergar los materiales de consulta general, revistas y monografías necesarios para realizar consultas académicas serias. Al mismo tiempo, la biblioteca debe poner a disposición de profesores y alumnos tecnología informática actualizada que permita optimizar dichas consultas.

62. El bibliotecario del centro de estudios institucionales deberá ser nombrado de acuerdo al procedimiento contenido en la RSP, el estatuto provincial o el estatuto del centro. Para desempeñar su labor, el bibliotecario deberá ser asistido por un comité de la biblioteca, cuya composición y responsabilidades deberán ser mencionados en uno de los documentos precedentes.

63. Considerando el estado económico general del centro de estudios, el moderador y el bibliotecario del centro deben asegurarse de que la biblioteca cuente con un presupuesto apropiado para mantener el tipo de materiales necesarios para hacer investigación en la actualidad.

64. Con el objetivo de optimizar el uso de los recursos de la biblioteca y promover una cultura de la investigación, el bibliotecario deberá buscar formas concretas de colaboración con otras bibliotecas, incluyendo aquellas que no estén relacionadas con la Orden. El establecimiento de redes puede resultar en un gran beneficio mutuo, debido al uso compartido de recursos limitados y costosos.

*Art. IV. La formación institucional dentro de la Orden pero fuera de la provincia*

65. Cuando una provincia envía frailes al centro de estudios de otra provincia, su formación institucional debe ser dirigida por el moderador del centro de estudios de su provincia o por el regente de estudios de su provincia, según lo determinado en la RSP y teniendo en cuenta el LCO 233 §I. En casos donde no exista un centro de estudios institucionales, esta responsabilidad recae directamente sobre el regente (Ver *Ratio Formationis Generalis* 2016,

Apéndice D: "Notas para un contrato cuando los novicios o estudiantes son formados en otra provincia").

## Sección C
## Formación institucional fuera de la Orden

66. En algunas provincias y vicariatos los frailes son enviados a cursar su formación institucional en centros de estudios que no cuentan con una conexión formal con la Orden. Cuando se considere esta posibilidad, el prior provincial con su consejo deberán consultar al Maestro de la Orden y deberán tener en cuenta lo siguiente:
   1) Las necesidades de la provincia, especialmente las intelectuales, ministeriales y económicas;
   2) La capacidad de la provincia para establecer un centro de estudios institucionales con un programa académico exigente;
   3) La afinidad geográfica y cultural del centro de estudios al que los frailes estudiantes serían enviados;
   4) El tipo de formación intelectual y la calidad de programas que dicho centro ofrecerá;
   5) Los beneficios de colaborar con una universidad, una diócesis u otras comunidades religiosas en un centro fuera de la Orden;
   6) La necesidad de asegurar que los hermanos sean formados en la tradición intelectual de la Orden.

67. Si la decisión de enviar a los estudiantes a un centro de estudios que no pertenece a la Orden ha sido adoptada, el prior provincial y el regente de estudios deberán asegurarse de que la tradición intelectual dominicana, como se presenta en esta *Ratio Generalis* (nos. 15-22), sea presentada en su totalidad a los frailes como parte de su formación institucional. La RSP deberá incluir el plan de estudios del centro al cual son enviados los estudiantes y también deberá indicar claramente la manera en la que la tradición intelectual de la Orden será transmitida a nuestros estudiantes (no. 54). Además, el regente deberá ver si es posible que profesores dominicos cualificados asuman responsabilidades en la facultad del centro, especialmente en las disciplinas fundamentales.

68. Si los frailes estudian fuera de la Orden, el prior provincial y el regente de estudios deberán cuidar que sean asignados a un convento en el que les sea posible tener acceso a una buena biblioteca y a otros recursos necesarios para la investigación académica.

69. Cuando exista en la provincia un centro de estudios institucionales pero los frailes sean enviados a estudiar fuera de la Orden por al menos parte de su formación institucional, el moderador del centro de estudios institucionales o el regente de estudios serán responsables de su programa académico, según lo determinado por la RSP, teniendo en cuenta el LCO 233 § I. Cuando no exista un centro de estudios institucionales en la provincia esta responsabilidad recaerá en el regente o en un fraile designado por el prior provincial, de acuerdo con la RSP.

## Sección D
## Los profesores y los estudiantes

*Art. I. Los profesores*

70. Los profesores de los centros de estudios de la Orden deberán ser modelos del compromiso de la Orden con la vida intelectual; deberán adherirse a los más altos estándares profesionales y académicos que son exigidos a sus pares en otros centros; deberán ser expertos en sus respectivas disciplinas, empeñados en la investigación y en la publicación y estar al día en los nuevos modelos pedagógicos; deberán, igualmente, ser ejemplo de la relación dinámica entre la academia y la práctica pastoral, participando en algún tipo de actividad ministerial fuera del centro de estudios (LCO 239).

71. Los profesores de los centros de estudios institucionales deben contar con un doctorado.
   1) Sin embargo, en los casos en que los profesores de filosofía y teología en tales centros no posean un doctorado deberán al menos contar con una licencia canónica o su equivalente.
   2) Una cualificación apropiada y un alto nivel de experiencia son necesarios para enseñar ciertas asignaturas, tales como lenguas bíblicas, homilética y prácticas litúrgicas o pastorales.

72. Los profesores deberán comprometerse con su propio desarrollo profesional por medio de la investigación, la publicación de artículos en revistas especializadas y revisadas por pares académicos, la pertenencia a sociedades académicas y la participación activa en conferencias y congresos donde frecuentemente sirvan como ponentes. Los profesores también deben conocer y utilizar las nuevas tecnologías informáticas, tales como la publicación electrónica, las cuales están transformando la vida académica.

73. Los profesores deberán buscar oportunidades para trabajar con los frailes de sus propias provincias y de otras provincias, para compartir su labor de investigación con ellos y para participar de modo conjunto en congresos y coloquios.

74. Los profesores deberán contribuir al crecimiento intelectual de sus estudiantes, enseñándoles y aprendiendo de ellos en un espíritu de mutualidad, promoviendo el pensamiento crítico entre ellos, brindándoles una visión filosófica y teológica coherente y dinámica y compartiendo con ellos su propio amor por el estudio.

75. Los priores provinciales y los moderadores de los centros de estudio, especialmente de los centros de estudios institucionales, deberán valorar la importancia de la formación intelectual de un profesor.

1) Los provinciales deberán proceder con cautela antes de interrumpir la labor docente de un profesor para destinarlo a otro ministerio o responsabilidad, así sea de carácter administrativo o de gobierno (cf. no. 27).

2) Los moderadores deberán reconocer la importancia de la especialización y la necesidad de investigación innovadora por parte de los profesores. Por tanto, no deberán pedir que un profesor que enseña en una disciplina enseñe en otra sin una razón seria.

3) Los moderadores deberán brindar suficiente tiempo libre a los profesores durante el año académico para que hagan investigación, revisen sus cursos y mejoren sus métodos de enseñanza.

4) Los moderadores también deberán brindar a los profesores oportunidades de tiempo sabático con el fin de escribir y publicar proyectos definidos, así como los recursos económicos necesarios para una tal labor de investigación.

76. Los profesores deberán participar en autoevaluaciones periódicas de su labor docente e investigativa, así como también en evaluaciones hechas por el moderador del centro de estudios, de acuerdo con lo previsto en la RSP o en los estatutos del centro de estudios. Como parte de este proceso se deberán identificar las fortalezas y debilidades en la enseñanza y en la investigación de parte de los profesores, así como su contribución general al centro. Cuando se identifique una notoria necesidad de mejoría, ésta debe notificarse debidamente. La presencia del profesor como miembro del centro de estudios dependerá de su capacidad de resolución de dichas deficiencias.

## *Art. II. Los estudiantes*

77. Ya que un centro de estudios institucionales es una comunidad de profesores y estudiantes, estos últimos deberán contribuir al bien común del centro por medio de su participación activa en la vida académica del mismo. En particular, los estudiantes deberán comprometerse a estudiar y a dominar el material que se les presente. Para dejar claro lo que se espera de ellos, será útil preparar un manual del estudiante que trate temas tales como la responsabilidad personal, la honestidad académica y los estándares éticos propios de un estudiante.

78. Como miembros de pleno derecho del centro de estudios institucionales, los frailes dominicos que allí estudian deberán ser consultados en el proceso de selección de un moderador para el centro de estudios.

79. Cuando un estudiante sea enviado a una universidad para realizar cursos especiales durante el periodo de sus estudios institucionales, los responsables de su formación, especialmente el regente de estudios, el moderador del centro de estudios y el maestro de estudiantes, deberán asegurarse de que dicho programa universitario no interfiera ni con la formación institucional del estudiante ni con la totalidad de su formación como fraile dominico (ver: LCO 243).

## Capítulo IV

## LA COOPERACIÓN INTERPROVINCIAL

80. Debido a que la Orden es internacional (de hecho global), las provincias deberán buscar caminos creativos de colaboración entre ellas para la promoción de la vida intelectual. Esta cooperación no sólo enriquece la calidad de la investigación y el nivel de enseñanza, sino que fortalece los lazos fraternos entre las provincias, las instituciones y entre los frailes de manera individual. Además, esta cooperación ensancha el horizonte intelectual de aquellos que participan en ella y proporciona una experiencia del vigor y la diversidad de la Orden. Sin embargo, para que esta cooperación sea fructífera, los priores provinciales, regentes de estudios, moderadores de centros de estudios y profesores tendrán que comprometerse con esta visión y trabajar juntos en su realización.

81. Los regentes de estudios en las diferentes regiones de la Orden deberán reunirse periódicamente con el socio para la vida intelectual para proponer programas y actividades que promuevan el intercambio mutuo entre las provincias. Los regentes deberán evaluar periódicamente la calidad y eficacia de la colaboración académica. Algunas formas de colaboración interprovincial incluyen las siguientes:

1) Proyectos de investigación conjunta asumidos por profesores dominicos de diferentes provincias;
2) Congresos académicos y simposios patrocinados por más de una provincia;
3) Seminarios y cursos de verano rotativos entre varias provincias;
4) Talleres regionales de formación permanente para los frailes, en consulta con los respectivos promotores de formación permanente.

82. La cooperación entre los centros de estudios institucionales de la Orden deberá ser promovida. Los moderadores de dichos centros deberán:

1) Establecer proyectos en común, tales como congresos académicos, programas de conferencias y redes de investigación;
2) Favorecer el intercambio de profesores y estudiantes, así como de materiales bibliográficos, tecnologías informáticas y experiencia práctica;
3) Ofrecer cursos o programas de estudios dominicanos que puedan beneficiar a estudiantes de los distintos centros de estudios;
4) Ofrecer talleres sobre la formación permanente de los frailes de una misma región;
5) Dar a los estudiantes de los distintos centros la oportunidad de obtener un grado pontificio;
6) Desarrollar programas de estudio a distancia o por medio de plataformas en Internet, donde los alumnos que se forman en centros fuera de la Orden puedan estudiar en un centro de estudios institucionales.

83. Con el apoyo de los priores provinciales y de los regentes de estudios de sus respectivas provincias, los centros de estudios institucionales en una región determinada deberán intentar desarrollar programas semestrales o anuales de estudios dominicanos dirigidos a los frailes en formación institucional. En la planificación de dichos programas, preferentemente en una de las lenguas oficiales de la Orden (cf. no. 14.9), debe cuidarse que los cursos sean incorporados en la *curricula* de los centros participantes. El programa podría incluir lo siguiente:

• La contribución de los doctores dominicos a la Iglesia;
• Teólogos dominicos contemporáneos;

- Espiritualidad dominicana;
- Historia de la Orden;
- La importancia de la liturgia para la vida y la predicación dominicanas;
- La teología de la predicación y la homilética.

84. En las regiones donde no es posible que las provincias mantengan centros de estudios institucionales, las provincias podrán establecer estructuras de colaboración que ofrezcan formación intelectual dominicana para los frailes (n.os 16-23). Durante un periodo de varios años, algunos elementos de nuestra tradición dominicana podrían ser ofrecidos en diferentes provincias, especialmente en el tiempo existente entre las sesiones académicas formales.

85. Los priores provinciales, los regentes de estudios y los formadores deberán ayudar a los frailes en formación institucional a ampliar su comprensión de la vida y del estudio dominicanos. Cuando sea posible, las provincias deberán buscar la manera de que los frailes cursen un año académico en un centro de estudios institucionales de otra provincia. Para facilitar el movimiento de estudiantes de una provincia a otra, los centros de estudios institucionales deberán buscar establecer acuerdos de mutuo reconocimiento de los cursos. Esto deberá incluir, donde sea posible, el reconocimiento civil de los cursos realizados por un estudiante fuera de su provincia.

86. Con el objetivo de mejorar el dominio de los idiomas extranjeros por parte de nuestros estudiantes, de ofrecerles una perspectiva teológica diferente y de profundizar la cooperación entre las provincias, los centros de estudios institucionales podrán considerar el invitar a profesores de las diferentes regiones para que ofrezcan cursos a los estudiantes en una lengua oficial de la Orden que no sea la propia (cf. no. 14.9).

87. Por solicitud de los respectivos priores provinciales, el Maestro de la Orden puede establecer un centro interprovincial de estudios institucionales bajo la autoridad de un moderador único. Los derechos y obligaciones de las distintas provincias en el gobierno del centro deberán ser contemplados en la RSP de la provincia a la que pertenezca el centro o en un acuerdo distinto, aprobado por el Maestro (LCO 391.4°).

88. Con el objetivo de formar a nuestros frailes en la tradición dominicana del estudio, deberá ser fomentada la colaboración con las instituciones bajo la jurisdicción inmediata del Maestro de la Orden, especialmente la

Universidad Santo Tomás de Aquino en Roma, *L'École Biblique et Archéologique Française en Jerusalén* y la facultad de teología de la Universidad de Friburgo, de las cuales el Maestro de la Orden es el Gran Canciller.

## Capítulo V

## LOS EXÁMENES

### Sección A
### Los exámenes en general

89. La RSP deberá dejar clara la forma en que el centro de estudios institucionales evaluará los logros académicos de los estudiantes, incluyendo su capacidad de integrar lo que han aprendido a lo largo de su formación institucional. Los instrumentos de evaluación deberán tomar en cuenta no sólo el dominio que tiene el estudiante del material presentado sino también su capacidad de elaborar un análisis crítico y una reflexión sintética. Los trabajos de investigación, las reseñas de libros, los exámenes orales o escritos y la participación activa en seminarios son modos apropiados en los que un centro de estudio puede determinar el progreso académico de un estudiante.

### Sección B
### El examen para el lectorado

90. Para que una provincia pueda conferir el Lectorado de la Orden (LCO 94), además de los requerimientos encontrados en la RSP, es necesario que el fraile:
1) Complete el ciclo de estudios institucionales antes del examen;
2) Reciba la aprobación del consejo de profesores para solicitar al lectorado;
3) Someta un trabajo de investigación formal para su aprobación;
4) Reciba una juicio favorable de tres profesores del centro de estudios institucionales que examinarán al fraile por al menos dos horas acerca de varios temas, ya sean filosóficos o teológicos.

## Sección C
## El examen para recibir la facultad de escuchar confesiones

91. El examen para obtener la facultad de escuchar confesiones deberá llevarse a cabo en presencia de al menos dos examinadores, de los cuáles al menos uno deberá ser un profesor de teología. Los examinadores deberán corroborar la comprensión por parte del candidato de la teología moral y pastoral desde una perspectiva dominicana, así como su conocimiento de la disciplina canónica de la Iglesia, poniendo especial cuidado en su madurez de juicio para el ejercicio de dicho ministerio. El examen debe durar por lo menos una hora, después de la cual los examinadores votarán por escrutinio secreto. Para aprobar el examen se requiere una mayoría absoluta (cf. LCO 251). Cualquier otra especificación con respecto al examen deberá ser incluida en la RSP.

92. El prior provincial tiene la responsabilidad de designar a los examinadores para el examen de confesión. El prior puede delegar esta responsabilidad al regente de estudios, al moderador del centro de estudios institucionales o al prior de la comunidad del estudiantado.

93. Si el candidato ha aprobado el examen, los examinadores dejarán constancia de ello en un documento firmado. Una vez que el candidato sea ordenado presbítero, gozará inmediatamente de la facultad para oír confesiones, según lo establecido en el LCO 138.

# APÉNDICES

## Apéndice I

### INSTRUCCIONES PARA LA ELABORACION
### DE LAS *RATIONES STUDIORUM PARTICULARES*

(Todas las referencias remiten a la *Ratio Studiorum Generalis* (RSG), a menos de que se señale lo contrario)

**A) La elaboración y la aprobación**

En cada provincia, el prior provincial y su consejo deberán presentar al Maestro de la Orden, para su aprobación, la *Ratio Studiorum Particularis* (RSP), propuesta por la comisión para la vida intelectual de la provincia y revisada por el consejo de profesores del centro de estudios institucionales (no. 32, LCO 89 §II y 231.5).

**B) La autoridad relativa**

La RSP es una parte esencial de la organización de los estudios de una provincia (no. 30.2) o de una región (no. 34). Reconociendo la autoridad superior del LCO, de los Capítulos Generales y de la RSG, la RSP tiene validez de ley en la provincia (no. 33).

**C) Las orientaciones generales**

La RSP deberá tomar en consideración el contexto cultural específico, las circunstancias de tiempo y lugar, la madurez de los estudiantes, las costumbres de las universidades en la región y las directivas de la iglesia local. La RSP deberá poner de manifiesto la importancia que tiene la síntesis doctrinal dentro de la Orden, delinear las diferentes disciplinas que deberán ser enseñadas y las metodologías más apropiadas para presentarlas.

**D) Las disposiciones específicas**

Respecto a *la formación institucional,* la RSP deberá proveer para los frailes cooperadores y los frailes que se preparan para la ordenación (no. 11):
* Las metas y los objetivos del programa de estudios (nos. 12-14);
* La metodología para alcanzar dichos objetivos (no. 15);

- La manera de enseñar filosofía y teología, ya sea que se estudien simultáneamente o no;
- Una descripción general de las disciplinas en las que los estudiantes deberán ser competentes.

La RSP deberá también dejar claro:
- En donde se publica el currículo completo de estudios institucionales;
- En dónde se encuentra la descripciones de los cursos actuales, incluyendo la metodología de su enseñanza y el número de horas asignado a cada curso;
- En donde se enlista el calendario académico cada año.

Para *estudios adicionales y complementarios*, la RSP deberá describir el proceso de aprobación de dichos estudios.

En cuanto al *centro de estudios institucionales,* la RSP deberá proveer:
- El nombre legal y la ubicación del centro de estudios institucionales;
- Una copia de los estatutos del centro de estudios institucionales;
- Una descripción de la estructura de gobierno del centro de estudios institucionales, a no ser que ya exista en los estatutos del centro de estudios institucionales (no. 55);
- La estructura de gobierno de los centros que funcionan con dos sedes distintas, a no ser que ya aparezca en los estatutos del centro de estudios institucionales (no. 51);
- El proceso de nombramiento del moderador del centro de estudios, a no ser que ya exista en el estatuto de la provincia (no. 56);
- Las responsabilidades específicas del moderador del centro de estudios, a no ser que ya existan en el estatuto de provincia o en los estatutos del centro de estudios institucionales (no. 56);
- La composición del consejo de profesores (no. 60);
- Una clarificación de los roles del regente de estudios y del moderador del centro de estudios institucionales (no. 57), incluyendo sus respectivas responsabilidades con respecto a:
  - o los profesores que enseñan en el centro de estudios institucionales;
  - o la planificación de las necesidades del centro, incluyendo la preparación de futuros profesores;
- Las obligaciones del maestro de estudiantes respecto a la formación de los hermanos cursando estudios institucionales en relación a aquellas del regente y del moderador, si esto se considera apropiado (cf. no. 57);
- El proceso para nombrar al bibliotecario del centro de estudios institucionales, a no ser que ya esté estipulado en el estatuto de la provincia o en los estatutos del centro (no. 62);

- El proceso para seleccionar a los miembros del comité de la biblioteca, así como las responsabilidades de este comité, a no ser que ya estén estipulados en el estatuto de la provincia o en los estatutos del centro de estudios institucionales (no. 62);
- La determinación de si es el regente de estudios o el moderador del centro de estudios institucionales quien supervisa los estudios de los frailes que realizan su formación institucional en otra provincia (no. 65).

En las provincias donde los estudiantes realizan sus estudios institucionales en *instituciones no dominicanas*, la RSP deberá:
- Incluir el programa del centro de estudios donde los frailes reciben su formación académica (nos. 35 y 67);
- Determinar si es el regente de estudios o el moderador del centro de estudios institucionales quien supervisa el programa académico de los frailes que estudian en centros académicos fuera de la Orden (no. 69);
- Decidir si es el regente de estudios o un fraile designado por el prior provincial quien tiene la responsabilidad del programa académico de los frailes que estudian fuera de la Orden, cuando no hay un centro de estudios institucionales en la provincia (no. 69);
- Presentar el programa de cursos, conferencias y talleres para formar a los estudiantes en la tradición doctrinal de la Orden (no. 35.2);
- Esclarecer como va a ser integrada en el programa académico de los estudiantes la tradición intelectual de la Orden (nos. 35.3 y 67).

En relación a los *profesores* y a los *estudiantes*, la RSP deberá proveer:
- El proceso de evaluación de los profesores, a no ser que ya esté contemplado en el estatuto del centro de estudios (no. 76);
- Los medios usados por los responsables de los estudios en la provincia para acompañar y supervisar a los frailes estudiantes (no. 44.4);
- El proceso para consultar a los estudiantes dominicos cuando un moderador del centro de estudios será nombrado (no. 78).

En relación a los *centros de estudios interprovinciales*, la RSP deberá definir los derechos y las obligaciones de las provincias, en caso de que no estén ya incluidas en un acuerdo distinto (no. 87).

En cuanto a los *exámenes* la RSP determinará:
- Las formas de evaluar y examinar en general (no. 89);
- Los requisitos para el Lectorado (no. 90) en aquellas provincias donde este grado es conferido;
- La manera de conducir el examen para conferir la facultad de escuchar confesiones (nos. 91-93).

Apéndice II

BIBLIOGRAFÍA DE DOCUMENTOS ECLESIALES, PONTIFICIOS Y DOMINICANOS SOBRE EL ESTUDIO

DOCUMENTOS CONCILARES:

Constitución Dogmática sobre la Iglesia. *Lumen Gentium.* 21 de noviembre de 1964.

Decreto sobre la Renovación de la Vida Consagrada. *Perfectae caritatis.* 28 de octubre de 1965.

Decreto sobre el Ministerio y la Vida de los Sacerdotes. *Presbyterorum ordinis.* 7 de diciembre de 1965.

Decreto sobre la Formación Sacerdotal. *Optatam totius.* 28 de octubre de 1965, nos. 13-22.

DOCUMENTOS PONTIFICIOS *(se encuentran en el Internet)*:

Francisco. *Evangelii Gaudium.* 24 de noviembre de 2013. Archivo papal, Santa Sede

Benedicto XVI. *Deus Caritas Est.* 25 de diciembre de 2005. Archivo papal, Santa Sede.

Juan Pablo II. *Fides et Ratio.* 14 de september de 1998. Archivo papal, Santa Sede.

Juan Pablo II. *Vita Consecrata.* 25 de marzo de 1996. Archivo papal, Santa Sede.

Juan Pablo II. *Pastores Dabo Vobis.* 25 de marzo de 1992. Archivo papal, Santa Sede.

Juan Pablo II. *Sapientia Christiana.* 15 de abril de 1979. Archivo papal, Santa Sede.

Pablo VI. *Evangelii Nuntiandi.* 08 de diciembre de 1975. Archivo papal, Santa Sede.

OTROS DOCUMENTOS ECLESIALES *(se encuentran en Internet)*:

Congregación para el Clero. *El Don de la vocación presbiteral, Ratio Fundamentalis Institutionis Sacerdotalis.* 8 diciembre 2016, n.os 153-187.

Congregación para el Culto Divino y la Disciplina de los Sacramentos. *Directorio Homilético.* 29 de junio del 2014. La Santa Sede.

Congregación para la Educación Católica. *Decreto de Reforma de los Estudios Eclesiásticos de Filosofía. 28* de enero del 2011. La Santa Sede.

TEXTOS DE LAS ACTAS DE LOS CAPITULOS GENERALES DE LA ORDEN:

ACG Bologna 2016, nos. 171-173, 185.

ACG Trogir 2013, no. 83-96.

ACG Roma 2010, nos. 83-94, 120-123, 125.

ACG Bogota 2007, nos. 99-115, 122-128.

ACG Cracóvia 2004, nos. 124-131.

ACG Providence 2001, nos. 104-135.

ACG Bolónia 1998, nos. 62, 76.

ACG Caleruega 1995, nos. 98.1-99.4.

ACG México 1992, "Secularización y búsqueda espiritual."

Los textos de los Capítulos Generales previos que tratan sobre el estudio se pueden encontrar en la *Ratio Studiorum Generalis* de 1993.


TEXTOS DE LOS MAESTROS DE LA ORDEN (*se encuentran en el portal de Internet de la Orden*):

    fr. Bruno Cadoré, O.P. *María: Contemplación y predicación de la Palabra,* febrero de 2013.

    fr. Carlos Azpiroz Costa, O.P. *Caminemos con Alegría y Pensemos en nuestro Salvador: Apuntes sobre la Itinerancia Dominicana,* 24 de mayo de 2003.

    fr. Timothy Radcliffe, O.P. *El manantial de la Esperanza. El estudio y el anuncio de las Buenas Nuevas,* octubre de 1996.

## Apéndice III

## PROCESO A SEGUIR FRENTE A CONTROVERSIAS SUSCITADAS POR DECLARACIONES PUBLICAS HECHAS POR LOS FRAILES

*Principios orientadores*

I. La manera en que la gente se comunica hoy en día, por medio de medios digitales, redes sociales y otras tecnologías informáticas, ofrecen oportunidades para presentar el Evangelio y nuestra fe católica que hubieran sido difíciles de imaginar no hace mucho tiempo. Como nuestros primeros frailes, disfrutamos de movilidad para llegar a nuevos públicos, para hablar de diferentes maneras y para hacer conocer nuestras opiniones, ahora en las plazas públicas del mundo digital.

II. Por supuesto, con estas oportunidades y con esta libertad, los frailes deben ejercer la virtud de la prudencia de modo que sus declaraciones estén guiadas por una preocupación por la verdad y el bien común. A partir de su profesión religiosa, cada fraile dominico deja de ser un individuo privado que habla y escribe por sí mismo y se convierte en una persona pública que representa a la Orden y a la Iglesia en todo lo que hace y dice. Por lo tanto, con un casi ilimitado acceso a una audiencia mundial, el fraile asume una enorme responsabilidad de usar cuidadosa y sabiamente los medios de comunicación al servicio de la fe.

*Las declaraciones hechas en los medios masivos de comunicación*

III. Además del uso prudente de las tecnologías digitales, habrá ocasiones cuando la opinión de un hermano sea solicitada por los medios de información, ya sea en una entrevista telefónica o televisiva. Si la materia concierne los asuntos de la provincia, deberá ser remitida al prior provincial; si concierne al convento o a la parroquia, deberá ser remitido al prior o al párroco, respectivamente. Es siempre preferible que un fraile ofrezca una declaración previamente preparada a que hable de manera extemporánea. Su superior local deberá revisar dicha declaración y aprobarla antes de que sea entregada al periodista que ha pedido la entrevista.

IV. Cuando no es posible que un fraile prepare su declaración, éste deberá al menos dialogar con su superior local y revisar con él lo que piensa decir, antes de hablar ante los medios. En este caso, el fraile deberá dejarse guiar por el consejo que reciba de su superior.

*El uso de Internet*

V. Los portales del Internet, blogs y redes sociales sirven como canales legítimos para comunicar la palabra de Dios y para compartir opiniones políticas, sociales y religiosas. A través de estos medios es posible crear una audiencia regular de seguidores que frecuentan tales sitios en busca de información y de diálogos virtuales. Desafortunadamente, los sitios populares son frecuentemente los más controvertidos. Los frailes que tienen portales de internet y blogs deben ser prudentes. Las declaraciones que hagan deben ser sensatas y deben reflejar las enseñanzas de la Iglesia, así como promover el bien común de la Orden.

VI. Desafortunadamente, puede ocurrir que un fraile haga una declaración en Internet que no sea prudente, que no refleje las enseñanzas de la Iglesia o que no promueva el bien común de la Orden. En tal caso, el superior local o el prior provincial pueden proceder de diversas maneras, incluyendo las siguientes. Él puede:

1) Notificar al fraile y dejar claro que la declaración polémica o errónea es inaceptable y no debe ser repetida;
2) Insistir que el fraile se retracte o provea los matices necesarios que hagan que dicha declaración controvertida o errónea sea aceptable para la Orden;
3) Pedir que futuras declaraciones en Internet sean supervisadas por frailes nombrados por el prior provincial;
4) Informar al fraile que debe cerrar el sitio en Internet.

## Las declaraciones públicas controvertidas

VII. Puede haber ocasiones cuando una declaración pública y controvertida haya sido hecha de modo oral o escrita y que no haya recibido la aprobación previa del superior del fraile. En este caso, solicitamos de modo enfático a los frailes que, siguiendo el espíritu del LCO 139, manifiesten sus preocupaciones primero y directamente al fraile y, si fuera necesario, a su provincial. Sólo después de hacer esto podrán los frailes presentar sus objeciones directamente al Maestro de la Orden. En la misma línea, los frailes no deberán notificar al obispo local o a la Santa Sede sin haber agotado primero todas las posibilidades anteriores. Ni el prior provincial ni el Maestro de la Orden deberán responder a denuncias anónimas.

VIII. El prior provincial, en virtud de su oficio, tiene el deber de examinar los puntos dudosos con relación a temas doctrinales que han sido expresados en declaraciones públicas de los frailes, aun cuando no haya recibido ninguna queja acerca de ellas. En este caso, el provincial deberá hablar con el fraile, haciendo un esfuerzo por esclarecer y resolver el asunto. Cuando el provincial haya recibido una queja, deberá tratar de reunirse con el fraile y con aquellos que han presentado la denuncia, buscando siempre llegar a un resultado favorable a través del diálogo respetuoso. Dependiendo del impacto negativo que las afirmaciones hayan generado o puedan generar, el provincial puede informar al Ordinario del lugar y al Maestro de la Orden.

IX. Cuando el prior provincial no ha podido resolver el problema, deberá decidir con su consejo si manejar la situación a nivel provincial o si remitirla directamente al Maestro de la Orden. Por lo general, es preferible tratar de resolver estos temas al interior de la provincia, antes de pedir la intervención del Maestro.

## El proceso al interior de la provincia

X. Si el prior provincial decide afrontar el caso por medio de una investigación a nivel provincial, él y su consejo deberán establecer una comisión que examine las declaraciones públicas y las objeciones teológicas que han sido planteadas al fraile acusado. Dicha comisión puede solicitar la ayuda de expertos.

XI. Como parte de la revisión de las declaraciones públicas, los miembros de la comisión invitarán al fraile a reunirse con ellos y, si es aconsejable, con aquellos que han presentado una queja formal contra sus declaraciones. La comisión deberá dar al fraile tiempo suficiente para que se preparare a contestar preguntas. El fraile puede escoger a un experto para que lo acompañe. Si el fraile se niega a reunirse con la comisión o no se muestra disponible tras un esfuerzo razonable para fijar el encuentro, la comisión puede proceder a hacer sus deliberaciones sin él. La comisión dará su opinión respecto a si la declaración fue imprudente y peligrosa para la fe y la moral. La comisión comunicará su opinión por escrito al prior provincial.

XII. Una vez que el prior provincial haya recibido el dictamen de la comisión y tras haber consultado con el consejo, el provincial tomará una decisión. Si el provincial considera que la declaración fue imprudente y peligrosa para la fe y la moral, informará al fraile y le pedirá que haga las enmiendas necesarias. El provincial deberá hacer esto por escrito, a menos que hable con el fraile en presencia de al menos otros dos testigos. El prior provincial puede, a continuación, proceder de diversas maneras, incluyendo las siguientes. Él puede
1) Pedir una disculpa formal;
2) Insistir en una retractación pública de las declaraciones controvertidas;
3) Ordenar que se suspenda inmediatamente la publicación de la opinión censurada;
4) Remover al fraile de cualquier cargo administrativo o de enseñanza;
5) En el caso de un fraile ordenado, privarlo de sus licencias eclesiásticas.

XIII. Si el prior provincial decide que no hay suficientes fundamentos para decidir que la declaración pública es imprudente y peligrosa para le fe y la moral, informará por escrito a quienes han presentado la acusación. Si los que presentaron la acusación son frailes dominicos, el provincial les pedirá, de forma escrita, enmendarse poniendo fin a sus acusaciones y haciendo una restitución por medio de una retractación pública de sus opiniones dañinas.

XIV. Si el tema ha llegado hasta la instancia del Maestro de la Orden o de las autoridades eclesiásticas, el prior provincial les informará sobre los resultados de la investigación y sobre las medidas que ha tomado para afrontar el problema y reparar cualquier daño que haya sido causado.

XV. El fraile que ha hecho declaración pública controversial podrá siempre apelar al Maestro de la Orden en contra de los resultados de este proceso.

## El proceso del Maestro de la Orden

XVI. Se puede solicitar al Maestro de la Orden que examine una declaración pública controvertida, bajo las siguientes u otras circunstancias:
1) Una denuncia es presentada ante el Maestro de la Orden por parte de un fraile dominico o por parte de otro;
2) Una denuncia es presentada directamente por parte de una autoridad eclesiástica;
3) Una petición es hecha por el prior provincial quien, después de consultar a su consejo, decide que sería inoportuno para la provincia resolver esta cuestión;
4) Una petición es hecha por el prior provincial quien, tras haber recibido los resultados de la comisión y después de haber consultado a su consejo, decide que no tiene la capacidad para emitir un veredicto sobre la imprudencia y el peligro de la declaración pública o es incapaz de proveer los medios más adecuados para reparar el daño;
5) Una apelación ha sido presentada por el autor de la declaración pública controvertida en contra del veredicto del prior provincial que establece que la declaración fue imprudente y peligrosa para la fe y la moral o en contra de las medidas de reparación que el provincial le ha impuesto.

XVII. En tales situaciones, se recomienda que el Maestro de la Orden proceda de la siguiente manera:
1) Remitir el asunto directamente a la provincia (XVI, nos. 1-2);
2) Aceptar el juicio del prior provincial o de la comisión provincial, después de haber revisado la documentación (no. XVI, no. 5);
3) Proveer sus propias medidas, después de haber revisado la documentación (XVI, no. 5);
4) Proceder con su propia investigación, ya sea aceptando la solicitud del prior provincial (XVI, nos. 3-4) o la apelación del autor de la declaración pública controvertida (XVI, no. 5).

XVIII. Siempre que El Maestro de la Orden crea que es prudente, él podrá conducir su propia investigación de una declaración pública controvertida. El Maestro podrá adoptar el proceso que se presenta a continuación o podrá establecer otro proceso:
1) El Maestro nombra una comisión de teólogos expertos para examinar la declaración pública controvertida.
2) La comisión examina la declaración pública y presenta sus conclusiones al Maestro.
3) El Maestro envía dichas conclusiones al prior provincial del fraile quien, a su vez, las remite al fraile autor de la declaración pública controvertida.
4) El autor de la declaración revisa las conclusiones de la comisión:
   a. Si acepta las conclusiones de la comisión, el caso se considera cerrado. En este caso, el Maestro proveerá sus propios remedios para reparar el daño que pueda haber sido causado.

b. Si el fraile rechaza las conclusiones, se le dará un tiempo suficiente para que prepare su propia respuesta por escrito y para que se pueda reunir personalmente con la comisión. A esta reunión podrá llevar a un experto que él mismo elija.

5) El socio para la vida intelectual organizará y presidirá la reunión de la comisión con el autor de la declaración controvertida. El socio para la vida intelectual, que es miembro de la comisión pero no vota, enviará al Maestro el parecer de la comisión respecto a si la declaración pública fue considerada o no como imprudente y peligrosa para la fe y la moral.

6) El Maestro deberá tomar una decisión acerca de la imprudencia y el peligro de la declaración.

a. Si el Maestro decide que la declaración pública es imprudente y peligrosa para la fe y la moral, podrá confirmar una decisión previa del prior provincial y los remedios impuestos por él o el Maestro podrá proveer sus propios remedios, incluyendo cualquier medida disciplinaria que considere que sea apropiada.

b. Si el Maestro determina que no hay suficientes fundamentos para la acusación de que la declaración pública es imprudente y peligrosa para la fe y la moral, puede anular cualquier decisión adversa previamente tomada por la provincia. Además, podrá pedir al prior provincial que repare cualquier daño que haya sido hecho al buen nombre y a los derechos del autor.

XIX. Una vez que el Maestro de la Orden ha examinado una declaración pública controvertida y ha dado su veredicto definitivo, desde el punto de vista de la Orden, el caso se considera cerrado

# RATIO STUDIORUM GENERALIS – 2017
## FRANÇAIS

**FRATRES ORDINIS PRÆDICATORUM**
CURIA GENERALITIA

Rome, le 07 mars 2017

*Prot. 50/17/123 Promulgation of the Ratio Studiorum Generalis*

**Lettre de promulgation de la Ratio Studiorum Generalis**

Chers frères,

Etudier, prêcher et fonder des couvents ! Au lendemain de la célébration du Jubilé de la confirmation de l'Ordre, c'est dans le dynamisme de cette joie renouvelée d'être envoyés pour prêcher l'Evangile que je promulgue cette nouvelle *Ratio Studiorum Generalis.*

Nous sommes envoyés proclamer la bonne nouvelle du Royaume de Dieu qui se fait proche, comme des disciples et des chercheurs de Dieu. Des disciples, ancrant leur vie dans l'écoute de la Parole, trouvant leur joie dans l'émerveillement du mystère d'un Dieu qui entend son peuple et vient à lui pour révéler en plénitude la promesse d'alliance et l'accomplir. Des disciples qui, jour après jour, s'appuyant sur une étude contemplative de la Parole et de la Tradition de l'Eglise, cherchent inlassablement à discerner les signes des temps à partir de l'amitié que vient leur offrir Celui qui est le chemin, la vérité et la vie. Des chercheurs de Dieu qui, se mettant à l'école de leur Seigneur, partent à la rencontre de tous ceux qui cherchent la vérité, entrent en dialogue avec eux et étudient avec eux comme les premiers frères que Dominique envoya dans les Universités. « Ainsi notre esprit doit être ouvert à la fois à l'Esprit de Dieu et au cœur de ceux à qui la parole est proposée, pour obtenir communication de la lumière, de l'amour et de la force du Paraclet. C'est pourquoi les frères sauront reconnaître l'Esprit agissant au milieu du Peuple de Dieu et discerner les trésors cachés sous les diverses formes de la culture humaine, par lesquelles la nature de l'homme est pleinement manifestée et qui ouvrent des voies nouvelles à la vérité » (LCO 99, § II). Oui, vraiment, un Ordre peut avoir été institué en vue de l'étude, parce qu'il est totalement député à l'évangélisation de la Parole de Dieu (LCO 1, § III).

La présente Ratio, dont le texte original et approuvé est en anglais, remplace celle approuvée par le frère Timothy Radcliffe en 1993. Elle est le fruit d'un intense dialogue au sein de l'Ordre tout entier, et je tiens à exprimer ici une profonde gratitude pour tous ceux qui ont contribué à son élaboration. Parce qu'elle veut soutenir les Prêcheurs dans leur vocation à apprendre comment devenir des serviteurs du mystère de la Vérité en ce monde, elle place, au cœur de l'étude, la Parole de Dieu. Guidée par la longue et belle tradition de l'étude dans l'Ordre, depuis les grands maîtres que sont Albert et Thomas jusqu'aux contemporains, elle

Convento Santa Sabina (Aventino) – Piazza Pietro d'Illiria, 1 – 00153 ROMA
☎ +39 06 57940 555 - FAX +39 06 5750675 – e-mail secretarius@curia.op.org

propose une méthode qui indique à la fois l'exigence d'une étude contemplative, et le chemin par lequel cette étude est essentielle à la pleine réalisation de la vocation du prêcheur. Proposant des principes fondamentaux communs à tous, elle souligne à la fois l'importance que chaque province particulière les traduise dans son contexte culturel propre, et les adapte à la vocation spécifique des frères clercs et à celle des frères coopérateurs, toutes deux conjointes en un même élan pour le service de l'évangélisation. Ainsi, le dialogue initié pour l'élaboration de cette Ratio se poursuivra-t-il, tenant compte de la réalité interculturelle de l'Ordre aujourd'hui, et de la complémentarité des vocations au sein de l'Ordre, cherchant à toujours mieux établir une « culture de l'étude » qui porte le propos de la prédication. Une culture qui tout à la fois enracine dans la fidélité à la tradition de l'Eglise, donne le courage de la rencontre et du dialogue avec les savoirs contemporains, et apprend comment, dans les contextes contemporains, déployer la proclamation de l'Evangile dans l'amitié de la fraternité.

Etudier, prêcher et fonder des communautés. En promulguant cette Ratio Studiorum, je formule à nouveau le vœu qu'elle aide chacun de nous, et chacune de nos communautés à enraciner et déployer leur joie d'être prêcheurs dans l'étude contemplative de la Vérité.

fr. Bruno Cadoré, O.P.
Maître de l'Ordre

# PREMIÈRE PARTIE

## LA FORMATION INTELLECTUELLE DES FRÈRES

### Chapitre I

### PRINCIPES GÉNÉRAUX

1. "La charge prophétique... d'annoncer partout l'Évangile de Jésus-Christ par la parole et par l'exemple" (Const. Fond., § V) presse et oblige l'Ordre des Prêcheurs, tout particulièrement à notre époque, en raison des multiples mutations du monde et de l'Église ainsi que de la complexité des situations culturelles. C'est dans une situation comparable de transformation sociale et d'effervescence intellectuelle que saint Dominique fonda l'Ordre des Prêcheurs avec mission d'étudier sans cesse la Parole de Dieu et de la prêcher avec grâce et dans la joie. Il liait intimement l'étude au ministère du salut (LCO 76) et il envoya ses frères dans les universités afin qu'ils puissent se mettre au service de l'Église en annonçant cette Parole, pour qu'elle soit connue et comprise. Notre Ordre participe ainsi, à un titre spécifique, à la tâche apostolique de pénétrer plus profondément et de prêcher l'Évangile "en tenant compte de la situation des hommes, des temps et des lieux" (Const. Fond., ibid.).

2. La tradition propre de l'Ordre comporte l'aptitude particulière des Prêcheurs "à cultiver l'inclination des hommes vers la vérité" (LCO 77, § 11). À partir du moment où il entre dans l'Ordre, un dominicain s'engage à rechercher la vérité. Il entre dans cette quête pendant son noviciat, il l'approfondit quand il est étudiant, puis il y reste attaché tout au long de ses années de ministère actif, et au delà. Cette recherche le conduit à une meilleure compréhension du monde, de ceux qui l'entourent et de lui-même. Il se rend compte peu à peu en effet que la quête de la vérité n'est rien d'autre qu'un désir de Dieu, comme le dit si bien saint Augustin dans les premières lignes de ses *Confessions*. En recherchant une vérité qui est objective, connaissable et réelle, avec l'aide de la grâce de Dieu il découvre le Dieu Trinité qui est la Vérité même. Il est capable de chercher et d'atteindre Dieu parce qu'il est capable de chercher et d'atteindre la vérité. On peut dire de l'être humain qu'il est *capax Dei* car il est aussi *capax veritatis*.

3. La vérité n'est pas une réalité que l'on peut posséder ou qui nous appartient. C'est l'objectif ou *telos* qui nous pousse à nous dépasser et nous conduit plus profondément dans son mystère. Ce serait donc une erreur de lui donner une définition trop précise ou de limiter sa recherche à un champ trop étroit. Un dominicain cherche la vérité partout. C'est probablement d'abord dans sa prière personnelle et dans sa méditation des Saintes Écritures qu'il rencontre la vérité dans toute sa puissance et toute sa beauté car c'est dans le silence de la contemplation qu'il prend conscience de Celui qui est la source de tout ce qui existe. Il s'en saisit plus profondément dans la célébration de la liturgie et dans la vie qu'il partage avec ses frères, dans ses conversations à table, pendant ses temps de loisirs, aux moments où il a le privilège d'accompagner l'un de ses frères dans la maladie, la souffrance, ou dans une période de crise personnelle. Il est transformé par la vérité dans sa prédication, son enseignement et son service auprès du peuple de Dieu. Dans la fidélité des hommes et des femmes qu'il sert, dans l'intégrité qu'il voit dans leur vie, dans leurs faiblesses, leurs échecs, leurs questions, leurs luttes, dans les défis qu'ils lui présentent, il devient plus sensible à une expérience plus riche et plus pleine de la vérité. Illuminé et fortifié par le don de la foi, il en arrive avec le temps à croire et à comprendre plus profondément que la Vérité qu'il recherche n'est autre que notre Seigneur Jésus Christ, qui partage avec le Père et le Saint Esprit la même vie divine.

4. La recherche de la vérité conduit directement à l'étude de la *Sacra Doctrina*. Elle commence avec la contemplation de la Parole de Dieu, elle est nourrie et soutenue par la Parole et elle culmine dans notre union intime avec la Parole. Cette Parole, par laquelle Dieu se donne en partage à travers les Écritures Sacrées et dans la Tradition de l'Église, doit toujours être la source d'une recherche dominicaine de la vérité. Dans ce que Dieu a révélé et peut-être de façon plus significative dans Celui en qui Dieu s'est révélé, un dominicain trouve la certitude, la confiance et la responsabilité pour progresser dans sa quête. Le frère apprend à chercher à connaître les sciences naturelles et les sciences sociales, la sagesse de la philosophie, et les leçons de l'histoire, surtout l'histoire de l'Église et sa réflexion sur la Parole de Dieu au cours des siècles. Il scrute la vérité à travers son étude de la théologie dogmatique et morale. Il la rencontre dans sa réflexion sur les sacrements et sa pratique pastorale. Il recherche la vérité plus particulièrement dans la vie et la pensée des grandes figures de notre tradition dominicaine qui l'ont précédé, notamment saint Thomas d'Aquin. En lisant les signes des temps à la lumière de la foi, il apprend à comprendre et à partager cette parole de Vérité qui donne la vie, à travers la théologie et la pratique de l'art de la prédication.

5. Cette rencontre avec la Parole de Dieu, qui s'approfondit et se développe tout au long de sa vie, l'invite à utiliser sa raison, sa compréhension, ainsi que sa capacité d'évaluation, d'analyse, et de synthèse. Lorsque ces dons de l'intelligence humaine sont élevés et portés à leur perfection par la Grâce, ils l'aident plus sûrement et diligemment dans sa recherche de la vérité. Cette activité libératrice et créatrice lui permet de mieux aborder la crise actuelle, où l'étude est trop souvent comprise en termes de fonctionnalité et de spécialisation, sans que soit pris le temps nécessaire d'une lecture attentive, d'une réflexion sérieuse, et d'une patiente investigation des sources. Dans de nombreuses disciplines, y compris en théologie, il peut y avoir des références simplistes à l'autorité ou un recours à des réponses simples et rapides. On perd le sens des nuances, et le discours rationnel laisse le pas à des slogans, à la polémique, et à l'idéologie. Il peut en résulter un pluralisme qui tend vers le relativisme, ou une unité qui devient uniformité.

6. Dans cette situation, nous sommes invités à proposer un modèle d'étude différent, une autre manière de rechercher la vérité. Le patrimoine de l'Ordre comporte une riche tradition selon laquelle l'étude est contemplative, synthétique, enracinée dans le réel, et repose sur la raison informée par la foi. Elle pose sans cesse les questions « Est-ce vrai ? », « Pourquoi est-ce vrai ? » et « Comment est-ce vrai ? » Notre héritage est un héritage philosophique, théologique et spirituel qui peut offrir des perspectives éclairantes et des réponses tant aux questions humaines permanentes qu'aux problèmes critiques de notre temps. Nous devons donc maintenir, promouvoir, et continuellement développer cette compréhension dominicaine de l'étude, dont le fruit est exprimé dans notre théologie et notre philosophie comme l'une des grandes « écoles » de l'Église.

7. Dans l'Ordre, il y a une profonde unité entre notre étude et les autres éléments de notre vie. Notre étude en tant que dominicains ne peut pas être dissociée de la vie fraternelle que nous partageons, de la prière que nous élevons dans nos célébrations liturgiques ou dans le silence de nos coeurs, de la mission de prédication et de l'attention à ceux qui nous ont été confiés par l'Église. Tout cela est lié dans la vocation de chaque frère, "in dulcedine societatis quaerens veritatem" (Saint Albert). C'est pourquoi cette *Ratio* doit être comprise dans le cadre plus large de la *Ratio Formationis* Generalis, qui donne les principes de toute la formation dominicaine. C'est grâce à cette vision de la *Ratio Formationis Generalis* que nous pouvons voir à quel point notre vie religieuse offre un milieu propice à notre étude et comment notre étude contribue à l'actualisation de notre vocation dominicaine.

8. Cette étude ne se termine pas à la fin de la formation initiale d'un frère dominicain. La recherche de la vérité et l'amour pour l'étude animeront la vie d'un frère tout au long de sa vie. La vérité sera pour lui un défi, elle lui demandera d'écouter attentivement les autres et exigera de lui une permanente conversion afin qu'il puisse témoigner de Jésus Christ, le Verbe fait chair, avec une conviction plus profonde, une plus grande liberté et plus d'humanité. Pour certains frères ceci impliquera de s'engager dans des études plus poussées ou complémentaires. Pour tous les dominicains cela signifiera l'acquisition d'un *habitus*, en vertu duquel lequel la pratique de l'étude deviendra un pilier de la vie contemplative. Il devra cultiver cet *habitus* avec l'aide de sa communauté. Mais, comme toutes les bonnes choses, sa formation dans l'étude tout au long de sa vie et son désir de poursuivre la vérité sont un don de Dieu, qui fait partie de la grâce de sa vocation.

9. Et puisque "notre étude doit viser principalement, ardemment et avec le plus grand soin, à ce que nous puissions être utiles à l'âme du prochain" (Premières Constitutions, prol.), les frères garderont à l'esprit que leur vie, consacrée à la recherche de la vérité, a un caractère vraiment apostolique. Pour notre mission ecclésiale de prédication de l'Évangile de Jésus Christ, selon la finalité de l'Ordre, il est indispensable que nous nous appliquions à l'étude avec assiduité. Un dominicain étudie afin de parvenir à connaître la vérité, en la connaissant l'aimer, et en l'aimant la partager joyeusement avec ceux à qui il a été envoyé.

10. Chaque province, même si elle n'a pas d'étudiants, devra élaborer une *Ratio Studiorum Particularis* (LCO 89-95, 226-244) qui déterminera le programme spécifique d'animation et de promotion de toute la vie intellectuelle de la province et les orientations nécessaires à la vie d'étude des frères, en prenant en considération tant la fidélité au LCO, aux chapitres généraux, à cette *Ratio Generalis*, que la situation culturelle concrète à laquelle elle s'adresse et les indications des Églises locales. (cf. Appendice I).

Chapitre II

## LA STRUCTURE PROGRESSIVE DES ÉTUDES

### Section A
### La formation institutionnelle

11. Il appartient à chaque province d'établir le programme précis des études institutionnelles pour tous les frères qui sont appelés à une mission de prédication dans l'Ordre, que ce soit en tant que frères coopérateurs ou en tant que diacres et prêtres. Pour les frères qui seront ordonnés, la *Ratio Studiorum Particularis* doit tenir compte du programme d'études requis pour eux par l'Église, notamment le contenu et la durée des études, le niveau de connaissance et de compétence académique à atteindre et la préparation pastorale qui est demandée. Il sera particulièrement important que la *Ratio Particularis* indique comment ces exigences de l'Église seront satisfaites dans le cadre de notre formation intellectuelle dominicaine, qui est l'objet de cette *Ratio Generalis*. De même, pour nos frères qui contribuent à la mission de prédication de l'Ordre en tant que frères coopérateurs, la *Ratio Particularis* devra établir comment ils recevront leur formation intellectuelle en philosophie et en théologie, formation qui sera fondée sur les mêmes principes mais qui répondra aux besoins spécifiques de leur vocation propre. La *Ratio Particularis* garantira ainsi que tous les frères en études institutionnelles seront en mesure de participer pleinement à la vie et à la mission de l'Ordre et auront une bonne compréhension de notre tradition intellectuelle, telle qu'elle est décrite ci-dessous.

*Art. I. Buts, Principes et Objectifs*

12. Alors même qu'elle nourrit notre contemplation et qu'elle favorise notre mise en oeuvre des conseils évangéliques, notre étude est orientée vers son but, qui est la prédication de la Parole de Dieu. Lors de leur formation institutionnelle tous les frères devront développer un amour de l'étude qui les accompagnera toute leur vie et qui les aidera à assumer clairement leur identité de prêcheurs dominicains. De plus, la prédication devra constituer le principe qui définira et unifiera tout le programme de la formation institutionnelle.

13. Pour atteindre ce but, il faut que les études institutionnelles dans l'Ordre reflètent clairement le caractère central de la Parole de Dieu, en tenant compte principalement de :

1) La révélation divine, sa transmission dans l'Écriture Sainte et la Tradition, et sa relation avec la théologie, selon le Magistère de l'Église et en particulier l'enseignement du Concile Vatican II ;
2) Les Écritures Saintes, les méthodes pour les interpréter, et leur étude, qui doit constituer « l'âme » de notre théologie (cf. *Dei Verbum* 24) ;
3) Les sources de la théologie dans les textes et les monuments de la Tradition ;
4) L'importance fondamentale de la philosophie, plus particulièrement dans notre tradition dominicaine ;
5) La compréhension claire et précise de la doctrine catholique ;
6) La doctrine et la méthode de saint Thomas d'Aquin, notamment la place significative de la Parole de Dieu dans sa théologie, la réception de son travail et son influence au cours des siècles, et l'appropriation critique de ses idées ;
7) La liturgie de l'Église et de l'Ordre, qui rend le Seigneur présent dans sa Parole et dans les Sacrements ;
8) La valeur de l'expérience humaine et les questions qu'elle pose pour une compréhension plus profonde de la Parole de Dieu ;
9) La signification et la pratique du dialogue dans la théologie dominicaine.

14. Les objectifs de cette formation institutionnelle, qui devra être adaptée à la vocation spécifique de ceux qui se préparent soit au ministère ordonné soit au service de l'Ordre et de l'Église en tant que frères coopérateurs, sont les suivants :

1) Faire preuve d'une claire compréhension du contenu et des méthodologies des différentes disciplines théologiques ;
2) Lire et interpréter les textes de façon globale et critique ;
3) Poser des questions, identifier les problèmes, les analyser avec les outils appropriés, et proposer des solutions ;
4) Formuler des jugements critiques argumentés ;
5) Établir des liens au sein d'une même discipline et entre les disciplines ;
6) Acquérir les compétences nécessaires à l'évangélisation, y compris celles qui sont liées à la prise de parole en public ou associées aux méthodes modernes d'enseignement et d'homilétique ;

7) Développer des capacités d'écoute, de dialogue et de collaboration avec les autres, notamment les aptitudes nécessaires pour former et renforcer des communautés ;

8) Acquérir la capacité à utiliser les médias numériques dans la recherche, la prédication et l'activité pastorale.

9) Atteindre un bon niveau d'expression orale dans une langue étrangère, surtout dans l'une des langues officielles de l'Ordre, de façon à promouvoir son caractère international ;

10) Élaborer une synthèse personnelle et créer un cadre intellectuel où toute une variété de perspectives théologiques et philosophiques, de réalités sociales, économiques et politiques, et d'expériences pastorales pourra continuer à s'intégrer tout au long de la vie d'un frère.

*Art. II. Méthodologie*

*15. Ces objectifs sont atteints par le biais de :*

1) Un cycle d'au moins six ans d'études, qui devra être adapté à la vocation spécifique du frère, à ses études antérieures, et à son besoin d'une formation institutionnelle complète et assimilée de Prêcheur dominicain :
   • 2 ans de philosophie,
   • 4 ans de théologie ;

2) Une présentation claire, précise et intéressante des différentes disciplines par :
   • l'étude et l'utilisation de sources premières, que l'on préférera aux manuels,
   • l'utilisation de documents d'enseignement régulièrement mis à jour à la lumière des recherches actuelles,
   • des bibliographies, des programmes et des plans de cours,
   • les médias numériques et autres nouvelles formes de technologies lorsque c'est possible,
   • la possibilité de s'engager dans des études interdisciplinaires,
   • la référence à d'autres domaines académiques, à différentes situations pastorales, et aux réalités culturelles actuelles ;

3) Une pédagogie qui soit centrée sur l'étudiant, et qui reflète l'esprit de questionnement de la *disputatio* médiévale, avec :
   • un environnement dynamique en classe,

- une prise en compte de la culture locale et du contexte mondial d'où proviennent les questions des étudiants d'aujourd'hui, et un désir de s'intéresser sérieusement à ces perspectives,
- des possibilités pour les étudiants de s'entraider dans leur maîtrise des documents,
- des professeurs disponibles pour les étudiants aussi bien pendant les cours qu'en dehors,
- des exigences intellectuelles qui requièrent une pensée et une recherche critiques et non pas une simple mémorisation ;

4) La promotion d'une étude et d'une recherche communes avec :
- des professeurs qui établissent des relations collégiales entre eux en partageant leurs recherches et leurs idées,
- des étudiants qui étudient ensemble et qui travaillent ensemble sur des projets de recherche,
- des professeurs et des étudiants qui forment une communauté d'étude et d'apprentissage mutuel,
- la création de réseaux universitaires qui dépassent les limites des centres d'études ;

5) L'utilisation appropriée d'instruments d'évaluation :
- En valorisant une formation intellectuelle authentique et pas simplement les exigences académiques et l'acquisition de crédits universitaires,
- En utilisant des méthodes d'évaluation qui cherchent à établir si une compréhension synthétique des documents a été acquise,
- En passant un examen général, propre à l'Ordre, à la fin des études institutionnelles, qui servira à évaluer la compréhension globale de l'étudiant, son assimilation personnelle, et sa synthèse des différents domaines de la théologie, tout en permettant des adaptations nécessaires lorsque les frères étudient dans un centre en dehors de l'Ordre dans lequel un tel examen général est déjà exigé.

*Art. III. La tradition intellectuelle dominicaine : domaines de compétence*

16. Outre la connaissance et la compréhension globales de la théologie, tous les frères doivent connaître le contenu de la tradition intellectuelle de l'Ordre. Ceci ne concerne pas seulement les frères qui étudient en vue du ministère laïc ou ordonné dans des centres d'études institutionnelles de l'Ordre, mais aussi ceux qui poursuivent leurs études dans des centres académiques en dehors de l'Ordre. La *Ratio Studiorum Particularis* doit préciser de quelle

façon la tradition intellectuelle de l'Ordre doit être transmise à tous les frères en formation institutionnelle dans chacun des domaines suivants :

17. *La Parole de Dieu.* En tant que prêcheurs de la Parole de Dieu, nos frères doivent être fermement enracinés dans les Écritures Saintes. Leur formation doit comprendre l'étude rigoureuse de la parole humaine de l'auteur sacré dans son contexte historique, culturel, linguistique et littéraire, ainsi que la signification théologique qui dérive du texte, conformément à l'interprétation et à l'enseignement de l'Église, de façon à ce que ce soit vraiment le Verbe de Dieu qui nourrisse nos frères et qui soit proclamé par eux comme l'Évangile vivant et authentique.

18. *La philosophie.* L'Ordre a toujours donné de l'importance à l'étude de la philosophie et reconnu son autonomie par rapport à la théologie, alors même que cette dernière aide la philosophie à porter davantage de fruit. Non seulement la philosophie offre une explication de la réalité à travers l'usage de la raison, mais elle donne des clés pour comprendre et organiser notre connaissance de la réalité, ainsi que des principes pour une conversation rationnelle avec les autres. Elle offre un cadre intellectuel à la compréhension de la foi catholique, comme le mentionnent *Fides et Ratio* et les *Actes du chapitre général de Providence* (ACG Providence 2001, 118 et 119) ; elle sert de véhicule pour le dialogue en intégrant d'autres cultures, croyances religieuses et points de vue intellectuels. C'est pourquoi il devra y avoir au moins deux ans d'études de cette discipline, qui conduiront de préférence à l'obtention d'un baccalauréat ou d'une licence. Cette étude de la philosophie devra être accompagnée de l'apprentissage des contenus et des métho-dologies des différentes sciences humaines, comme l'histoire, la psychologie, la sociologie, et l'anthropologie culturelle.

19. *L'histoire de la théologie.* Nos frères ne devront pas étudier seulement l'histoire de l'Église, ils devront se familiariser avec les textes importants de la tradition patristique, médiévale et postérieurs à la Réforme qui ont façonné l'histoire de la théologie. Plus particulièrement, nos étudiants devront bien connaître l'histoire de la théologie dominicaine, et la contribution des docteurs saint Albert Le Grand, sainte Catherine de Sienne, et saint Thomas d'Aquin, ce dernier devant être étudié de façon critique, en opérant les distinctions nécessaires entre son époque et la nôtre, afin de mieux comprendre sa méthode et son importance pour la théologie catholique.

20. *L'histoire de l'Ordre.* Nos frères devront apprendre l'histoire de l'Ordre, non seulement son histoire intellectuelle, mais aussi l'histoire religieuse et

spirituelle qui a contribué à rendre si riche la tradition théologique de l'Ordre. Cette étude devra examiner les grandes figures de notre passé, y compris les frères et les soeurs qui ont témoigné récemment d'une théologie dominicaine vivante et solide.

21. *Une vision théologique dominicaine.* La vision dominicaine de la théologie, avec ses propres accents dogmatiques, moraux, spirituels et pastoraux, provient de l'intuition de saint Dominique selon laquelle l'étude est ordonnée au ministère du salut (LCO 76), et a été développée par ceux qui l'ont suivi dans l'Ordre, surtout saint Thomas d'Aquin, notre "meilleur maître et modèle" (LCO 82). Située au sein d'un cadre de sagesse, cette perspective philosophique et théologique considère Dieu en Luimême et toutes choses en relation avec Lui comme leur commencement et leur fin. Pour ceux qui découvrent et expérimentent le divin (*discens et patiens divina*), tout devient digne de recherche théologique et peut être objet de prédication. Par son désir de s'intéresser à tout le réel, on peut dire qu'une approche dominicaine interprète les signes des temps. Elle insiste sur l'unité, l'intelligibilité et la signification fondamentales de la création, sur la dignité de l'individu dans sa situation concrète et historique, et sur la bonté du monde, qui, bien qu'il souffre des conséquences du péché, est soutenu par un Dieu prévoyant, infiniment connaissable et infiniment aimable. Elle affirme que les êtres humains, créés à l'image et à la ressemblance de Dieu et recréés par sa grâce, ont la capacité de connaître Dieu et de l'aimer, Lui qui est en Lui-même la Vérité et la Bonté. Elle insiste sur la place centrale de notre Seigneur Jésus Christ dans ce processus : Sa vie, Sa mort et Sa résurrection rédemptrices permettent à l'humanité d'atteindre Dieu à travers la présence continue du Christ dans son Église. Elle affirme une vision de la vie morale où, par la pratique des vertus, surtout de celles qui sont informées par la Grâce, l'humanité peut arriver au vrai bonheur et participer à la vie même de Dieu, la vie partagée de la Trinité.

22. *La dynamique du dialogue.* Dans la tradition intellectuelle de l'Ordre, le dialogue entre nous, avec d'autres personnes, et avec d'autres communautés tient une place importante. Les étudiants doivent acquérir les compétences nécessaires pour dialoguer avec d'autres Églises chrétiennes, avec les grandes traditions religieuses du monde, la culture contemporaine et la science moderne. Ils doivent avoir la possibilité de faire des études interdisciplinaires et de se familiariser avec d'autres domaines d'études et d'autres systèmes de connaissances. Dans cette dynamique de dialogue, les frères doivent développer la capacité d'établir des liens entre la théologie et les situations pastorales actuelles et de saisir leurs relations intrinsèques.

23. *La prédication*. Notre prédication doit être animée par notre étude de la Parole de Dieu, par notre connaissance de la théologie et par notre attention envers le monde dans lequel nous vivons. La prédication dominicaine doit donc être le point culminant de tout ce qui l'a précédée. Nos frères devront étudier la théologie de la prédication et l'homilétique et être guidés dans sa pratique afin de devenir des prédicateurs convaincants de l'Évangile.

## Section B
### Études supplémentaires et études complémentaires

24. Les études supplémentaires sont importantes pour les frères et pour leurs provinces, car elles leur donnent une plus grande compétence dans leur travail apostolique, des références utiles, et davantage de flexibilité pour la mission. C'est pourquoi tous les frères devront effectuer deux années d'études supplémentaires après avoir terminé leur formation institutionnelle. Ces études ont pour but d'aider les frères à élargir leurs connaissances dans un domaine donné ou de développer une meilleure compétence dans le domaine pastoral ou administratif. Certains frères pourront satisfaire à cette exigence de la *Ratio* en suivant un programme formel d'études complémentaires, qui débouchera sur un master, une licence, ou un doctorat.

25. Bien que le désir, l'initiative personnelle et la capacité d'un frère à suivre un cours spécifique d'études supplémentaires ou un programme d'études complémentaires doivent toujours être pris en compte, il faut rappeler que ces études doivent promouvoir le bien commun de la province et de l'Ordre. La province déterminera donc les exigences futures de ses centres d'étude, ses autres engagements universitaires, et ses besoins administratifs et apostoliques, selon un plan provincial (LCO 107). De même, c'est la province plutôt que le frère lui-même, qui évaluera ces besoins et c'est elle qui l'appellera à un plan particulier d'études supplémentaires ou complémentaires. Avec la commission de la vie intellectuelle, le régent des études identifiera des frères pour différents types d'études futures. Après avoir consulté le prieur provincial, le régent rencontrera les frères et leur présentera un programme d'études, après quoi le provincial donnera son approbation finale. En ce qui concerne les études complémentaires, le provincial, avec le régent, tiendra compte de l'âge du frère, de sa maturité, de sa capacité à poursuivre des études et du temps qu'il lui faudra pour les terminer. Un frère appelé à effectuer de telles études s'engagera envers sa province à obtenir le diplôme demandé dans un délai donné.

26. Un frère peut se préparer aux études complémentaires alors qu'il est encore en formation institutionnelle, mais en règle générale il ne devra pas commencer formellement ces études tant qu'il n'aura pas fini sa formation institutionnelle (LCO 244 §II). Bien qu'il soit toujours nécessaire de prendre en compte la formation pastorale de nos frères et les besoins immédiats de la province, il est conseillé de ne pas retarder de plus de deux ans le début des études complémentaires, surtout lorsque l'obtention d'un diplôme de doctorat est envisagée.

27. Comme en toute chose, les études complémentaires sont ordonnées à la mission. Un frère doit être prêt à mettre son diplôme universitaire au service de l'apostolat intellectuel pour lequel il a été formé. Les supérieurs majeurs devront donc veiller à maintenir, autant que possible, une cohérence entre les études du frère et la mission qu'on lui demande d'entreprendre (cf. n° 75, 1). Cependant, même un frère en possession d'un doctorat doit rester disponible à d'autres services dans la province, lorsque la mission le lui demande.

## Section C
## La place de l'étude dans la formation permanente

28. De même que le développement humain, spirituel et pastoral d'un frère ne se termine pas à la fin de sa formation initiale, sa formation intellectuelle ne se termine pas avec les études institutionnelles (cf. *Ratio Formationis Generalis* 2016, IVème partie, nn. 171-200). Puisque *l'habitus* de l'étude est partie intégrante de la vocation dominicaine, tous les frères doivent le cultiver tout au long de leur vie, à la lumière de la spécificité de leur vocation propre.

29. Cette responsabilité de développer *l'habitus* de l'étude appartient tout d'abord au frère, puis à sa communauté locale et enfin à la province.

I. Pour le frère, cela requiert d'une part de prendre le temps nécessaire à une étude sérieuse – un temps libre d'autres responsabilités ministérielles – et d'autre part la volonté de poursuivre cette forme de contemplation, qui a une dimension ascétique et qui est source de grâce. Comme les autres éléments de notre vocation, le désir d'étudier est un don gratuit de Dieu et un aspect essentiel de notre vie (LCO 83).

II. La communauté locale devra également chercher à approfondir son engagement à l'étude. Dans cet effort, le prieur du couvent, assisté du lecteur conventuel, devra proposer des possibilités d'étude partagée, qui seront organisées par le lecteur (LCO 88 §I and II).

III. Au niveau de la province, le prieur provincial, assisté par le promoteur de la formation permanente, a la responsabilité de la formation permanente des frères (LCO 89 §I et §III; 251-ter). Dans la mesure où elle concerne l'étude, cette responsabilité est partagée avec le régent des études et la commission de la vie intellectuelle (LCO 93 §I.3). Après avoir consulté le régent, le promoteur décidera de la proposition à soumettre au provincial concernant la promotion de l'étude dans la province.

# DEUXIÈME PARTIE

## L'ORGANISATION DES ÉTUDES

Chapitre I

LES LOIS GOUVERNANT LES ÉTUDES DANS L'ORDRE

30. Dans l'Ordre, les études sont gouvernées par :
   1) Les lois et les décrets de l'Église se référant à l'étude ;
   2) Les lois particulières de l'Ordre figurant dans le LCO, les Actes des chapitres généraux, les ordinations du Maître de l'Ordre, la *Ratio Studiorum Generalis* (RSG), et les *Rationes Studiorum Particulares* (RSP).

31. La *Ratio Generalis* donne les principes fondamentaux pour l'unité doctrinale et l'organisation des études au sein de l'Ordre. Elle aide les centres d'études supérieures dans leur mission intellectuelle et guide la préparation des *Rationes Particulares* des provinces.

32. La RSP précise en détail les dispositions générales de la RSG, en tenant compte des besoins spécifiques de la province, des exigences de l'Église locale, et des questions provenant du milieu social, économique, culturel et intellectuel dans laquelle les frères effectuent la mission de l'Ordre. C'est pourquoi la RSP de chaque province mettra son accent propre sur des thèmes comme l'oecuménisme, le dialogue interreligieux, la sociologie des religions, et les phénomènes de sécularisation, de fondamentalisme et de mondialisation.

33. La RSP engage la province tout comme la RSG engage l'Ordre. On trouvera dans l'Annexe I et dans LCO 91 §IV, 92-bis §III, et 237§I les éléments spécifiques de la RSG qui doivent figurer dans la RSP. La RSP est préparée comme suit :

I. La commission de la vie intellectuelle propose pour révision une première version de la RSP au conseil des professeurs du centre d'études institutionnelles ainsi, le cas échéant, qu'à d'autres centres d'étude de la province.

La RSP est ensuite présentée au prieur provincial et à son conseil pour qu'ils examinent le texte.

II. Après avoir recueilli l'avis de la commission de la vie intellectuelle et celui du conseil des professeurs, le prieur provincial, avec le vote de son conseil, présente la RSP au Maître de l'Ordre (LCO 89 § II.2, 231.5). Il appartient à la commission de la vie intellectuelle de mettre en oeuvre la RSP après son approbation par le Maître de l'Ordre.

34. Il est recommandé aux provinces de la même région, surtout celles qui ont des affinités culturelles, de travailler ensemble à la préparation de leurs *Rationes Studiorum Particulares* respectives ou d'une *Ratio Studiorum Particularis* commune.

35. Dans les provinces où les frères suivent tout ou partie des études institutionnelles dans un centre extérieur à l'Ordre, la RSP devra inclure le programme d'études de ce centre et indiquer clairement les points suivants :
1) les statuts du centre d'études institutionnelles de la province, en respectant les exigences du LCO 91 § II ;
2) les cours, conférences et autres moyens de présenter la tradition intellectuelle actuelle de l'Ordre aux frères qui étudient à l'extérieur (nn.16-23) ;
3) La façon dont la tradition intellectuelle de l'Ordre sera effectivement intégrée dans le programme d'études des étudiants.

Chapitre II

L'ORGANISATION DES ÉTUDES DANS L'ORDRE

### Section A
### Les responsables des études dans l'Ordre

36. Dans le respect des dispositions du LCO et du droit coutumier, le Maître de l'Ordre a la responsabilité de l'organisation des études dans l'ensemble de l'Ordre, afin que sa mission de prédication réponde aux besoins de l'Église et des personnes de notre temps (LCO 90 § I et 230).

37. Dans l'exercice de cette responsabilité de promouvoir l'étude dans l'Ordre, le Maître de l'Ordre est aidé par le socius pour la vie intellectuelle qui travaille à ce que l'Ordre soit toujours plus engagé dans l'étude. Outre les responsabilités mentionnées dans le LCO 427 §I, le socius pour la vie intellectuelle doit :

1) Développer pour l'Ordre une vision de l'étude qui tienne compte des besoins individuels, ainsi que du bien de l'Ordre dans son ensemble ;
2) Conseiller les centres d'études institutionnelles ;
3) Améliorer la communication entre les provinces en établissant des réseaux entre les régents des études, les professeurs et les étudiants, de même qu'entre les différents centres d'études dans l'Ordre, par le biais de la technologie de l'information et des moyens de communication sociale ;
4) Conseiller le Maître de l'Ordre quand des controverses doctrinales lui sont soumises (Annexe III).

38. Le Maître de l'Ordre est aussi aidé dans sa tâche par la commission permanente pour la promotion des études dans l'Ordre (LCO 90 § II). Sous la présidence du socius pour la vie intellectuelle, la commission permanente pour la promotion des études a, entre autres, comme responsabilité de :

1) Conseiller le Maître de l'Ordre sur les questions importantes qui concernent la vie intellectuelle de l'Ordre ;
2) Développer des stratégies qui répondront aux futurs besoins intellectuels de l'Ordre ;
3) Chercher des façons de mieux distribuer les ressources de l'Ordre dans tout ce qui touche à la vie intellectuelle ;
4) Travailler avec les prieurs provinciaux, les régents des études, et les modérateurs des centres d'études pour renforcer les centres d'études des provinces ;
5) Aider le Maître de l'Ordre dans la rénovation des institutions sous son immédiate juridiction, plus particulièrement en travaillant avec les prieurs provinciaux et les régents des études à préparer des frères pour les postes ouverts dans ces facultés ;
6) Améliorer la collaboration régionale entre les centres d'études des provinces dans l'Ordre ;
7) Réfléchir aux *quaestiones disputatae* de notre temps et recommander l'étude de ces questions aux frères spécialisés dans ce domaine, afin que leur recherche puisse se mettre au service de la prédication de l'Ordre ;
8) Aider à la préparation de la *Ratio Studiorum Generalis*.

39. Étant donné leurs compétences en sciences sacrées, les maîtres en sacrée théologie contribuent aussi à la mission de l'étude dans l'Ordre à travers leur enseignement et l'expertise théologique qu'ils possèdent (LCO 96). Non seulement l'Ordre reconnaît la grande valeur de leur contribution intellectuelle, mais il les voit comme des témoins convaincants de la recherche de la vérité et de l'importance de l'étude contemplative pour notre mission de prédication. Par leur engagement au niveau le plus élevé du discours, de l'échange et de la recherche théologique, les maîtres en sacrée théologie se placent au service de l'Ordre, qui peut leur demander de :

1) Donner leurs conseils théologiques et philosophiques au Maître de l'Ordre sur les questions qui concernent la vie intellectuelle de l'Ordre et de l'Église ;
2) Participer aux commissions établies par le Maître de l'Ordre pour renforcer la vie intellectuelle de l'Ordre ;
3) Fournir au Maître de l'Ordre une opinion d'experts sur les candidats qui ont été présentés pour être promus au rang de maître en sacrée théologie ;
4) Faire partie des commissions organisées par le Maître de l'Ordre ou par leur prieur provincial pour étudier les déclarations controversées faites par un frère (Annexe III) ;
5) Conseiller le prieur provincial ou le régent des études sur les questions concernant la vie intellectuelle de la province ;
6) Donner des conseils à la commission de la vie intellectuelle.

### Section B
### Les différents centres d'études

40. Il y a dans l'Ordre des centres d'études, qui sont des communautés de frères s'adonnant à temps plein à la discipline de l'étude. Un centre d'études doit avoir au moins trois frères doués des qualifications universitaires requises, une bibliothèque adéquate et tous les autres instruments de travail nécessaires, ainsi que les ressources financières suffisantes pour remplir sa mission (LCO 91 §II). Selon LCO 92, les principaux centres d'études sont :

1) Un centre d'études institutionnelles, qui est une communauté de professeurs et d'étudiants de l'Ordre, auxquels peuvent s'en ajouter d'autres, où les études fondamentales (premier cycle) en philosophie et/ou en théologie suivent le plan de formation institutionnelle de l'Ordre (cf. LCO 92.1°), et où le lectorat de l'Ordre peut être conféré ;
2) Un centre d'études supérieures, qui est une communauté de professeurs et d'étudiants de l'Ordre, auxquels peuvent s'en ajouter d'autres, où sont donnés des programmes universitaires conduisant au

moins à la licence (*licentia docendi*), pour le deuxième cycle (LCO 92.2°) ;

3) Un centre d'études spécialisées, à savoir une communauté de frères s'adonnant à la recherche, à l'écriture, et à des projets dans une matière spéciale, mais sans avoir nécessairement d'activité d'enseignement (LCO 92.3°) ;

4) Un centre de formation permanente, qui est une communauté de frères s'adonnant à la recherche, à l'écriture et à la préparation de programmes orientés vers la formation permanente (LCO 92.4°).

41. Le processus de nomination du modérateur d'un centre provincial d'études est déterminé par le statut provincial. D'autres responsables majeurs du centre peuvent être nommés selon les indications des statuts du centre.

42. Les modérateurs des centres d'études institutionnelles et d'études supérieures devront s'efforcer, là où c'est possible, de faire reconnaitre les diplômes conférés par leurs centres, tant par les autorités ecclésiastiques que par les autorités civiles.

Chapitre III

L'ORGANISATION DES ÉTUDES DANS LA PROVINCE

### Section A
### Les responsables des études dans la province

43. De même que chaque frère a la responsabilité d'entreprendre sa propre formation dans la tradition de l'Ordre, il a aussi le devoir de s'engager dans l'étude et plus particulièrement dans une compréhension plus profonde de la Parole de Dieu. Il est aidé dans cet effort par les frères de la province, notamment le prieur provincial, le régent des études et la commission de la vie intellectuelle. Au niveau conventuel, le prieur et le lecteur conventuel partagent cette responsabilité.

44. L'une des principales responsabilités du prieur provincial est de stimuler l'esprit et la pratique de l'étude chez les frères. Outre les tâches citées dans LCO 89 § I, le provincial doit :

1) Inculquer aux frères l'amour de l'étude, en en donnant lui-même l'exemple ;
2) Veiller à la planification des exigences intellectuelles futures de la province, notamment en préparant les frères à l'apostolat de l'enseignement ;
3) Fournir les ressources adéquates, y compris un nombre suffisant de professeurs, pour le bon fonctionnement et le développement futur du centre d'études institutionnelles et des autres entres d'études de la province ;
4) Nommer un conseiller ou une équipe de conseillers pour guider les étudiants du centre d'études institutionnelles, afin que leur formation institutionnelle soit intégrée et complète ;
5) Veiller à ce qu'il y ait une étude commune régulière dans les couvents de la province ;
6) Veiller à ce que le plan pastoral de la province n'empêche pas les frères de trouver du temps pour l'étude ;
7) Participer, avec le régent des études, le socius pour la vie intellectuelle et le Maître de l'Ordre, aux efforts pour répondre aux exigences intellectuelles de l'Ordre tout entier, et plus spécialement des institutions sous immédiate juridiction du Maître de l'Ordre.

45. Dans cette tâche, le prieur provincial est aidé par le régent des études dont le rôle est de promouvoir et de coordonner la vie de l'étude dans la province. Outre les responsabilités mentionnées dans LCO 93 §I, le régent doit essayer de :
1) Planifier, en lien étroit avec le prieur provincial, la vie intellectuelle de la province ;
2) Travailler avec les régents des études de sa région à développer des stratégies de partage des professeurs ainsi que des installations et des ressources universitaires, afin de renforcer la vie intellectuelle dans la région ;
3) Identifier les étudiants susceptibles de s'engager dans des programmes d'études supplémentaires et complémentaires, et les soutenir dans leurs démarches de candidature à ces études, notamment dans leur demande d'éventuelles bourses d'études et autres aides financières ;
4) Suivre le parcours des étudiants en études complémentaires, veiller à ce qu'ils disposent des ressources adéquates pour leurs études et effectuer des visites fraternelles si nécessaire ;
5) Veiller à ce que le centre d'études institutionnelles soit régulièrement évalué par l'État ou par un organe d'accréditation externe.

46. Le prieur provincial est également aidé dans sa tâche par la commission de la vie intellectuelle qui donne des conseils sur les questions qui ont trait à la vie de l'étude dans la province. Sous la présidence du régent des études, la commission a différentes responsabilités (LCO 89 §II). En plus de ces dernières, la commission devra :
   1) Proposer une vision d'ensemble de la vie intellectuelle de la province ;
   2) Aider le prieur provincial et le régent des études à planifier la vie intellectuelle de la province, en fonction de ses priorités apostoliques ;
   3) Recommander les frères appelés à poursuivre des programmes d'études supplémentaires ou complémentaires ;
   4) Travailler, avec les prieurs et les lecteurs conventuels, à développer les programmes d'étude, notamment ceux qui renforceront la qualité de l'étude commune dans les couvents de la province ;
   5) Conseiller le promoteur de la formation permanente surtout pour les questions qui touchent à l'étude.

47. Au niveau du couvent, le prieur cherche à encourager les frères dans leur étude (LCO 88 § I and II). Il organise régulièrement, avec l'aide du lecteur conventuel, des réunions pour discuter des sujets liés à l'étude, y compris des questions théologiques ayant un lien direct avec la pratique pastorale et le ministère. D'autre part, avec l'aide du bibliothécaire et du lecteur conventuels, il s'assure que le budget de la bibliothèque est suffisant pour acquérir du matériel de référence récent, surtout en ce qui concerne la prédication, l'évangélisation, et l'étude de la Parole de Dieu.

48. Dans chaque couvent il y a un lecteur conventuel. De même que le prieur reçoit les conseils du promoteur de la formation permanente pour l'ensemble de la formation permanente des frères, dans le couvent le lecteur conventuel consulte le régent des études sur les questions qui touchent directement à la vie de l'étude dans le couvent. Les responsabilités du lecteur conventuel sont notamment (LCO 326- bis) :
   1) Aider le prieur dans la formation permanente des frères (LCO 251- bis) ;
   2) Promouvoir la réflexion commune sur les questions contemporaines concernant la théologie, l'enseignement de l'Église et les préoccupations pastorales y compris celles présentées par le chapitre provincial ;
   3) Encourager les frères du couvent à suivre des séminaires ainsi que des cours offerts par le diocèse, les universités locales et les autres centres, afin de mieux servir la mission ;

4) Mettre en pratique dans le couvent les recommandations de la commission de la vie intellectuelle confirmées par le prieur provincial ;

5) Stimuler chez les frères un esprit d'étude commune et individuelle afin que le couvent devienne un vrai centre de réflexion religieuse, pastorale et théologique.

## Section B
## La formation institutionnelle au sein de l'Ordre

*Art. I. Les centres d'études institutionnelles*

49. L'Ordre reconnaît l'importance de la formation des frères dans la tradition intellectuelle dominicaine où chacun apprend de son frère et a quelque chose à lui apprendre, dans une véritable communauté d'étude. C'est pourquoi la formation institutionnelle de nos frères dans un centre d'études de l'Ordre est préférable. Une telle formation peut se dérouler soit dans un centre d'études de la province soit dans un centre d'une autre province. Dans les deux cas, la première préoccupation doit toujours être la qualité de la formation que reçoivent nos frères, y compris dans ses dimensions humaine, spirituelle, religieuse et apostolique.

50. Si la formation institutionnelle est effectuée au sein de l'Ordre, elle doit se dérouler dans un centre d'études institutionnelles où les frères poursuivent leurs études de base en tant que partie intégrante de leur formation initiale.

51. Dans le cas où un centre d'études institutionnelles se trouve dans l'obligation de séparer l'enseignement de certaines disciplines dans des sièges distincts, il faut en référer au Maître de l'Ordre (LCO 230.1°). L'organisation et la structure d'un tel centre seront définies dans la RSP ou dans le statut du centre d'études institutionnelles.

52. Un centre d'études institutionnelles doit être viable au niveau académique, matériel et financier. Il doit y avoir un nombre adéquat d'étudiants et de professeurs, avec au moins trois frères possédant les qualifications universitaires requises, suffisamment d'espace pour les salles de classes, une bonne bibliothèque et les ressources financières suffisantes. (cf. LCO 91 §II).

53. De même que l'établissement d'un centre pour les études institutionnelles doit avoir l'approbation du Maître de l'Ordre, son transfert ou sa suppression doivent aussi avoir son approbation.

54. Bien que chaque province doive avoir un centre d'études institutionnelles (LCO 233 §I), il peut arriver qu'une province ne puisse pas répondre aux exigences requises pour ériger un tel centre (LCO 91 §II), ou qu'elle décide d'envoyer ses étudiants dans un centre d'études qui ne fasse pas partie de l'Ordre. Si tel est le cas, la province devra organiser des cours ou essayer d'établir un institut où des professeurs de l'Ordre pourront couvrir une partir du programme de philosophie et de théologie selon notre tradition intellectuelle dominicaine (nn. 16-23), s'engager dans la recherche, servir de modèles pour les étudiants et stimuler la vie intellectuelle de la province.

*Art. II. La gouvernance des centres d'études institutionnelles*

55. Outre l'autorité du Maître de l'Ordre, la responsabilité de la gouvernance du centre d'études institutionnelles revient au prieur provincial et son conseil. La façon dont cette responsabilité est exercée sera indiquée dans la RSP ou dans le statut du centre d'études institutionnelles, en tenant compte de LCO 237. Elle peut être exercée de différentes façons à travers les structures de gouvernance appropriées selon les institutions académiques de la région, y compris par un conseil de direction composé de frères dominicains et d'experts laïcs qui, ensemble, exercent les pouvoirs ordinaires de gouvernance.

56. L'administration du centre d'études institutionnelles est confiée à un modérateur, qui est nommé selon le processus mentionné dans le statut provincial ou la RSP, conformément à LCO 92 bis § I et LCO 236. Il est chargé de mettre en pratique les décisions qu'il reçoit d'une autorité supérieure, spécialement de l'organe de gouvernance du centre. En outre, il possède l'autorité exécutive nécessaire pour diriger le centre et promouvoir sa mission, avec la responsabilité de sa gestion stratégique, administrative, intellectuelle et financière, selon ce qui est indiqué dans la RSP, le statut provincial, ou le statut du centre d'études institutionnelles. Le modérateur doit :

1) Gérer les questions de planification stratégique ;
2) S'assurer qu'il y ait suffisamment d'équipements, de ressources et de personnel pour le bon fonctionnement du centre ;
3) Soutenir et aider les professeurs dans leur enseignement et dans leur développement professionnel ;
4) Suivre le travail académique des professeurs, notamment la qualité de leur recherche, grâce à une rencontre annuelle avec chacun d'entre eux ;
5) Respecter les normes de certification universitaire demandées par le pays ou la région où se trouve le centre ;

6) Préparer un budget annuel et des rapports financiers qu'il soumettra à l'approbation du prieur provincial ;
7) Promouvoir la mission du centre d'études par le biais de communications fréquentes, du recrutement de nouveaux étudiants et de la recherche de financements.

57. Étant donné que les responsabilités du régent des études et du modérateur du centre d'études institutionnelles peuvent parfois converger, la RSP devra clarifier la relation entre ces deux responsables dans la province. La RSP pourra aussi déterminer comment les obligations du maitre des étudiants pour la formation des frères doivent être comprises en relation avec celles du régent et du modérateur. (Voir aussi *Ratio Formationis Generalis* 2016, n° 142.)

58. Dans l'exercice de ses responsabilités, mentionnées au n° 56, le modérateur est assisté par les responsables majeurs du centre d'études qui font partie, avec lui, du modératoire (LCO 92-bis § II). Normalement, ces responsables majeurs comprennent un vice-président ou un vice-directeur du centre, un secrétaire général, un responsable financier ou un administrateur.

59. Un conseil des professeurs, dont le modérateur est le président, effectue la supervision des programmes du centre d'études institutionnelles. Le conseil des professeurs aide et conseille le modérateur, surtout sur les questions relatives aux études. Ce conseil devra promouvoir tout ce qui touche à l'étude, en tenant toujours compte de la formation complète des frères (LCO 237 §I). Le conseil doit :
1) Maintenir et favoriser la tradition intellectuelle dans le centre ;
2) Organiser le cycle d'études institutionnelles et en approuver le programme ;
3) Évaluer l'assiduité et la progression des étudiants dans leurs études ;
4) Aider chaque étudiant à découvrir ses talents et à déterminer comment les développer à travers des études supplémentaires ou complémentaires, qu'il peut recommander au prieur provincial et au régent des études ;
5) Réviser la RSP proposée par la commission de la vie intellectuelle, et donner ses observations et ses suggestions.

60. Le conseil des professeurs peut coïncider avec le conseil de la faculté, ou bien il peut être un organe universitaire séparé. L'appartenance au conseil des professeurs, y compris la participation de ceux qui ne sont pas des frères dominicains, sera déterminée par la RSP.

*Art. III. La bibliothèque du centre d'études institutionnelles*

61. Bien que de nouveaux réseaux de communication soient apparus et qu'il y ait aujourd'hui de nombreuses possibilités pour la conservation et la récupération des données, la bibliothèque reste cependant une ressource indispensable pour la recherche et l'étude. La bibliothèque doit disposer du matériel de référence, des revues, et des monographies nécessaires à un travail universitaire sérieux. Elle doit également permettre aux professeurs et aux étudiants d'avoir accès aux technologies d'information les plus récentes, qui favoriseront cette recherche.

62. Le bibliothécaire du centre d'études institutionnelles doit être nommé selon les procédures qui se trouvent dans la RSP, le statut provincial ou le statut du centre. Dans sa tâche, le bibliothécaire sera aidé par les membres du comité de la bibliothèque, dont la participation et les responsabilités devront être décrites dans l'un de ces documents.

63. Tenant compte de la situation financière de l'ensemble du centre d'étude, le modérateur et le bibliothécaire du centre doivent s'assurer que la bibliothèque dispose d'un budget suffisant pour se procurer le matériel de référence nécessaire à la recherche aujourd'hui.

64. Afin que les ressources de la bibliothèque soient utilisées au mieux, et pour promouvoir une culture de la recherche, le bibliothécaire devra étudier différentes façons de collaborer avec les autres bibliothèques, y compris celles qui ne sont pas liées à l'Ordre. Grâce à la constitution de réseaux, l'utilisation partagée de matériel limité et coûteux peut être de grand bénéfice pour tous.

*Art. IV. La formation institutionnelle dans l'Ordre mais en dehors de la province*

65. Quand une province envoie des frères dans le centre d'études d'une autre province, leur formation institutionnelle doit être supervisée par le modérateur du centre d'études de leur province ou par le régent des études de leur province, selon les dispositions de la RSP, en tenant compte de LCO 233 §I. Dans les cas où il n'y a pas de centre d'études institutionnelles, cette responsabilité incombe directement au régent. (Voir *Ratio Formationis Generalis* 2016, Appendice D, « Notes pour un contrat lorsque les novices ou les étudiants sont formés dans une autre province.")

## Section C
## La formation institutionnelle à l'extérieur de l'Ordre

66. Dans certaines provinces et vicariats, les frères sont envoyés pour leur formation institutionnelle dans un centre d'études qui n'a pas de lien formel avec l'Ordre. Lorsqu'ils envisagent cette possibilité, le prieur provincial et son conseil doivent consulter le Maître de l'Ordre et tenir compte des éléments suivants :
1) Les besoins de la province, et plus particulièrement les besoins intellectuels, ministériels et économiques ;
2) La capacité de la province à établir un centre d'études institution- nelles avec un solide programme d'études ;
3) Les affinités géographiques et culturelles du centre d'études où les étudiants seraient envoyés ;
4) Le type de formation intellectuelle et la qualité des programmes proposés par ce centre ;
5) La valeur de la collaboration avec une université, un diocèse, ou d'autres communautés religieuses dans un centre extérieur à l'Ordre ;
6) La nécessité de s'assurer que les frères soient formés dans la tradition intellectuelle de l'Ordre.

67. Si la décision a été prise d'envoyer des étudiants dans un centre d'études qui n'appartient pas à l'Ordre, le prieur provincial et le régent des études doivent s'assurer que la tradition intellectuelle dominicaine, telle qu'elle est décrite dans la *Ratio Generalis* (nn. 16-23), est entièrement présentée à nos frères en tant que partie intégrante de leur formation institutionnelle. La RSP devra spécifier le plan d'études du centre où les étudiants sont envoyés, et elle devra également indiquer clairement la manière dont la tradition intellectuelle de l'Ordre sera transmise à nos étudiants (n°54). De plus, le régent devra considérer la possibilité que des professeurs dominicains qualifiés assument des positions dans la faculté du centre, spécialement dans les disciplines fondamentales.

68. Si des étudiants étudient en dehors de l'Ordre, le prieur provincial et le régent des études devront veiller à ce qu'ils soient assignés à un couvent où ils pourront avoir accès à une bonne bibliothèque et aux autres ressources nécessaires à la recherche universitaire.

69. Lorsqu'un centre d'études institutionnelles existe dans une province, mais que des frères sont envoyés suivre au moins une partie de leurs formation institutionnelle en dehors de l'Ordre, la responsabilité de leur

programme d'études incombe soit au modérateur du centre d'études institutionnelles soit au régent des études, selon ce qui est indiqué dans la RSP, mais en tenant compte de LCO 233 § I. S'il n'y a pas de centre d'études institutionnelles dans la province, cette responsabilité revient au régent ou au frère désigné par le prieur provincial, conformément à la RSP.

## Section D
### Professeurs et étudiants

*Art. I. Professeurs*

70. Dans les centres d'études de l'Ordre, les professeurs sont appelés à être des modèles de l'engagement de l'Ordre dans la vie intellectuelle. Ils devront répondre aux plus hauts standards professionnels et universitaires que l'on attend ailleurs de leurs collègues. Ils devront être spécialisés dans leurs disciplines, engagés dans la recherche et la publication, et au courant des nouvelles formes de pédagogie. Ils devront aussi personnifier la relation dynamique entre recherche théologique et pratique pastorale en s'impliquant dans des apostolats en dehors du centre (LCO 239).

71. Les professeurs des centres d'études institutionnelles devront être titulaires d'un doctorat.
   1) Là où les professeurs de philosophie et théologie dans de tels centres n'ont pas de doctorat, ils doivent au moins posséder la licence canonique ou son équivalent.
   2) Pour l'enseignement de cours tels que les langues bibliques, l'homilétique et la *practica* liturgique ou pastorale, une qualification et une spécialisation adéquates dans la discipline sont requises.

72. Les professeurs doivent avoir à coeur de se tenir à jour dans leur domaine de spécialisation, à travers la recherche et la publication dans des revues révisées par leurs pairs, l'appartenance à des sociétés de recherche et la participation active à des congrès où ils interviennent régulièrement. Les professeurs doivent aussi se familiariser avec et utiliser les nouvelles technologies de l'information, notamment la publication électronique, qui transforment la vie universitaire.

73. Les professeurs devront chercher des occasions de travailler avec des frères de leurs propres provinces et d'autres provinces, de partager leurs recherches avec eux, et de participer ensemble à des colloques et symposiums universitaires.

74. Les professeurs devront contribuer au développement intellectuel de leurs étudiants, par leur enseignement et en apprenant d'eux dans un esprit de réciprocité, en encourageant chez eux la pensée critique, en leur fournissant une vision à la fois cohérente et dynamique de la philosophie et de la théologie, et en partageant avec eux leur propre amour de l'étude.

75. Les prieurs provinciaux et les modérateurs des centres d'études, surtout des centres d'études institutionnelles, doivent reconnaître le caractère unique de la formation intellectuelle d'un professeur.
   1) Les provinciaux doivent faire preuve de prudence avant de décharger un professeur de sa position d'enseignement dans un centre d'études pour lui confier un autre ministère ou une autre responsabilité, y compris dans l'administration ou le gouvernement (cf. n°27).
   2) Les modérateurs doivent reconnaître l'importance de la spécialisation et la nécessité d'une recherche originale de la part des professeurs. Ils ne devront donc pas transférer les professeurs de l'enseignement d'une discipline à une autre sans avoir de sérieuses raisons de le faire.
   3) Les modérateurs doivent permettre aux professeurs d'avoir assez de temps libre pendant l'année universitaire pour la recherche, pour revoir leurs cours, et pour travailler à la qualité de leur enseignement.
   4) Les modérateurs devront aussi permettre aux professeurs de prendre une période sabbatique pour se consacrer à leurs projets d'écriture, et soutenir leur recherche par des financements adéquats.

76. Les professeurs devront effectuer des auto-évaluations régulières de leur enseignement et de leur recherche et se soumettre à des évaluations effectuées par le modérateur du centre d'études, conformément aux dispositions de la RSP ou du statut du centre d'études. Les forces et les faiblesses dans l'enseignement et recherche notamment, ainsi que la contribution globale du professeur au centre feront l'objet de ce processus d'évaluation. Dans le cas où l'on remarquera un sérieux besoin de mise au point, cela devra être signalé, étant entendu que le professeur ne pourra continuer à enseigner dans le centre que s'il tient compte de ce qui lui est notifié.

*Art. II. Étudiants*

77. Étant donné qu'un centre institutionnel est une communauté de professeurs et d'étudiants, les étudiants devront contribuer au bien commun à travers leur participation active dans la vie académique du centre. Ils devront s'engager notamment à étudier et à acquérir la maitrise de la documentation qui leur est présentée. Pour qu'ils sachent clairement ce que

l'on attend d'eux, il peut être utile de préparer un guide de l'étudiant qui traite de questions comme la responsabilité personnelle, l'honnêteté intellectuelle, et les standards éthiques propres aux étudiants.

78. En tant que membres à part entière du centre d'études institutionnelles, les frères dominicains qui y étudient devront être consultés lors du processus de sélection du modérateur du centre d'études.

79. Quand un étudiant est envoyé dans une université pour des cours spécialisés pendant la période de ses études institutionnelles, les responsables de sa formation, surtout le régent des études, le modérateur du centre d'études et le maître des étudiants devront s'assurer que le programme de l'université n'interfère pas avec la formation institutionnelle de l'étudiant ni avec sa formation globale en tant que frère dominicain (voir LCO 243).

Chapitre IV

COOPÉRATION INTER-PROVINCIALE

80. Parce que l'Ordre est international, et même présent dans le monde entier, les provinces devront chercher des manières créatives de collaborer les unes avec les autres dans la promotion de la vie intellectuelle. Non seulement cette collaboration enrichit la qualité de la recherche et le niveau d'enseignement, mais elle renforce aussi les liens fraternels entre les provinces, les institutions et les frères. En outre, les programmes interprovinciaux élargissent les horizons intellectuels de ceux qui y participent et leur permettent d'expérimenter la vigueur et la diversité de l'Ordre. Afin que cette coopération soit fructueuse, les prieurs provinciaux, les régents des études, les modérateurs des centres d'études et les professeurs devront s'impliquer eux-mêmes dans cette vision et travailler ensemble à sa mise en oeuvre.

81. Les régents des études des différentes régions de l'Ordre devront se réunir régulièrement avec le socius pour la vie intellectuelle afin de proposer des programmes et des activités qui puissent favoriser des échanges entre les provinces. Les régents devront vérifier régulièrement la qualité et l'efficacité de cette collaboration dans les études. Les formes de coopération interprovinciale comprennent les éléments suivants :
   1) Des projets de recherche conjoints entrepris par des chercheurs dominicains de provinces différentes ;

2) Des conférences et symposiums universitaires parrainés par plus d'une province ;

3) Des séminaires et des sessions estivales qui s'effectuent à tour de rôle dans des provinces différentes ;

4) Des ateliers régionaux sur la formation permanente pour les frères, en consultation avec les promoteurs respectifs de formation permanente.

82. La coopération entre les centres d'études institutionnelles dans l'Ordre doit être encouragée. Les modérateurs de ces centres devront chercher à :

1) Établir des projets communs comme des congrès universitaires, des séries de conférences, et des réseaux de recherche ;

2) Échanger des professeurs et des étudiants, ainsi que des ressources de bibliothèque, des technologies de l'information et des expériences pratiques ;

3) Proposer des cours ou des programmes d'études dominicaines qui puissent être utiles aux étudiants de plusieurs centres ;

4) Organiser des ateliers de formation permanente pour les frères de la même région ;

5) Donner aux étudiants des différents centres la possibilité d'obtenir des diplômes canoniques ;

6) Développer des programmes d'enseignement à distance ou sur internet grâce auxquels les étudiants des centres en dehors de l'Ordre pourront étudier dans un centre d'études institutionnelles.

83. Avec le soutien des prieurs provinciaux et des régents des études de leurs provinces respectives, les centres d'études institutionnelles, dans une région donnée, devront chercher à développer des programmes d'études dominicaines d'un semestre ou d'un an pour les frères en formation institutionnelle. Lors de l'élaboration de ces programmes, de préférence dans l'une des langues officielles de l'Ordre (cf. n° 14.9), on veillera à ce que ces cours soient intégrés dans les programmes d'études des centres qui y participent. Ils pourront traiter les sujets suivants :

• La contribution des docteurs de l'Église dominicains,
• Les théologiens dominicains modernes,
• La spiritualité dominicaine,
• L'histoire de l'Ordre,
• L'importance de la liturgie pour la vie et la prédication dominicaines,
• La théologie de la prédication et l'homilétique.

84. Dans les régions où les provinces n'ont pas la possibilité d'avoir des centres d'études institutionnelles, les provinces pourront établir des structures en collaboration pour assurer la formation dominicaine intellectuelle des frères (nn. 16-23). Les divers éléments de notre tradition dominicaine pourraient être proposés dans différentes provinces sur un cycle de plusieurs années, surtout dans les périodes entre les sessions académiques formelles.

85. Les prieurs provinciaux, les régents des études et les formateurs devront aider les frères en formation institutionnelle à approfondir leur compréhension de la vie et de l'étude dominicaines. Dans la mesure du possible, les provinces devront prévoir que les frères puissent étudier pendant un an dans le centre d'études institutionnelles d'une autre province. Afin de faciliter ce transfert d'étudiants entre les provinces, les centres d'études institutionnelles devront essayer d'établir des accords mutuels d'équivalence des cours. Là où c'est possible, ceci pourrait comprendre la reconnaissance civile des cours suivis par un étudiant en dehors de sa province.

86. Afin d'améliorer le niveau de nos étudiants dans les langues étrangères, de leur proposer une vision théologique différente et d'approfondir la coopération entre les provinces, les centres d'études institutionnelles pourront inviter des professeurs de différentes régions à donner aux étudiants des cours dans une langue de l'Ordre différente de la leur (cf. n° 14.9).

87. À la demande des prieurs provinciaux respectifs, le Maître de l'Ordre peut établir un centre interprovincial pour les études institutionnelles sous l'autorité d'un unique modérateur. Les droits et obligations des différentes provinces dans la gouvernance du centre devront être indiqués dans la RSP de la province à laquelle le centre appartient ou dans une déclaration séparée approuvée par le Maître de l'Ordre (LCO 391.4°).

88. Afin de former nos frères dans la tradition d'étude dominicaine, on devra encourager la collaboration avec les institutions sous immédiate juridiction du maitre de l'Ordre, surtout l'Université Saint Thomas d'Aquin à Rome, *l'École biblique et archéologique française* à Jérusalem, et la faculté de théologie de l'Université de Fribourg, dont le Maître de l'Ordre est le Grand Chancelier.

Chapitre V

EXAMENS

### Section A
### Examens en général

89. La RSP devra indiquer clairement comment le centre d'études institutionnelles évaluera les résultats du travail des étudiants, y compris leur aptitude à compléter ce qu'ils ont appris au cours de leur formation institutionnelle. Les outils d'évaluation devront prendre en compte non seulement la maîtrise de la part des étudiants des documents présentés mais aussi leur capacité à s'engager dans une analyse critique et une pensée synthétique. La rédaction d'articles de recherche, la critique de livres, les examens oraux et écrits et la participation active à des séminaires sont les moyens appropriés pour déterminer les progrès des étudiants dans un centre d'études.

### Section B
### Examens pour le lectorat

90. Pour que une province puisse conférer le lectorat de l'Ordre (LCO 94), et en plus des exigences indiquées dans la RSP, les frères doivent :
1) Terminer le cycle des études institutionnelles avant l'examen ;
2) Recevoir l'approbation du conseil des professeurs pour poursuivre le lectorat ;
3) Écrire un article formel de recherche qui devra être approuvé ;
4) Recevoir un jugement favorable en présence de trois professeurs du centre d'études institutionnelles, qui feront passer à l'étudiant un examen d'une durée d'au moins deux heures, sur différents thèmes aussi bien en théologie qu'en philosophie.

### Section C
### Examen sur la faculté d'entendre les confessions

91. L'examen sur la faculté d'entendre les confessions se déroulera en présence d'au moins deux examinateurs, dont un au moins devra être professeur de théologie. Les examinateurs devront évaluer la compréhension

qu'a le candidat de la théologie morale et pastorale d'un point de vue dominicain, ainsi que sa connaissance de la discipline canonique de l'Église, et ils porteront une attention particulière à la maturité de son jugement dans l'exercice de ce ministère. L'examen durera au moins une heure, à l'issue de laquelle les examinateurs voteront à bulletin secret. Une majorité absolue est requise pour la réussite de cet examen (cf. LCO 251). Les autres points spécifiques concernant l'examen devront être indiqués dans la RSP.

92. Le prieur provincial a la responsabilité de choisir les examinateurs pour juger de la faculté d'entendre les confessions. Il peut la déléguer au régent des études, au modérateur du centre d'études institutionnelles, ou au prieur de la communauté du studentat.

93. Si le candidat réussit son examen, les examinateurs rédigeront une note à ce sujet dans un document signé. Dès que le candidat sera ordonné au presbytérat, il aura la faculté de confesser, selon ce qui est indiqué dans LCO 138.

# ANNEXES

## Annexe I

### INSTRUCTIONS POUR LA RÉDACTION DES *RATIONES STUDIORUM PARTICULARES*

(Sauf indication contraire, toutes les références concernent la *Ratio Studiorum Generalis* (RSG))

**A) Création et approbation**

Dans chaque province, le prieur provincial et son conseil présenteront pour approbation au Maître de l'Ordre la *Ratio Studiorum Particularis* (RSP) proposée par la commission de la vie intellectuelle de la province et revue par le conseil des professeurs du centre d'études institutionnelles (n° 32, et LCO 89 §II et 231.5).

**B) Autorités respectives**

La RSP constitue une partie essentielle de l'organisation des études pour la province (n° 30.2) ou la région (n° 34). Tout en reconnaissant que la plus haute autorité revient au LCO, aux chapitres généraux et à la RSG, elle a valeur d'obligation pour la province (n° 33).

**C) Orientations générales**

La RSP devra prendre en considération le contexte culturel spécifique, les circonstances de temps et de lieu, la maturité des étudiants, les coutumes des universités de la région et les directives de l'Église locale. Elle insistera sur l'importance de la synthèse doctrinale pour l'Ordre, alors même qu'elle précisera les différentes disciplines à enseigner et les méthodologies appropriées pour les présenter.

**D) Dispositions spécifiques**

En ce qui concerne la *formation institutionnelle*, la RSP doit prévoir tant celle des frères coopérateurs que celle des frères se préparant à l'ordination (n° 11) :
* Les buts et objectifs du programme d'étude (nn. 12-14),
* La méthodologie pour atteindre ces objectifs (n° 15),
* La façon d'enseigner la philosophie et la théologie, simultanément ou non,
* Une description générale des disciplines dans lesquelles les étudiants devront acquérir une compétence.

La RSP devra aussi préciser :
- Où est publié le programme complet des études institutionnelles,
- Où se trouve la description exacte des cours, y compris la méthodologie d'enseignement et le nombre d'heures assignées à chaque cours,
- Où est promulgué le calendrier universitaire chaque année.

Pour les *études supplémentaires et complémentaires,* la RSP doit décrire le processus d'approbation des candidats à de telles études.

Pour le *centre des études institutionnelles,* la RSP devra indiquer :
- Le nom officiel et le siège légal du centre d'études institutionnelles,
- Un exemplaire des statuts ou des règlements du centre d'études institutionnelles,
- Une description des structures de gouvernement du centre d'études institutionnelles, à moins qu'elle ne soit décrite dans le statut du centre d'études institutionnelles (n° 55),
- La structure de gouvernance pour un centre qui opère à deux endroits différents, à moins que cela ne soit spécifié dans le statut du centre d'études institutionnelles (n° 51),
- Le processus de nomination du modérateur du centre d'études, à moins qu'il ne soit spécifié dans les statuts de la province (n° 56),
- Les responsabilités propres du modérateur du centre d'études, à moins qu'elles ne soient spécifiées dans les statuts de la province ou dans le statut du centre d'études institutionnelles (n° 56),
- Le choix des membres du conseil des professeurs (n° 60),
- Les rôles respectifs du régent des études et du modérateur du centre d'études institutionnelles (n° 57) y compris leurs responsabilités respectives concernant :
  - les professeurs qui enseignent dans le centre d'études institutionnelles,
  - la planification des besoins du centre, y compris la formation des futurs professeurs,
- Le cas échéant, les obligations du maitre des étudiants pour la formation des frères en études institutionnelles, en relation avec celles du régent et du modérateur (n°57),
- La procédure de nomination du bibliothécaire du centre d'études institutionnelles, à moins qu'elle ne soit spécifiée dans les statuts de la province ou dans le statut du centre (n° 62),
- Les procédures de sélection des membres du comité de la bibliothèque, ainsi que les responsabilités de ce comité, à moins qu'elles ne soient spécifiées dans les statuts de la province ou dans le statut du centre d'études institutionnelles (n° 62),
- Qui, du régent des études ou du modérateur du centre d'études institutionnelles, supervisera les études des frères qui poursuivent leur formation institutionnelle dans une autre province (n° 65).

Dans les provinces où les étudiants poursuivent leurs études institutionnelles dans des *institutions nondominicaines*, la RSP doit :

- Fournir le programme du centre d'études où les frères effectuent leurs études (nn. 35 et 67) ;
- Déterminer si c'est le régent des études ou le modérateur du centre d'études institutionnelles qui supervise le programme d'études des frères étudiant dans des centres académiques en dehors de l'Ordre (n° 69) ;
- Décider si c'est le régent des études ou un frère désigné par le prieur provincial qui est responsable du programme académique des frères qui étudient en dehors de l'Ordre, lorsqu'il n'y a pas de centre d'études institutionnelles dans la province (n° 69) ;
- Présenter le programme des cours, conférences, et séminaires pour former les étudiants dans la tradition doctrinale de l'Ordre (n° 35.2) ;
- Indiquer clairement comment la tradition intellectuelle de l'Ordre sera intégrée dans le programme d'études des étudiants (n° 35.3 et 67).

En ce qui concerne *les professeurs et les étudiants*, la RSP doit élaborer :

- Le processus d'évaluation des professeurs, à moins qu'il ne soit indiqué dans le statut du centre d'études (n° 76),
- La façon dont les frères étudiants seront accompagnés ou supervisés par les responsables des études dans la province (n°44.4),
- Le processus de consultation des étudiants dominicains lors de la nomination d'un modérateur du centre d'études (n° 78).

En ce qui concerne les *centres d'étude interprovinciaux*, la RSP doit définir les droits et les obligations des provinces, s'ils ne sont pas indiqués dans un accord séparé (n° 87).

Pour les *examens* la RSP déterminera :

- Les formes d'évaluation et d'examens en général (n° 89),
- Les exigences requises pour le lectorat (n° 90), dans les provinces où ce diplôme est conféré,
- Le déroulement des examens sur la faculté d'entendre les confessions (nn. 91-93).

## Annexe II

## BIBLIOGRAPHIE DES DOCUMENTS D'ÉTUDE ECCLÉSIAUX, PONTIFICAUX, ET DOMINICAINS

DOCUMENTS CONCILIAIRES :

Constitution dogmatique sur l'Église. *Lumen Gentium*. 21 Novembre 1964.

Décret sur la rénovation et l'adaptation de la vie religieuse. *Perfectae caritatis*. 28 Octobre 1965.

Décret sur le ministère et la vie des prêtres. *Presbyterorum ordinis*. 7 Décembre 1965.

Décret sur la formation des prêtres. *Optatam totius*. 28 Octobre 1965, nn. 13-22.

DOCUMENTS PONTIFICAUX *(consultables sur internet)* :

François. *Evangelii Gaudium*. 24 Novembre 2013. Archives du Saint Siège.

Benoît XVI. *Deus Caritas Est*. 25 Décembre 2005. Archives du Saint Siège.

Jean-Paul II. *Fides et Ratio*. 14 Septembre1998. Archives du Saint Siège.

Jean-Paul II. *Vita Consecrata*. 25 Mars 1996. Archives du Saint Siège.

Jean-Paul II. *Pastores Dabo Vobis*. 25 Mars 1992. Archives du Saint Siège.

Jean-Paul II. *Sapientia Christiana*. 15 Avril 1979. Archives du Saint Siège.

Paul VI. *Evangelii Nuntiandi*. 8 Décembre 1975. Archives du Saint Siège.

AUTRES DOCUMENTS ECCLÉSIAUX *(consultables sur internet)*

Congrégation pour le Clergé, Le don de la vocation presbytérale, Ratio Fundamentalis Institutionis Sacerdotalis. 8 décembre 2016, nn. 153-187.

Congrégation pour le Culte Divin et la discipline des Sacrements. *Directoire homilétique*. 29 juin 2014. Archives du Saint Siège.

Congrégation pour l'Education catholique, *Décret de Réforme des études ecclésiastiques de Philosophie*, 28 janvier 2011. Archives du Saint Siège.

TEXTES DES CHAPITRES GÉNÉRAUX DE L'ORDRE :

ACG Bologne 2016, nn. 171-173, 185

ACG Trogir 2013, nn. 83-96.

ACG Rome 2010, nn. 83-94, 120-123, 125.

ACG Bogota 2007, nn. 99-115, 122-128.

ACG Cracovie 2004, nn. 124-131.

ACG Providence 2001, nn. 104-135.

ACG Bologne 1998, nn. 62, 76.

ACG Caleruega 1995, nn. 98.1-99.4.

ACG Mexico 1992, "Sécularisation et quête spirituelle."

Pour les textes des chapitres généraux précédents sur l'étude, voir : la *Ratio Studiorum Generalis* (1993).

TEXTES DES MAITRES DE L'ORDRE (*consultables sur le site internet de l'Ordre*) :

fr. Bruno Cadoré, o. p., *Marie : contemplation et prédication de la Parole,* Février 2013.

fr. Carlos Azpiroz Costa, o. p., *Allons dans la joie et pensons à notre Sauveur : considérations sur l'itinérance dominicaine,* 24 Mai 2003.

fr. Timothy Radcliffe, o. p., *La source vive de l'espérance. L'étude et l'annonce de la Bonne Nouvelle.* Octobre 1996.

Annexe III

## PROCÉDURE POUR LES CONTROVERSES À PROPOS DE DÉCLARATIONS PUBLIQUES DES FRÈRES

### Principes directeurs

I. La fait que les gens communiquent aujourd'hui à travers les médias numériques, les réseaux sociaux et autres formes de technologies de l'information offre des possibilités de présenter l'Évangile et notre foi catholique d'une façon qui aurait été difficile à imaginer il n'y a encore pas longtemps. Comme les premiers frères, nous vivons l'itinérance pour atteindre de nouveaux publics, parler de manières différentes, et pour faire connaître notre vision, et ce maintenant dans la sphère publique du monde digital.

II. Toutes ces possibilités et cette liberté impliquent évidemment que les frères doivent aussi exercer la vertu de prudence afin que leurs déclarations soient inspirées par la recherche de la vérité et par le bien commun. Lorsqu'il fait profession, chaque frère dominicain cesse d'être un individu isolé qui ne parle et n'écrit qu'en son nom propre. Il devient une personne publique qui représente l'Ordre et l'Église dans tout ce qu'il fait et dit. C'est pourquoi, avec un accès presque illimité à un auditoire mondial, il assume la responsabilité extraordinaire d'utiliser les médias d'une façon sage et avisée, au service de la foi.

### Déclarations aux nouveaux médias

III. Outre cette utilisation prudente des technologies numériques, l'opinion des frères pourra être sollicitée par les nouveaux médias, aussi bien lors d'interviews écrites qu'au téléphone ou à la télévision. Si le thème concerne la province, il faudra en référer au prieur provincial. Si cela concerne le couvent ou la paroisse, on en référera respectivement au prieur ou au curé. Il est toujours préférable pour un frère de présenter une déclaration préparée plutôt que de parler de manière improvisée. Le supérieur local révisera la déclaration et l'approuvera avant qu'elle ne soit soumise au journaliste qui a demandé l'interview.

IV. En cas d'impossibilité pour le frère de préparer une telle déclaration, il devra au moins parler à son supérieur local et lui partager ce qu'il a l'intention de dire, avant de s'adresser aux médias. Dans une telle situation, il devra se laisser guider par les conseils de son supérieur.

### Utilisation d'Internet

V. Les sites internet, les blogs et les réseaux sociaux sont tous des moyens légitimes de communiquer la Parole de Dieu et de partager des opinions sociales et religieuses. En utilisant ces moyens, il est possible de constituer un groupe d'abonnés qui visitent régulièrement ces sites pour trouver des informations et avoir des conversations virtuelles. Malheureusement les sites populaires sont souvent discutables. Les frères ayant des sites web et des blogs doivent être prudents. Les déclarations qu'ils font doivent être judicieuses et refléter l'enseignement de l'Église. Elles devront également promouvoir le bien commun de l'Ordre.

VI. Il peut malheureusement arriver qu'un frère fasse sur internet une déclaration qui manque de prudence, qui ne reflète pas l'enseignement de l'Église, ou qui aille à l'encontre du bien commun de l'Ordre. Dans un tel cas, le supérieur local ou le prieur provincial peut procéder de plusieurs façons, par exemple :

1) Avertir le frère et lui expliquer que sa déclaration controversée ou erronée est inacceptable et ne doit pas être répétée ;
2) Insister pour que le frère retire sa déclaration controversée ou erronée, ou pour qu'il la nuance afin de la rendre acceptable pour l'Ordre ;
3) Demander que les futures déclarations sur un site internet soient contrôlées par des frères choisis par le prieur provincial ;
4) Informer le frère qu'il doit fermer le site internet.

## Déclarations publiques controversées

VII. Il pourrait arriver qu'une déclaration publique et controversée ait été faite oralement ou par écrit sans avoir été approuvée par le frère supérieur. Dans ce cas, nous conseillons vivement aux frères, dans l'esprit de LCO 139, de parler de la question d'abord au frère concerné, et si nécessaire, à son provincial, après quoi seulement les frères pourront présenter leurs objections directement au Maître de l'Ordre. D'autre part, ils ne devront pas en informer l'évêque local ou le Saint Siège sans avoir d'abord suivi toutes ces étapes. Ni le prieur provincial ni le Maître de l'Ordre ne pourront tenir compte de dénonciations anonymes.

VIII. Le prieur provincial, de par sa fonction, a le devoir d'examiner les points douteux, du point de vue de la doctrine, exprimés lors des déclarations publiques des frères, même s'ils n'a pas reçu de plainte à leur sujet. Dans ce cas, le provincial doit parler au frère pour essayer de clarifier et de résoudre la question. Si le provincial reçoit une plainte, il devra chercher à rencontrer le frère ainsi que ceux qui ont porté plainte, et engager une discussion dans le respect mutuel, avec l'espoir d'arriver à une issue favorable. En fonction du degré de publicité négative réellement ou potentiellement occasionnée par la déclaration, le provincial pourra en informer l'Ordinaire du lieu et le Maître de l'Ordre.

IX. Dans les cas où le prieur provincial ne pourrait pas résoudre seul la question, il doit décider avec son conseil s'il est opportun de la traiter au niveau provincial ou d'en référer directement au Maître de l'Ordre. Normalement, il est préférable d'essayer de résoudre ces questions au sein de la province avant de demander l'intervention du Maître de l'Ordre.

## Procédure dans la province

X. Si le prieur provincial décide de soumettre la question à une enquête provinciale, il établira avec son conseil une commission qui examinera la déclaration publique ainsi que les objections théologiques soulevées à son encontre. Cette commission pourra demander l'aide d'experts.

XI. Dans le cadre de l'examen de la déclaration publique, les membres de la commission inviteront le frère à les rencontrer, ainsi que – si c'est souhaitable – ceux qui ont déposé une plainte formelle à propos de la déclaration. La commission doit en prévenir le frère suffisamment à l'avance pour qu'il puisse se préparer à répondre aux questions. Il peut choisir un expert pour l'accompagner. Si le frère refuse de rencontrer la commission ou ne se rend pas disponible après que des efforts auront été faits pour répondre à ses exigences, la commission pourra continuer ses délibérations sans lui. La commission donnera son avis sur le caractère imprudent et dangereux de la déclaration pour la foi et la morale. Elle communiquera cet avis par écrit au prieur provincial.

XII. Une fois qu'il aura reçu l'avis de la commission, le prieur provincial prendra sa décision après avoir consulté son conseil. Si le provincial juge que la déclaration est imprudente et dangereuse pour la foi et la morale, il en informera le frère et lui demandera de réparer ses torts. Le provincial doit faire ceci par écrit, à moins qu'il n'en informe le frère en présence d'au moins deux témoins. Le prieur provincial peut ensuite procéder de plusieurs façons, par exemple :
1) Demander des excuses formelles ;
2) Insister pour un retrait public de la déclaration controversée ;
3) Ordonner une interruption immédiate de la publication de l'opinion censurée ;
4) Destituer le frère de toute charge administrative ou position d'enseignement ;
5) Priver le frère de ses facultés ecclésiastiques, si le frère est ordonné.

XIII. Si le prieur provincial estime que la plainte est non fondée et que la déclaration publique n'est ni imprudente ni dangereuse pour la foi et la morale, il en informera par écrit les personnes qui l'ont présentée. S'il s'agit de frères dominicains, le provincial leur demandera par écrit de faire amende honorable, de mettre fin à leurs accusations et de retirer publiquement les critiques qui auront nui au frère.

XIV. Si la question a été soumise à l'attention du Maître de l'Ordre et des autorités ecclésiastiques, le prieur provincial les informera des résultats de l'enquête et des mesures qu'il a prises pour traiter la question et pour réparer les dommages causés.

XV. Le frère qui a fait une déclaration publique controversée peut toujours en appeler au Maître de l'Ordre pour s'opposer aux conclusions du processus.

*Procédure du Maître de l'Ordre*

XVI. Il est possible de demander au Maître de l'Ordre d'examiner une déclaration publique controversée en cas de :
1) Plainte présentée au Maître de l'Ordre par un frère dominicain ou par une personne non dominicaine ;
2) Plainte présentée directement par une autorité ecclésiastique ;
3) Requête présentée au prieur provincial qui, après consultation de son conseil, décide qu'il serait inopportun pour la province de traiter la question ;
4) Requête présentée au prieur provincial qui, après avoir reçu l'avis de la commission provinciale et consulté son conseil, décide qu'il n'est pas en mesure de rendre un jugement sur l'imprudence ou le danger que représente la déclaration publique, ou qu'il ne dispose pas des moyens appropriés pour réparer les dommages causés ;
5) Appel par l'auteur de la déclaration publique controversée, contre le jugement du prieur provincial établissant l'imprudence et le danger pour la foi et la morale, ou contre les mesures de réparation qui lui ont été imposées par le prieur provincial.

XVII. Dans de telles situations, il est recommandé au Maître de l'Ordre de procéder comme suit :
1) Référer la question directement à la province (XVI, nn. 1-2) ;
2) Accepter le jugement du prieur provincial ou de la commission provinciale après avoir examiné le dossier (n° XVI, n° 5) ;
3) Proposer ses propres solutions, après avoir examiné le dossier (XVI, n°5) ;
4) Mener sa propre enquête en acceptant la demande du prieur provincial (XVI, nn. 3-4) ou l'appel de l'auteur de la déclaration controversée (XVI, n. 5).

XVIII. Lorsque le Maître de l'Ordre l'estime prudent, il peut conduire sa propre enquête sur une déclaration publique controversée. Le Maître de l'Ordre peut suivre le processus mentionné ci-dessous ou élaborer un autre processus :
1) Le Maître de l'Ordre nomme une commission d'experts en théologie pour examiner la déclaration publique controversée.
2) La commission examine la déclaration publique et présente ses conclusions au Maître de l'Ordre.
3) Le Maître de l'Ordre envoie ces conclusions au prieur provincial, qui les transmet à l'auteur de la déclaration controversée.
4) L'auteur de la déclaration examine les conclusions de la commission :
   a. S'il accepte les conclusions de la commission, la question est considérée comme close. Le Maître de l'Ordre indiquera ensuite comment réparer les dommages occasionnés.
   b. S'il rejette ces conclusions, on lui donnera le temps nécessaire pour préparer sa propre réponse écrite, et il recevra une convocation pour rencontrer les membres de la commission en personne. Il pourra être accompagné d'un expert de son choix.

2) Le socius pour la vie intellectuelle convoquera et présidera cette réunion de la commission avec le l'auteur de la déclaration controversée. Le socius pour la vie intellectuelle, qui est membre non votant de la commission, transmettra au Maître de l'Ordre l'avis de la commission quant au caractère imprudent et dangereux pour la foi et la morale de la déclaration publique.

3) Le Maître de l'Ordre devra prendre sa décision concernant l'imprudence et le danger de la déclaration :

    a.  Si le Maître de l'Ordre décide que la déclaration publique est imprudente et dangereuse pour la foi et la morale, il peut confirmer une décision antérieure du prieur provincial et les remèdes imposés par ce dernier ; ou bien le Maître de l'Ordre peut présenter ses propres remèdes, y compris toute mesure disciplinaire qu'il pense être appropriée.

    b.  Si le Maître de l'Ordre estime que l'accusation concernant l'imprudence ou le danger pour la foi et la morale de la déclaration publique n'est pas suffisamment fondée, il peut annuler toute décision antérieure défavorable prise par la province. En outre, il demandera au prieur provincial de réparer tous les dommages causés à la réputation et aux droits de l'auteur.

XIX. Une fois que le Maître de l'Ordre aura examiné la déclaration publique controversée et pris une décision définitive, la question sera considérée comme close du point de vue de l'Ordre.

71734771R00160

Made in the USA
San Bernardino, CA
18 March 2018